Knaur.

Über die Autorin:
Laurence Haloche wurde 1966 geboren, studierte Geschichte an der Sorbonne und arbeitete als Journalistin für verschiedene Zeitungen und Zeitschriften, darunter den *Figaro*, sowie für Rundfunk und Fernsehen. *Der Mund* ist ihr erster Roman.

Laurence Haloche

Der Mund

Roman

Aus dem Französischen
von Barbara Reitz und Eliane Hagedorn

Knaur Taschenbuch Verlag

*Mein Dank gilt Marie Legrand, Marc Sick
und Patrick de Bourgues.*

Die französische Originalausgabe erschien
unter dem Titel »Les Plaisirs de la Chair« bei Plon, Paris

**Besuchen Sie uns im Internet:
www.knaur.de**

Vollständige Taschenbuch-Neuausgabe April 2006
Dieser Titel erschien im Knaur Taschenbuch Verlag
bereits unter der Bandnummer 61032.
Copyright © 1996 by Plon, Paris
Copyright © 1997, 2006 für die deutschsprachige Ausgabe
by Knaur Taschenbuch.
Ein Unternehmen der Droemerschen Verlagsanstalt
Th. Knaur Nachf. GmbH & Co. KG, München.

Redaktion: Gerhild Gerlich
Umschlaggestaltung: ZERO Werbeagentur, München
Umschlagabbildung: Artothek
Satz: Ventura Publisher im Verlag
Druck und Bindung: Clausen & Bosse, Leck
Printed in Germany
ISBN-13: 978-3-426-63233-8
ISBN-10: 3-426-63233-0

2 4 5 3

Für meine Familie

1

7. Dezember 1768

»TOD DEM TEUFEL!«

Der hundertmal wiederholte Schrei riß die Menge mit. Der große Platz von Figeac schien zu wogen: Wie eine Welle von Korken, die die Flut anspült, brandete eine Woge von Köpfen an den Galgen, vor dem der Henker sich in Szene setzte. Auf den Zehenspitzen drängelten die Männer nach vorn, die Frauen verschafften sich mit den Ellenbogen Platz, um nicht zu ersticken … Seit Capeluche gehängt worden war, hatte es einen solchen Ansturm nicht mehr gegeben. Die Neugierigen waren in Scharen von der Hochebene von Gramat, aus Capdenac, ja sogar aus Limoges herbeigeeilt. Durch die fahrenden Händler hatte sich die Kunde verbreitet, und die ganze Region war gekommen, um beim kostenlosen Schauspiel der öffentlichen Hinrichtung dabeizusein. Natürlich hatte sich das Volk eingefunden, aber auch die Herren und Damen von Stand hatten die Häuser gestürmt wie die Ränge einer Arena. Für mehr als drei Sols drängten sich die Menschen an den Fenstern, klammerten sich an den Balkonen fest, klebten in Trauben auf den Dächern. Zu Hunderten, zu Tausenden. Unter eisigem, peitschendem Regen verstörte Gesichter, nasse Schultern, triefende Bauernkittel. Nach einem sechs Monate anhaltenden, aufsehenerregenden Prozeß wurde endlich der Richterspruch König Ludwigs XV. vollzogen, der ebenso unerbittlich war wie das Paar aus der »blutigen Herberge« selbst.
Ein Geraune verbreitete die Neuigkeit: Der Zug näherte sich, bahnte sich seinen Weg. Gebete herunterleiernd, ein

Trauermarsch im Rhythmus einer tödlichen Abrechnung mit dem Leben. Zuallererst eine Prozession von zwanzig Büßern mit schwarzen Kapuzen, angeführt vom hocherhobenen Barmherzigen in Seiner Pracht, ein Kruzifix, um den Himmel zu berühren, gleich dahinter der Bischof, den Krummstab in der Hand und die Mitra auf dem Kopf, Monsignore Nicolai, neben ihm der Intendant Lescalopier, der Graf Plas de Taines und der Seigneur de Bessonies; hinter ihnen marschierte der Magistrat, gefolgt von dem zweirädrigen Karren, der von dreißig Bogenschützen und hohen königlichen Beamten zu Pferde begleitet wurde. Durchnäßt und schlotternd standen Gabert und Marie Raynal in ihren langen Wollhemden, die Hände auf dem Rücken gefesselt, aufrecht in dem Karren, der sie zu ihrer Hinrichtung brachte.

Ihr Anblick belebte die vom langen Warten und der Kälte abgestumpften Geister wieder. Plötzlich und ungestüm durchbrach die Menge Stück für Stück den dünnen Holzzaun, der sie zurückhalten sollte. Die Reiter hielten sie noch eine Weile in Schach, versuchten, sie zu beeindrukken, indem sie ihre Pferde steigen ließen. Doch die Hysterie siegte. Wie die Furien stürzten sich die Bauern auf den Karren und entrissen dem Kutscher die Zügel. Es hagelte Beschimpfungen, Aufruhr drohte … Ihre Münder verzogen sich, ihre Gesichter verzerrten sich. Sie schienen von einer Wahnsinnswut besessen, bereit, selbst die Verbrecher zu töten. Angesichts der Gewalttätigkeit drohten die berittene Wache und die Gardisten mit den Waffen. Doch niemand beachtete sie. Der Haß trieb ihn, riß den Mob zu Wut- und Ekelausbrüchen hin, als die Verurteilten die Stufen zur Hinrichtungsstätte erreichten.

Marie Raynal wurde als erste zum Galgen geführt. Ihr Haar war unter einer weißen Haube verborgen, eine Kordel hielt das weite Gewand an den Knien zusammen. Keinerlei Regung auf ihrem Gesicht, bis auf ein krampfartiges Zucken der Muskeln. Ihre Gestalt bot eher das erwartete Schauspiel: ein bis zum Skelett abgemagertes Etwas, gezeichnet von mehrwöchigem Kerkeraufenthalt. Selbst unter der schlimmsten Folter hatte sie sich geweigert, etwas zu gestehen. Auch hatte sie sich geweigert, öffentlich Abbitte zu leisten, wozu Pater Fournier sie gedrängt hatte. Nein, der Tod würde ihr nicht die Seele nehmen! Ihr Blick war klar, ihr Körper durchscheinend, um das Handgelenk hatte sie ein blaues Tuch geschlungen, in das man die Neugeborenen wickelte. Die Verurteilte wies jegliche Hilfe zurück und stieg langsam die sechs Stufen hinauf. Den Kopf aufrecht, stolz, zeigte sie eine unerschütterliche Unerschrockenheit, so als sei der Tod eine Befreiung für sie. Ihr Gesicht strahlte Gelassenheit aus, einen Frieden, so daß sie mit jedem Schritt der Menge ein wenig mehr Respekt abnötigte.

Langsam verebbte das Geschrei. Auf dem Platz breitete sich Schweigen aus. Keine Rufe, kein Gelächter, nicht einmal mehr ein Raunen. Die Stille war so durchlässig, daß ein jeder die Atemzüge seines Nachbarn vernehmen konnte. Der Henker ergriff den Strick, überprüfte die Schlinge, legte sie um Marie Raynals Hals und zog sie zu. Unter dem Druck schwollen die Halsvenen der jungen Frau an, ihre Brust hob sich in schnellen, keuchenden Stößen. In einem letzten, der Angst entrissenen Atemzug schweifte ihr Blick über die Menge. Sie suchte das einzige Wesen, das sie je geliebt hatte, Marie Raynal suchte ihr einziges Kind: Malvina, die kleine neunjährige Tochter.

Der Richter hatte ihre Anwesenheit verlangt, damit auch diese unreine Seele ihren Teil des Urteils trage. »Auf daß sie sehe, auf daß sie sich erinnere ... « Dieser Tag sollte sich unauslöschlich in ihr Gedächtnis einbrennen, wie das Kainsmal, das das Glüheisen in das Fleisch der Verdammten einbrennt. Also stand Malvina da, eine graue Gestalt, zierlich und zerbrechlich, vor Entsetzen bleich, die Lippen so zerbissen, daß sie purpurn waren. Von der Welt nahm sie, gefangen in bedingungslosem Schweigen, nichts wahr. All ihre Sinne waren abgestorben.

Ein Schauder überlief die Zuschauer. Ein Strick, der sich spannt, Beine, die sich anspannen, wieder entspannen, ausschlagen, erstarren … An dem dumpfen Geräusch des fallenden Gewichts erkannte die Kleine, daß es vorüber war. Der Körper ihrer Mutter baumelte hin und her, der Kopf hing zur Seite. Das Tuch, das sie umklammert hatte, lag zu ihren Füßen. Auf dem gebauschten Stoff waren noch die Abdrücke ihrer verkrampften Finger zu erkennen. Doch schon erschütterte ein zweiter Aufprall die Plattform. Gabert Raynal war vor der sterblichen Hülle seiner Frau auf die Knie gesunken. Unter einem nicht enden wollenden Schrei schlug er wie wild um sich, schluchzte und schleuderte seine Reue dem entgegen, der ihn noch hören konnte.

»Ein Liard der Schemel, um die Bestie besser begaffen zu können«, rief, wie ein Echo, einer der Händler zurück.

»Höllenbrut …« schrie ein anderer.

Die Beschimpfungen kamen von allen Seiten: »Tod der Ausgeburt der Hölle.« »Tod dem Kannibalen aus Assier!« … Die Fülle der Beweise hatte den Wirt als Ausführenden der Verbrechen entlarvt. Als denjenigen, dessen Hand, ohne zu zittern, gut zehn unvorsichtige Reisende ausgeplündert und getötet hatte.

Mit einem Schulterstoß beförderte der Henker den Ruchlosen ins Nichts. Die Menge applaudierte, als er dann die beiden Körper schüttelte, um sich zu vergewissern, daß das Leben aus ihnen gewichen war und ihr Puls zu schlagen aufgehört hatte. Auf dem Balkon des Amtsgebäudes, wo Adel und Klerus Platz genommen hatten, war man höchst erfreut angesichts des reibungslosen Verlaufs der Hinrichtung und beglückwünschte einander. Der Seigneur de Bessonies, der Lehnsherr, erhob sich und erklärte mit lauter Stimme:

»Der Gerechtigkeit ist Genüge getan. Der Teufel ist tot und seine Frau ebenfalls.«

Das Volk applaudierte.

Dieser Nervenkitzel hatte den Appetit der Geladenen angeregt, und so wurden sie ins Schloß von Balène geladen, wo ein Festgelage, Spiele und später ein Ball für sie ausgerichtet wurden. Die sterblichen Hüllen der Mörder sollten, Wind und Unwetter preisgegeben, hängen bleiben, bis sie von selbst abfielen. Die verwesenden und stinkenden Kadaver sollten all jenen zur Warnung dienen, die versucht waren, den Weg des Herrn und Sein Gesetz zu verlassen, um ihre angeborenen verbrecherischen und bestialischen Instinkte zu befriedigen.

Während die Neugierigen die beiden Gehängten in der Hoffnung umringten, auf ihren Gesichtern Reue lesen zu können, ertönte Donnergrollen, ein Hagelschauer folgte. Die Nacht senkte sich über die Stadt. Die Grande Place leerte sich. Die Menge lief wild durcheinander und suchte Schutz im nächstgelegenen Unterschlupf: Bäume, Torbögen und geschütztere Gäßchen wurden im Sturm erobert, während sich die Fenster eilig schlossen. Allein Malvina verharrte regungslos, die Augen vor Entsetzen geweitet, vor dem Blutgerüst. Sie schluchzte unaufhörlich, und die Tränen, die über ihre Wangen rannen, vermischten sich mit dem Regen. Der Kummer schnürte ihr die Kehle zu. Sie sog, als kämpfe sie mit dem Ersticken, stoßweise die entfesselte Gewitterluft ein.

»Komm, hier kannst du bei diesem Wolkenbruch nicht bleiben!«

Der alte Mann, der zu ihr sprach, war Pater Fournier. Der Gemeindepfarrer von Assier hatte erwirkt, das Mädchen zu der einzigen Pflegemutter, die es in Figeac gab, bringen zu dürfen, und die hatte sich bereit erklärt, sie aufzunehmen.

»Komm! Wir können nichts mehr für sie tun.«

Die Kleine rührte sich nicht vom Fleck.

»Keine Sünde ist so groß, daß Gott sie in Seiner Güte und Barmherzigkeit nicht verzeihen würde. Glaube mir, der Herr wird ihnen die ewige Verdammnis ersparen …«

Malvina hörte ihn nicht. Mit gesenktem Kopf trat sie mit steifen Schritten vor und hob am Fuß des Galgens das Musselintuch auf, das ihre Mutter hatte fallen lassen. Ihre Hand zögerte. Sie schlang es sich um den Hals, und die Finger zogen es zunächst vorsichtig, dann mit Macht zusammen. Das Regenwasser floß in schmutzigen Rinnsalen über ihren Körper. Fester zusammenziehen, noch fester … Unter dem Druck der Würgeschraube begann ihr Herz heftig und schnell zu schlagen. Ihre Lippen verfärbten sich bläulich, ein Schleier legte sich vor ihre Augen. Ein Gefühl hatte Malvina erfaßt, verschlang sie von innen heraus, trieb sie dazu, sich von einem Lebenslänglich ohne Bewährung zu befreien: für immer die unmoralische Brut eines Mörderpaares zu sein.

Der Mönch stürzte auf sie zu, um das Tuch loszureißen. Die miteinander verschweißten Hände des Kindes leisteten Widerstand, verkrampften sich, um dann doch schließlich nachzugeben. Die Kleine taumelte mit geöffnetem Mund zurück und wurde von einem starken Krampf geschüttelt. Ein Brechreiz hob ihre Brust, sie sank auf die Knie, den

Blick starr auf den Boden gerichtet, als würde er sich öffnen, um sie zu verschlingen. Sie stöhnte, stöhnte lange, der rechte Arm lag um ihren Leib geschlungen, der linke verkrampfte sich auf dem Oberschenkel. Eine plötzliche Kälte hatte Bäume, Steine, alles um sie herum erfaßt. Alles um sie herum drehte sich. Der Platz bebte unter den Pflastersteinen, die Häuser schwankten in einem grauen Auf und Ab, versanken im Boden, während sich die Dächer lösten, unerreichbar hoch in den Himmel stiegen. Es war weder Tag noch Nacht. Nur ein Augenblick, der über dem Nichts schwebte.

»Dich zu töten wird dich nicht befreien«, rief er. »Laß sich Luzifer nicht deiner Seele bemächtigen … Er hat schon allzusehr von deinem Vater Besitz ergriffen.«

Malvina hob plötzlich den Kopf und starrte den Pater an.

»Er mußte sterben … Nicht meine Mutter … Ihr wißt es ganz genau und habt dennoch nichts gesagt …«

Pater Fournier wich zurück: Zwei schwarze Augensterne durchbohrten ihn. Ein in Verzweiflung verlorener Blick, der jedoch durch die Feindseligkeit hart, ja fast unbarmherzig wirkte. Niemals hatte er bei einem so jungen Menschen eine solche abgrundtiefe Verderbtheit gesehen. Der Teufel erschien ihm auf diesem Gesicht, auf dem plötzlich alle Tränen getrocknet waren.

Der Ordensmann strich sich mehrmals über die gerunzelte Stirn. Seit jeher bekämpfte er die abergläubischen Gebräuche, empörte sich, daß der Volksglaube nach mehr als tausend Jahren Christentum weiterbestand. Der heilige Mann wäre zwar nicht so weit gegangen, die Existenz oder die Macht des Satans zu leugnen, doch sein Verstand verbot es ihm, ihn in der Gestalt eines Kindes wahrzunehmen.

»Du mußt mir vertrauen und mitkommen«, sagte er bestimmt. »So hat es deine Mutter gewollt.«

»Hat sie Euch das gesagt?«

»Die Unglückliche war am Vorabend ihrer Verhaftung zur Beichte bei mir. Sie wußte, was kommen würde … Sie dachte nur noch an dich.«

»Ihr lügt!« schrie Malvina. »Ihr habt nichts unternommen, um sie zu verteidigen.«

Wie sollte er es ihr erklären? Daß Marie Raynal verdächtigt wurde, eine Hexe zu sein, eine Kreatur des Teufels, daß sie die Milch der Kühe sauer werden ließ und bei zwei Familien die Fortpflanzung verhindert hatte: Es war die Eifersucht, die die Klatschweiber zur Lüge getrieben hatte. Natürlich hatte er versucht, sie zur Vernunft zu bringen, doch das Gerücht hatte sich rasch verbreitet. Überall erzählte man sich, daß in der Herberge von Assier Reisende verschwanden. Die junge Frau hatte ihre Unschuld nicht beweisen können, denn auch sie hatte sich eines Verbrechens schuldig gemacht. Sie war durch ihr Schweigen zur Komplizin geworden und auch durch ihre Taten, denn sie hatte die einschläfernden Kräutersuppen gekocht, um so das Leiden der Unglückseligen, auf die die Wahl des Hausherrn gefallen war, zu mildern. Wie sollte er Malvina erklären, daß ihre Mutter, in ihrer Logik des Wahnsinns, die Verbrechen ihres Mannes benutzte, um ihrer beider Freiheit zu erkaufen. Sie war viel zu klein, um das zu begreifen …

In dieser festen Überzeugung nahm er seinen Schützling bei der Hand und bog in das nächste Gäßchen ein. Ein breiter Bach lief mitten über die Rue des Echevins. Die Leute sprangen in alle Richtungen, um dem Schlammstrom und dem Wasser der Dachrinnen zu entgehen. Angesichts dieses Gewühls und der entfesselten Naturgewalten war Malvina davon überzeugt, daß es für sie ein leichtes wäre, zu fliehen. Der alte Mann, der in seiner Kutte gefangen war, würde ihr nicht folgen können. Und doch blieb sie wie versteinert stehen, wie ein verschrecktes Tier, das das Herannahen der Meute spürt. Der furchtbare Aufruhr ihrer Seele machte es ihr unmöglich, zu denken oder gar zu handeln.

Sie gingen das Gerberviertel hinunter, durchschritten den Wehrgang längs des Flusses. Die Straßen waren jetzt ruhig und leer. Jeder hatte sich in sein Haus verkrochen, um vor dem Unwetter Schutz zu suchen. Nach etwa fünfzig Schritten wurde das wenige Licht, das der Himmel spendete, von noch höheren Häusern verschluckt. Das Haus der Pflegemutter war zum Fluß hin gelegen, zur Rue de La Fosse-aux-Chiens, eine noch dunklere Sackgasse, nur eine Elle breit. Ein Durchlaß tat sich auf, ein Bogengang führte in den Hinterhof. Der Mann und die Kleine schritten arglos hindurch, da tauchten aus dem Nichts vier Männer auf mit eisenbeschlagenen Knüppeln in der Hand, Pistole am Gürtel, einer von ihnen sogar mit einer Mistgabel bewaffnet – und verstellten ihnen den Weg.

»Auf dich haben wir gewartet«, brüllte der größte von ihnen. »Du weißt, daß man Ungeziefer nicht groß werden lassen darf, Pfarrer! Sie ist vom Pferdefuß besessen, wie ihre Mutter … Merkst du nicht, daß sie nach Schwefel stinkt?«
Der Mönch antwortete nicht. Das Gesicht seines Gegenübers war ihm nicht unbekannt. Quer über die rechte Wange, vom Augenwinkel bis zum Nasenflügel, zog sich eine breite Narbe. Es gab keinen zweiten im Dorf, der eine solche hatte. Gabert Raynals Bruder stand vor ihm.
»Sie war es, die sie verraten hat. Dafür muß sie büßen … Wir werden sie an der Mistgabel aufhängen, genau dort, siehst du? Wie ein Huhn, sie wird um sich schlagen, sich winden … Wir werden sie zum Schreien bringen … Du wirst es hören, sie wird gestehen!«
Seine Stimme wurde lauter.

»Hört auf!« rief Pater Fournier und hob beschwichtigend die Arme. »Sie hat sich keines Verbrechens schuldig gemacht.«

Reden, die rechten Worte finden, um sie zur Vernunft zu bringen. Sie hatten bereits einen so engen Kreis um das Kind gebildet, daß die Falle jeden Augenblick zuschnappen konnte.

»Ich beschwöre euch«, wiederholte er, »laßt sie gehen! Die Zöllner von Villefranche sind doch schon hinter euch her ... Und Schmuggelei ist nichts im Vergleich zu solch einem Verbrechen!«

»Genug von deinen Moralpredigten, Fournier ... Du bist nicht besser als sie. Hängt mir dieses Luder unter den Achselhöhlen auf! Los, Leute ...«

Darauf fielen krallenbewehrte Hände über Malvina her. Sosehr sie sich auch wehrte, spürte sie doch, daß kräftige Arme sich ihrer bemächtigten. Jeder wollte sie ergreifen, wollte seinen Teil bekommen. Wie die Hyänen stürzten sie sich auf sie, packten sie an den Knöcheln und Handgelenken und schleuderten sie bald auf die eine, bald auf die andere Seite, ehe sie sie mit Wucht fallen ließen. Ihr Kopf schlug hart auf den Boden. Der jüngste der vier Schurken drückte sie mit dem Knie auf den Rücken. Sie spürte ihn an ihrem Hals, an ihrem Ohr, einen nach saurem Wein riechenden Atem, hörte ein Grunzen, spürte ungeschickte Finger, die versuchten, ihren Kleidersaum zu heben. Malvina schrie. Wütend begann sie zu kratzen, ihrem Angreifer in die Wange zu beißen, riß ein Stück Fleisch heraus, dessen warmes Blut sich über ihre Zunge ergoß. Das Kind preßte die rechte Hand vor den Mund, mußte sich übergeben. Pater Fournier wollte eingreifen. Doch von blindem Haß getrieben stürzten sich die drei anderen auf ihn. Ein erster Stockschlag traf ihn am Hinterkopf, ein zweiter verletzte ihn an der Schulter. Der Pater suchte den Boden nach einem lockeren Stein ab, doch das Pflaster war fest verlegt.

»Lauf weg!« konnte er gerade noch rufen, bevor er unter den Schlägen der Bande zusammenbrach.

Malvina lief davon und stürzte in der Eile mehrmals. Die von der Kälte steif gefrorenen Füße, in die die Holzpantinen einschnitten, verursachten ihr stechende Schmerzen. Doch sie mußte laufen. Laufen, immer weiterlaufen. Schatten und Winkel nutzen, Orte finden, an denen sich nur ein Kind verstecken kann. Schließlich verlief sie sich im Gewirr der Gäßchen und schlecht beleuchteten Kais. Sie verlangsamte ihren Schritt und sah sich um. Unter der Wölbung des Kirchenportals schlief eine Gruppe von Bettlern, dicht aneinandergedrängt, wie in Stein gehauen. Eine Statue der heiligen Agnes, das Märtyrerkind mit seiner Palme und seinem Lamm, schien über sie zu wachen. Malvina näherte sich langsam. Sicher, sie würde nicht schlafen können, aber sie würde die Nacht hier besser verbringen, als wenn sie weiter sinnlos herumrannte und ihre Kräfte vergeudete. Beruhigt durch den himmlischen Schutz und die Wärme ihresgleichen schob sie sich zwischen die Körper. Ihre Leidensgenossen jedoch, die sich über diese Störung ärgerten, beschimpften sie und drohten ihr mit Schlägen, wenn sie nicht aufhören würde, sie zu belästigen. Ihre Angriffslust nötigte sie, die Flucht zu ergreifen. Malvina biß die Zähne zusammen, um nicht zu weinen, und erhob sich. Mit jeder Sekunde nahm ihre Verzweiflung zu. War sie wirklich so schlecht, da man sie überall zurückwies? Sie hätte sich gern bei egal wem entschuldigt. Einfach um geliebt zu werden. Sie fühlte sich so allein, hilflos. Zurück zu ihrer Mutter, das war ihr glühendster Wunsch. »Mama«, der Schrei erstickte in ihrer Kehle. Als sie sich zurechtzufinden versuchte, entdeckte sie auf der anderen Seite des Platzes einen Lichtschein.

Das Gebäude war auf den ersten Blick kaum zu erkennen. Die graue, von Flechten überzogene Fassade wurde am Boden von Efeu und Glaskraut eingesäumt. Der einzige Farbtupfer war das Wirtshausschild, auf dem mit großen roten Lettern »Zur gichtkranken Ratte« geschrieben stand. Von der oberen Hälfte schaute einen ein üppiges Tierchen, den Kopf nach unten, die Hinterbeine an einem Bratspieß festgebunden, an. Die untere Hälfte zeigte vier Wachteln und zwei Tauben, die der Kochkunst geopfert worden waren. Malvinas Herz begann heftiger und schneller zu schlagen. Von außen sah diese Herberge der ihrer Eltern zum Verwechseln ähnlich.

Sie wollte sich eben einem der Fenster nähern, als sich aus der Dunkelheit eine langbeinige Gestalt löste. Ein gebeugter, in formlose Lumpen gehüllter Mann, der einen Weidenring, an dem etwa zehn tote Fledermäuse hingen, durch die Luft schwenkte, packte sie …

»Willst du eine? Ein Sol das Stück, ein Sol«, rief er, und dabei schimmerte seine rosige Zunge zwischen den bräunlich verfärbten Zähnen hervor.

Malvina erkannte in ihm einen von den Vagabunden vor der Kathedrale. Sie wehrte ihn mit dem Ellenbogen ab, doch er bedrängte sie weiter, hielt ihr den Ring mit den toten Flattertieren, die an ihren blutverschmierten, durchbohrten Kehlen aufgefädelt waren, vors Gesicht.

»Die Flügel der Höllenbewohner, man darf keine Angst vor diesen mißglückten Vögeln haben«, sagte er, während er über die behaarte Flughaut seiner Beute strich.

Er holte jetzt zu großer Gestik aus, und seine Lumpen flatterten einem irrsinnigen Flügelschlagen gleich durch die Finsternis.

Entsetzt begann das Kind, mit beiden Fäusten gegen die Tür der Herberge zu trommeln, die sich schließlich mit quietschenden Angeln öffnete. Ein Gast kam heraus. Sie suchte Schutz, klammerte sich an seiner Kleidung fest.

»Der Mann mit den Vögeln«, gelang es ihr zu sagen.

»Was redest du da?«

»Tote Vögel, viele tote Vögel …«

»Aber ich sehe nichts!«

»Er war da, genau hier …«

Der Mann nahm die Laterne von der Wand, ergriff eine mit Nägeln gespickte Knute, die jemand vor der Tür hatte stehenlassen, und suchte die Umgebung ab. Seine Gestalt warf einen riesigen Schatten an die Mauer auf der gegenüberliegenden Straßenseite. Malvina fuhr zusammen.

»Da hinten, da ist jemand, ich habe ihn gesehen«, schrie sie.

»Ich habe jeden Winkel abgesucht, hier versteckt sich niemand.«

Dann richtete er das Licht der Laterne auf das Gesicht des Mädchens und fragte:

»Was machst du hier ganz allein?«

Sie vergrub das Kinn in dem Tuch, das sie um den Hals trug.

»Wo sind deine Eltern? Wie heißt du? Du bist nicht aus Figeac, nicht wahr?«

Da er keine Antwort bekam, schickte er sich an, sie stehenzulassen. Im selben Augenblick sackte Malvina erschöpft in sich zusammen, sank wie eine Stoffpuppe auf das Pflaster. Der Wirt, der ebenfalls herausgekommen war, stand auf der Schwelle, nahm seinem Gast die Laterne ab und forderte ihn auf, hereinzukommen.

»Ihr könnt Euren Spaziergang ja später machen«, meinte er.

»Der Tod wird sie holen, wenn sie hier einschläft.«

Als Malvina, reglos, kalt und leicht wie ein Spatz, hochgehoben wurde, leistete sie keinen Widerstand mehr. Der Wirt schloß die Tür, während der Mann mit seiner Last durch den Raum auf den Kamin zuging. Er war ein Riese, dessen großen Schritte einen Oberkörper wiegten, der jedesmal ruckartig vorzuschnellen schien. Das Licht der Lampe erhellte ein langes Profil, das so schmal war, daß es nicht recht zu der beeindruckenden Körperfülle passen wollte. Er war sicher nicht über dreißig, vielleicht sogar jünger. Doch eine entsetzliche Häßlichkeit raubte ihm die Jugend seiner Züge. In seinem knochigen Gesicht öffneten sich zwei zu den Schläfen hin schräggestellte Schlitze. Das rechte Auge war braun, das linke, es war grün, war von einem weißen Hornhautfleck bedeckt. Die vorspringenden Backenknochen ließen die Wangen hoch und zugleich hohl erscheinen. Die kräftige Nase, über der sich eine niedrige Stirn wölbte, zeugte von einem willensstarken Charakter, der auch bereit war, seine Gegner heftig zu attackieren.

Zu dieser nächtlichen Stunde hatten alle anderen Gäste das Wirtshaus verlassen, und das Feuer war fast erloschen. In der grauen Asche glühten nur noch vereinzelte rosige Funken. Der Mann nahm einige Holzspäne, legte sie auf die Glut, beugte den kahlgeschorenen Schädel vor und begann heftig zu blasen. Eine der dünnen Holzspiralen rötete sich langsam und ging dann in Flammen auf. Das Mädchen streckte sich in der Wärme aus und spürte, wie ein leichtes Prickeln die gefühllosen Glieder belebte. Ein Schüttelfrost erfaßte sie, sie öffnete die Augen, die verzweifelt dreinblickten, dann senkte sie den Blick, starrte wie versteinert auf den Boden, den rechten Arm fest an die Brust gepreßt.

Ihr Wohltäter saß ihr gegenüber auf der Bank und beobachtete, wie sie langsam wieder ins Leben zurückkehrte. Eine eigenartige Anmut ging von diesem Kind aus. Malvinas Kleid – ein teurer Stoff von zartem safrangelbem Schimmer – war an mehreren Stellen zerrissen. Das waren nicht die Auswirkungen der Zeit, nein, das waren eindeutig die Spuren eines heftigen Kampfes. Denn der Oberkörper war mit blauen Flecken übersät, und das Tuch, das sie um den Hals geknotet hatte, mit bräunlichen Blutspuren befleckt. Der Händler fragte sich, wie ein kleines und scheinbar zerbrechliches Mädchen eine solche Behandlung hatte überstehen können. Als er sie aufmerksamer beobachtete, fand er die Antwort. Von ihren Augen, die von einem düsteren Grau und Schwarz gesprenkelt, von jener Gewitterfarbe waren, von der die Bauern behaupteten, sie verleihe Macht, ging eine übernatürliche Kraft aus. Es war keine Frage von Charakterstärke, sondern von einer unmöglichen Harmonie zwischen zwei gegensätzlichen Energien. Vernichten? Rühren? Genau in diesem Augenblick verlieh ihnen der flackernde Schein der Flammen die schneidende Kälte einer Klinge. Es sei denn, es handelte sich um den Glanz von Tränen, Tränen ohne Gefühl, wie Perlen aus Glas, die nie hervorquellen, nie laufen würden, wie bei einer Porzellanpuppe. Ein wahres Wunderwerk der Zerbrechlichkeit mit einer Nase, fein und gerade, die eine perfekte Balance zwischen den leicht mandelförmigen Augen beschrieb, die an Schmetterlingsflügel erinnerten. Der Mund war freimütig, bereit zu beißen oder zu bitten. Das zerzauste Haar fiel in langen Locken über die Schultern und den Rücken, der Kupferton hatte einen leicht honigfarbenen Schimmer. Zweifellos hatte diese eigentümliche Schönheit einen bittersüßen Geschmack. Das eigenartige Gesicht einer Kindhexe.

»Woher kommst du?« fragte er. »Und wie heißt du? Ich bin Rougemont …«

In dem Maße, wie er zu ihr sprach, wurde Malvina verstörter, blickte sich um, als ob sie jemand beobachte.

»Du mußt große Angst haben, daß du dich weigerst, mir zu antworten … Dabei hattest du vorhin ganz und gar nicht die Sprache verloren! Du willst mir also nichts sagen? Nun, vielleicht hast du Hunger … Wirt, bring ihr etwas zu essen, Suppe mit einem Stück Speck.«

»Und wer bezahlt das?«

»Keine Sorge … Du kennst mich ja!«

»Eben drum, die drei Sols sind im voraus zu zahlen.«

Von Beaulieu bis Montauban eilte dem fahrenden Händler sein Ruf voraus: Mit den Ländern des Nordens und den Antillen einen zweifelhaften Handel mit Weinen aus der Provinz zu unterhalten, reichte ihm nicht. Er brüstete sich immer mit irgendeinem Projekt, einem Unternehmen, das seinen Einsatz hundertfach steigern sollte.

Dieses Machtgefühl verlieh ihm scheinbar alle Rechte, er wandte niederträchtige Listen an, um anständige Leute zu betrügen. Auf ihre verschiedenen Geisteshaltungen bedacht, verstand es Rougemont, ihre Leichtgläubigkeit auszunutzen. Nie war er unangenehm, nie war er verleumderisch. Er redete mit Engelszungen, um die anderen zu verführen und ihnen ihr Geld aus der Tasche zu ziehen. Er war sich seiner um so sicherer, weil er gewissenlos zu Geld gekommen war, und aus diesem Grund verachtete er die Biedermänner.

»Und ist es vielleicht nicht Christenpflicht, seinem Nächsten zu helfen?« meinte er und goß sich noch ein Gläschen Cahors ein.

»Nun redet Ihr auch noch daher wie ein Pfaffe!«

»Gott vergilt einem hundertfach die kleinen Almosen, die man den Armen zukommen läßt. Das hat mir meine liebe, gute Schwester Hubertine versichert.«

»Ein Händler spricht von Nächstenliebe?«

»Wie? Zweifelst du etwa an meiner Großzügigkeit?«

»Mich könnt Ihr nicht hinters Licht führen! Wieviel sackt Ihr denn dafür ein, daß Ihr dieses Kind zur Polizei bringt?«
Rougemont tat überrascht.
»Das letzte königliche Edikt hat jedem, der hilft, einen Vagabunden festzunehmen, eine Belohnung zugesichert. Ihr wißt ebensogut wie ich, daß das Zucht- und Armenhaus hier ganz in der Nähe liegt, näher als das Hospiz von Griffoul.«
»Wer hat dir gesagt, daß sie eine Vagabundin ist? Statt dich in deine Einbildungen zu versteigen, bring dem Kind lieber eine Suppe.«
Der Wirt gehorchte brummend.

Malvina zitterte am ganzen Körper, vermochte kaum, das Gebräu an die Lippen zu führen, verschlang es, ohne Luft zu holen. In ihrer Hast verschluckte sie sich. Beinahe hätte sie sogar die Schale fallen gelassen, fing sie aber gerade noch – wenn auch ungeschickt – wieder auf. Rougemont bemerkte wieder, daß sie nur ihre linke Hand benutzte, während ihr rechter Arm an den Körper gepreßt blieb. Der Händler glaubte, daß sie eine Verletzung oder ein Gebrechen habe.
»Bist du verletzt?« beunruhigte er sich. »Hab keine Angst, zeig mal her, mein hübsches Kind.«
Als er sie berührte, sprang die Kleine auf, setzte sich zur Wehr, und während des Kampfes hob sie den rechten Ellenbogen. Ein Buch, das sie unter ihrem Kleid, direkt auf der Haut versteckt hielt, glitt durch einen Riß des Gewandes. Sie war nicht flink genug, um es wieder an sich nehmen zu können, und mußte mit vor Wut geballten Fäusten zuschauen, wie der Mann es aufhob.
Das Geheimnis der Geheimnisse der Natur von Jean-Baptiste Dandora de Ghalia, las Rougemont. »So ein Titel ist mir

noch nie begegnet, nicht einmal bei meinen alten Beständen der blauen Reihe.«

Im Gegensatz zu den üblichen Hausierhandelsschriften, schnell auf minderwertigem Papier gedruckt, umfaßte dieses Büchlein etwa dreißig Seiten, auf denen sich eigenartige Schriftzeichen fanden, die der Laie für alchimistische Formeln hätte halten können. Rougemont war verwundert, so etwas in den Händen eines kleinen Mädchens zu finden, und begann fieberhaft, die Seiten zu überfliegen.

»Gott allein weiß, ob es sich um ein medizinisches Handbuch, ein Kochbuch oder einen Almanach der Astrologie handelt! Unmöglich, irgend etwas zu entziffern!«

Doch als er bei den letzten Seiten angelangt war, umspielte ein Lächeln seinen Mund. Kinderzeichnungen zeigten Pflanzen und Insekten. Diese Bleistiftzeichnung war so beseelt von Schwung und Feuereifer ... So waren etwa die Proportionen nicht eingehalten, ganz so, als sei das Papier nicht breit genug für den Zeichner gewesen. Welcher Phantasie mochten wohl solch erstaunliche Darstellungen entsprungen sein? Die Natur war übel zugerichtet, die Verhältnisse stimmten nicht, widersprachen jeder Logik. Auf einem der Bilder war eine Gottesanbeterin mit einem übergroßen Körper dargestellt, die in den Resten dessen, was anscheinend ein menschliches Skelett sein sollte, wühlte. Rougemont erschauerte, und als er den Satz, der unter dem Bild stand, entdeckte, wurde er bleich: »Wer die Geheimnisse der Natur beherrscht, beherrscht auch das Herz der Menschen und herrscht über die Welt. Marie Raynal für Malvina, ihre geliebte Tochter.«

»Marie Raynal? Aber das ist doch die Hexe aus Assier!« rief er aus.

Diese Entdeckung bereitete ihm eine so krankhafte Freude, daß es ihm kaum gelang, seine Erregung zu zügeln.

»Wer hat dir das gegeben? Wo hast du es gefunden?«

Dann fuhr er ein wenig gedämpfter, fast vertraulich, fort:
»Bei allen Heiligen! Du weißt, daß es sehr gefährlich ist, ein solches Buch mit Zauberformeln zu bewahren. Niemand kennt ihren Gehalt. Vielleicht sind sie sehr wirksam! Wenn du daran glaubst, bist du verloren. Marie Raynal hat diese Texte gelesen, und du siehst, diese Frau wurde eben heute nachmittag gehängt. Nun, die Raynal war eine Hurenbrut. Man hätte sie bei lebendigem Leibe verbrennen und ihre Asche in alle Winde verstreuen sollen …«

Da stieß die Kleine in wahnsinniger Erregung hervor:
»Meine Mutter hat nichts getan, nichts …«

Ihre Stimme erstarb, dann fuhr sie fort, stieß unzusammenhängende Sätze hervor, sprach von einem Platz, zwei Körpern, einem Mönch und einem Jungen, der ihr Gewalt antun wollte.

Rougemont musterte sie verblüfft:
»Was sagst du da? Deine Mutter?«

»Sie haben den anderen nichts gestohlen. Aber die anderen haben mir alles gestohlen. Und seht, Ihr habt mir das genommen!«

Der Wille, die Stärkere zu sein, gab dem Körper des Kindes neue Kraft. Das plötzlich aufwallende Blut ließ ihren zierlichen Hals anschwellen. Sie stellte sich auf die Zehenspitzen, wobei sie ihre Zunge verdrehte und ein kurzes Zischen von sich gab, das an eine Viper erinnerte.

»Du bist wirklich böse«, fuhr Rougemont fort. »Ich wollte es mir nur ansehen.«

Als der Mann das Heft zuschlug, um es ihr zu reichen, entriß sie es ihm mit einer heftigen Bewegung und lief zur Treppe, die zu den oberen Stockwerken führte. Sie setzte sich auf die unterste Stufe und schob ihr Büchlein wieder unter ihr Kleid. Das Gesicht zwischen den Knien und mit vorgestrecktem Hals wirkte sie wie ein Wasserspeier.

»Eine wahre Teufelsbrut«, rief der Wirt, der die Szene aus der Ferne verfolgt hatte.

»Schlimmer als eine Schlange!« übertrumpfte ihn Rougemont.

Von der eigenartigen Begegnung verwirrt, hatte er sich wieder an den Tisch auf seinen Platz gesetzt. Er goß sich noch ein Glas Wein ein und leerte es in einem Zug. Die Flasche auf den Knien, wiederholte er diese Bewegung so viele Male, wie ihm der Name Raynal in den Sinn kam. Sicher, Rougemont könnte das Schriftstück an sich bringen und es zu einem guten Preis verkaufen. Es wäre auch ein leichtes, das Mädchen bei der Polizei abzuliefern und die Belohnung einzustreichen. Doch nach reiflicher Überlegung erinnerte ihn die Sache an eine alte Geschichte, die er in einer abendlichen Runde gehört hatte.

Sie handelte von Jacques Joli Cœur, dem es mit viel Geschick gelungen war, den außergewöhnlichen Diamanten der sagenhaften Schlange an sich zu bringen, mit dessen Hilfe man Blei in Gold verwandeln konnte. Mit zwei Talern, seinem ganzen Besitz, hatte der junge Bursche ein nagelgespicktes Faß gebaut. Dies hatte er ans Ufer des Teichs gerollt, in dem die Schlangenfrau lebte. Dorthin – er hatte es mitten auf ein vierzig Fuß langes weißes Laken gestellt – wollte er sie locken. Ehe er in sein Versteck schlüpfte, hatte er den Schlaf des Monsters genutzt und den wertvollen Stein an sich gebracht. Nun war die Falle zugeschnappt. Als die Schlange gutes Christenfleisch roch, rollte sie sich um die Tonne, wobei sich die spitzen Nägel in ihr Fleisch bohrten und sie der Tod ereilte. So war die Legende von Jacques Joli Cœur entstanden, dem einfachen Handwerker, der zum reichsten Mann des Königreichs wurde, reicher sogar als der König.

Die Stimme des Wirts riß Rougemont aus seinen Gedanken: »Dieses kleine Mädchen hat die Nacht ausgespien, und die Nacht schickt nur die Schlechten … Bringt sie morgen gleich ins Hospiz. Ihre Eltern werden sie schon von dort abholen.«

»Oh, das würde mich wundern!« gab der Händler zurück.

»Hat Euch das Buch irgendwelche Informationen geliefert?«

»Nein, nichts, eine Art *Grand Albert*, bedeutungslos.«

Rougemonts Denken war ganz von der Verlockung des Geldes beherrscht. Je mehr er darüber nachdachte, desto genauer stellte er sich vor, was dieses kleine Mädchen ihm einbringen könnte. Das Diebesgut der Raynals war nicht gefunden worden, sicherlich hatten sie es in ihrem Haus oder in ihrem Garten vergraben … Es müßte doch mit dem Teufel zugehen, wenn dieses Kind nichts gesehen hätte. Ohne Mißtrauen würde es eine Erinnerung preisgeben, irgend etwas ausplaudern … Er mußte sich überlegen, wie er ihr Vertrauen gewinnen, diese kleine Wilde glauben machen konnte, daß all sein Fragen vor allem zu ihrem Schutz wären. Der Händler lächelte, doch dann wechselte er, aus Angst, seine Pläne zu verraten, das Thema. »Dieser Wein ist ein wahres Wunderwerk!« rief er aus.

»In unserer schönen Gegend von Cadurcie wächst der beste Wein der Welt. Besser als der von Gaillac oder Madiran, den einige Schwachköpfe vorziehen!«

Dieser Lobeshymne mußten Taten folgen. Rougemont leerte die Flasche und zog einen prallgefüllten Geldbeutel aus der Tasche. Er knotete ihn nachlässig auf. Mit zwei Fingern fischte er einen nagelneuen Louisdor heraus und warf ihn in Reichweite des Wirts auf den Tisch.

Dieser griff eilig danach, als fürchte er, ihn durch irgendein Zauberkunststück wieder verschwinden zu sehen …

»Ich gebe Euch das Zimmer unter dem Dach«, sagte er.

»Gut, ich breche morgen bei Tagesanbruch auf. Die Kleine schläft bei mir.«

»In diesem Fall kostet es fünf Sols mehr. Sofort zu zahlen.«

»Hier sind zwei Sols. Sie schläft auf einem Strohsack.«

Rougemonts Blick suchte Malvina. Sie saß noch immer auf der Treppenstufe und kaute, um nicht einzuschlafen, auf ihrer Wange herum.

Er blieb vor ihr stehen:

»Geh hinauf, hier kannst du nicht bleiben!«

Das Mädchen zuckte mißtrauisch zurück, doch die Macht des Schlafes war stärker. Ohne Widerstand folgte sie den beiden Männern ins Dachgeschoß. Der widerwärtige Gestank und die Feuchtigkeit in den oberen Stockwerken ließen keinen Zweifel daran, daß diese Behausung der Gesundheit abträglich war. Die Holztreppe war schmal, verfault und erzitterte unter jedem Schritt.

Schließlich erreichten sie den letzten Treppenabsatz. Keuchend hielt der Wirt einen Kerzenstumpf hoch, öffnete die Tür und zog sich ohne weiteres Geschwatze zurück. Durch die Dachschräge war das Kämmerchen weniger als drei Fuß hoch, doch es wirkte sauber. Rougemont schob Malvina hinein und deutete auf die Ecke, wo sie schlafen sollte. Sie rührte sich nicht vom Fleck, bereit, ihn anzugreifen, falls er versuchen sollte, sie zu berühren. Also beachtete er sie nicht weiter und warf sich, ohne sich zuvor ausgekleidet zu haben, ausgestreckt auf das Bett.

An seinem Schnarchen erkannte das Mädchen, daß der Mann eingeschlafen war. Also ging sie auf einen kleinen Tisch in einem Winkel des Zimmers zu, den sie, wie ein Hund, der sich in seiner Nische verkriecht, über ihren Kopf zog. Zusammengerollt suchte Malvina die richtige Lage zu finden, ehe sie das Tuch, das sie um den Hals trug, an den

Mund führte. Durch leichtes Saugen an dem Stoff gelang es dem Mädchen, die Angst zu überwinden, die sie allabendlich beim Einschlafen überfiel. Immer quälte sie derselbe Alptraum: Reisende, schemenhafte, unkenntliche Gestalten saßen um einen Tisch. Die Haltung ihrer Ellenbogen, ihre Bewegungen und der mit Speisen und Getränken überladene Tisch verrieten, daß es sich um ein Festmahl handelte. Malvinas Vater thronte mitten unter den Gästen. Ihre Mutter stand ein wenig abseits. Ihr Gesicht schien verschwommen, aber war das verwunderlich bei dem duftenden Dampf, der von der Suppe aufstieg, die sie servierte? Die Gäste, Männer von Stand in betreßten Röcken und Seidenschärpen, kamen von weit her. Zu dieser späten Stunde begannen sich unter der Wirkung des Weins und der berauschenden Köstlichkeiten die Zungen zu lösen. Sie sprachen laut und durchdringend. Der eine ließ sich von seinem Stolz, es zu Reichtum gebracht zu haben, hinreißen, den anderen versetzte der Wunsch, sich in der Gegend niederzulassen, um ein neues Leben zu beginnen, in Stimmung. Durch eine Ritze im Holzfußboden beobachtete die Kleine stundenlang dieses Schauspiel, zu dem sie nicht geladen war. Sie wäre so gern dabei gewesen … Doch plötzlich lähmte sie der Anblick eines makabren Tanzes. Ihr Vater stürzte sich auf einen der Körper, schlug mit einem Holzhammer auf ihn ein …

Von einem dumpfen Schrecken befallen, erwachte Malvina und rang nach Atem. Sie lauschte auf das dumpfe Hämmern ihres Herzens, wartete, daß das Bild verflog, daß sie ruhiger und leichter atmen konnte. Ihr Atem ging stoßweise. Der von Rougemont zog sich zu einem langen, geräuschvollen Schnarchen. Sie trocknete ihre Wangen, die noch feucht von den Küssen des Vaters waren. Von abscheulichen Küssen.

2

VOM GRÖSSTEN TEIL der Reise, die sie nach Cahors führte, behielt Malvina nur ein heftiges Rütteln in Erinnerung. Auf den von Rillen durchzogenen und gefrorenen Straßen durchgeschüttelt wie ein Sack Nüsse, hatte sie sich in den hinteren Teil des Wagens geflüchtet und sich hinter einem tiefen Schweigen verschanzt, gegen das weder Rougemont noch die Dauer der Reise etwas auszurichten vermochten. Zwar existierten in diesem Teil der Region Quercy noch zahlreiche Römerstraßen mit ihrem gleichmäßigen Pflaster, doch durch den mangelnden Unterhalt waren große Abschnitte nur noch lehmige Pisten. Wie die Straßen des Périgord waren auch die des Cadurcie genauso schlimm wie die Hölle. Und wenn die Reisenden sich an die Durchquerung des Célé-Tals machten, dann hofften sie, daß ihnen unterwegs weder die Wagen brechen, noch die Pferde sterben würden. Bis Boussac waren die fruchtbaren Ufer von Pappeln gesäumt und von Krokusfeldern bestanden ... Der dichte feuchte Nebel dieses Wintermorgens überdeckte noch die Farben, nur die kräftigsten waren für den aufmerksamen Betrachter zu gewahren. So zeichnete sich das Schloß von Saint-Dau mit seinem von schmalen Fenstern durchbrochenen Hauptgebäude ab. Etwas weiter an einem Hang lag das hübsche Dorf Béduer. Dann kam Espagnac-Sainte-Eulalie mit seinem Kanonissinnen-Kloster. Man konnte es nicht verfehlen, denn schon aus mehreren Meilen Entfernung sah man seinen Glockenturm, der von einem quadratischen Fachwerkaufbau mit einem pyramidenförmigen Dach gekrönt wurde.
Von dieser Sehenswürdigkeit bemerkte Malvina ebensowe-

nig wie von dem Rest. Erst später, als sich die Straße unterhalb des Felsens verengte, erwachte sie aus ihrer Benommenheit. Rundherum das Kalkplateau, das dem von Gramat, ihrer Heimat, ähnlich war, diesem alten, abgetragenen Boden, einem mageren Gerippe gleich, das von einer krätzigen und gegerbten Haut überzogen war. Die Erde in dieser Region war nicht fruchtbar genug, um Weiden und Obstgärten gedeihen zu lassen. Hier fegte und tobte ein stürmischer Wind, der einen wahnsinnig machte. Durch die erste Frühjahrshitze zerklüftete Felsen, von der außerordentlichen Kälte gesprungene Steine … Ein unermeßliches Chaos, das an die Urzeit erinnerte und alles in Nichts zurückverwandeln könnte.

Doch das erschreckte Malvina nicht. Ganz im Gegenteil. Sie stellte sich vor, durch diese in ihren Augen so beruhigende und vertraute Grabeslandschaft zu streifen. Daß Rougemont sie zu beeindrucken suchte, indem er ihr das Teufelsschloß zeigte, vermochte ihre Begeisterung nicht zu schmälern. Was machte das schon! Die Natur blieb ihre Verbündete. Eines Tages würde sie sich im übrigen dort oben zurückziehen. In eine verlassene Schäferhütte. Sie würde alleine leben, weitab von allen. Denn auf dieser Welt gab es niemanden mehr, den sie hätte sehen wollen. Das einzige Gefühl, das sie erfüllte, war das der Rache. Darum mußte sie unerreichbar und ohne jede Verpflichtung sein. Eine Zecke konnte ein Jahr lang warten, bis ihr Opfer wieder in ihre Nähe kam.

Bei dieser Vorstellung schlug das Herz der Kleinen schneller. Zum erstenmal, seit sie Figeac verlassen hatten, sprach sie:

»Ist es noch weit bis Cahors?«

»Ah, du hast ja die Sprache wiedergefunden!«

»Wo liegt denn Cahors?«

»Hock nicht da wie ein träger Faulpelz. Reiß dich ein wenig zusammen, man erkennt schon die Weinstöcke und die Dächer.«

Dann tauchte die in eine Biegung des Flusses Lot geschmiegte Stadt vor ihnen auf. Sie fuhren durch das Tor Saint-Jean – im übrigen wenig vertrauenerweckend, da es auch das Tor der Gehängten genannt wurde – in die Stadt. Kaum hatten sie den Stadtzoll gezahlt, empfand Malvina ein Unwohlsein. Die Stadtmauern schienen ihr mächtiger als die Stadt selbst. Alles war bedrohlich. Angefangen von der Kathedrale Saint-Etienne, die so massiv und streng wie eine Festung wirkte. Ein Student der Rechte hätte ihr sicher die Vorzüge eines solchen Bauwerks rühmen können, das für die Bischöfe, Lehnsherren und Grafen der Region Symbol der Macht war, doch die Universität war seit 1751 geschlossen. Nur ein Bettler näherte sich ihrem Wagen, um ein Almosen zu erbitten. Rougemont stieß ihn zurück und unterstrich seine Zurückweisung durch düstere Beschimpfungen. In der Tat war die Ernte seit vier Jahren schlecht, und die Regierung ließ für teures Geld ausländischen Weizen kommen, den die Verwaltung an die Bedürftigen verteilte.

»Alles Taugenichtse«, sagte er schließlich, als sie das Hospiz der Dames de la Charité erreichten.

Wie jeden Morgen wurde das Tor von einer Gruppe Bettlern belagert. Da sie zuwenig Platz und Pflegekräfte hatten, konnten die Nonnen nur einen kleinen Teil der Kranken aufnehmen, eben so viele, wie in der Nacht zuvor gestorben waren. Die Zurückgewiesenen zogen mit einem Topf warmer Suppe oder einer Scheibe Brot von dannen. Sie würden am nächsten Tag im Morgengrauen zurückkommen, um unter den ersten zu sein und eine größere Chance auf Aufnahme zu haben. Die beiden Reisenden bahnten sich einen Weg durch die Bedürftigen und gelangten schließlich an die

Pforte. Der Händler betätigte die Glocke. Es war Schwester Clotilde, die ihnen öffnete.

»Wir haben keinen Platz mehr, kommt morgen wieder.«

»Erkennt Ihr mich nicht, Schwester Clotilde? Ich bin Rougemont, Hubertines Bruder.«

»Möge Gott mir verzeihen, meine Augen lassen mich im Stich«, sagte die Nonne und trat zur Seite, um sie einzulassen. Und im selben Atemzug fügte sie hinzu:

»Es tut mir leid, aber ich muß sehr wachsam sein. Wir können nicht alle Waisenkinder aufnehmen, die durch das Land ziehen. Nach diesem Winter gibt es noch mehr Arme, und die Kranken teilen sich bei uns schon zu dritt oder zu viert einen Strohsack. Ganz zu schweigen von den Neugeborenen, wir haben nicht genügend Bettchen und zu wenig Ammen, um sie aufzuziehen.«

»Gott schenkt die Kinder, und Er ruft sie wieder zu sich«, entgegnete Rougemont. »Das ist Gottes Gesetz.«

»Haben wir so sehr gesündigt, daß der Allerhöchste uns so zürnt und straft?« fragte sie und bedeutete ihnen, ihr zu folgen. »All die Säuglinge, die vor den Waisenhäusern oder Kirchen ausgesetzt, am Wegesrand zurückgelassen werden ... Weißt du, daß drei von vier Säuglingen nicht einmal ein Jahr alt werden?«

»Sie würden auf jeden Fall ohne die rettende Hand umkommen.«

»Ja, es stimmt, wir haben auch dich aufgenommen. Du warst noch nicht einmal elf Monate alt, als deine Eltern starben. Ich sehe noch, wie Hubertine hier ankam ... Mit ihren Kinderärmchen preßte sie dich so fest an sich ... Unmöglich, euch zu trennen ...«

Unter dem so wehmütigen Eindruck dieser Erinnerung schwieg Schwester Clotilde. Die Zeit verschlang die Jahre mit Heißhunger. Dreißig Jahre lagen schon zwischen dem

Gesicht des Kindes Rougemont und dem des Mannes, der ihr heute gegenüberstand. Nie, so sagte sie sich, würde sie aber sehen, wie das niedliche Gesichtchen des Neuankömmlings reife Züge annehmen würde. Hier im Hospiz sammelten sich die schlimmsten Krankheitsfälle, und diejenigen, die sich noch nicht angesteckt hatten, vor allem die Nonnen, fürchteten, die nächsten Opfer zu sein. Schwester Clotilde wußte nur allzu gut, daß jede zehnte von ihnen, die erkrankte, vom Tod dahingerafft wurde.

Doch für Rührung war keine Zeit. Die Mutter Oberin mußte sich noch bereit erklären, die Kleine ins Register aufzunehmen.

»Ich habe sie in den Straßen von Figeac aufgelesen«, sagte der Händler.

»Figeac? Ihr habt also einen langen Weg zurückgelegt, um hierherzukommen. Ich hoffe, wir können sie hierbehalten. Man hat mir gestern von neuen Cholerafällen berichtet. Ich kenne den Schwarzen Tod, seine Herrschaft kündigt sich immer auf diese Weise an.«

Malvina wich zurück. Sie musterte die Frau, als wäre sie die Pest persönlich. Die Augen waren so tief eingesunken, daß das Kind sie erschauernd mit den Augenhöhlen des Todes verglich. Ihre graue Haut, der schmale Mund mit den trockenen, weißen Lippen, die sich bewegten, verschreckten sie vollends. Die Nonne war nicht mehr jung, doch Malvina bei weitem noch nicht alt genug, um hinter dem strengen Äußeren die Gelassenheit zu erfassen. Während sie sprach, bewegte sich Schwester Clotilde mit unsicherem Schritt vorwärts, Entkräftung und Krankheit hatten sie gezeichnet. Auch der langsame, mühselige Atem zeugte von ihrer Mattigkeit.

»Meine Kräfte verlassen mich von Tag zu Tag mehr«, gestand sie. »Doch ich fürchte mich nicht, ich habe schon ganz andere Krankheiten überstanden. Jetzt wünsche ich mir nur noch eins: daß Gott mir noch einige Jahre gewährt, um all diesen Bedürftigen helfen zu können.«

»Geht es Euch schlechter, Schwester Clotilde?« fragte Rougemont beunruhigt. »Ihr wißt doch, daß Hubertine in ihrem Garten Kräuter hat, deren wohltuende Wirkung heilsamer ist als Eure Gebete. Wenn Ihr Euch weiterhin darauf versteift, darin eine irgendwie geartete Hexerei zu sehen, werdet Ihr sterben; mit Gottes Hilfe … doch ohne Hoffnung auf Heilung.«

»Schweig, ehe der Blitz auf uns niederfährt.«

Malvina, die ganz damit beschäftigt war, die neue Umgebung zu beobachten, hörte nicht mehr zu. Noch nie hatte sie ein solches Bauwerk gesehen. Das alte Kloster aus dem 15. Jahrhundert, das Bischof Alain de Solminihac im 17. Jahrhundert hatte neu erbauen lassen, besaß alle Merkmale einer monumentalen Architektur. Wohin der Blick auch ging, man traf auf Unverhältnismäßigkeit. In der Mitte der Anlage erhob sich eine gotische Kapelle majestätisch über die anderen Häuser des Gevierts. Die Gebäude, die sie umgaben, insgesamt vier – waren zweistöckig und mit rosafarbenen Ziegeln des Lot gedeckt. Vom Hof aus konnte man durch die breiten Spitzbogenfenster die Nonnen mit ihren Flügelhauben beobachten, wie sie von einer Ecke der Säle in die andere eilten. Sogleich verglich Malvina diesen Ort mit dem Zucht- und Armenhaus, in dem man sie während des Prozesses ihrer Eltern untergebracht hatte. Wieder verdeckten dieselben Mauern den Himmel und sperrten sie ein. Und dieses aberwitzige Gelärme aus Klagelauten und Stöhnen. Die arrestierten Bettler unterschieden sich in nichts von den Kranken, die hier Schlange standen, um ein wenig Suppe zu bekommen.

»Rougemont, ich verlasse dich hier«, sagte Schwester Clotilde und ergriff Malvinas Hand. »Hubertine wird glücklich sein, dich zu sehen.«

Im selben Ton befahl sie: »Und du, Kleine, kommst mit mir. Um diese Zeit sitzt die Mutter Oberin sicherlich über ihren Kassenbüchern.«

Sie wandten sich einem der Gebäude zu ihrer Linken zu. Als wolle sie die Besucher beeindrucken, war die Treppe, die sie hinaufstiegen, so breit, daß mehrere Personen nebeneinander her gehen konnten. Malvina stützte sich an der Wand ab, um die Stufen zu erklimmen.

»Glücklicherweise wirst du kaum mehr Gelegenheit haben, in diesen Teil des Hospizes zurückzukehren«, beruhigte sie die Nonne. »Dieses Stockwerk ist der Verwaltung vorbehalten.«

Am Ende des Gangs konnte man eine Tür erkennen. Sie führte zum Arbeitszimmer der Oberin.

»Tritt ein«, murmelte Schwester Clotilde und schob den Neuankömmling vor sich her, »und halt dich gerade …«

Kaum hatte Malvina den Raum betreten, blieb sie auch schon vor Verwunderung wie erstarrt stehen. Aufgrund der äußeren Schmucklosigkeit der Gebäude hatte sie geglaubt, daß das ganze Hospiz von derselben Strenge und demselben Größenwahn war. Doch nun entdeckte sie ein unerwartetes und um so vieles angenehmeres Ambiente. In diesem Arbeitszimmer, das die Größe eines Geheimkabinetts hatte, herrschte eine von Gelassenheit geprägte Atmosphäre. Hier kam die Stille wieder zu ihrem Recht, durch die Glasmalereien der Fensterscheiben fiel in unerwartetem Winkel ein sanftes Licht herein, das dazu beitrug, das Wohlbefinden noch zu steigern. An den Wänden zogen sich, vom Boden bis zur Decke, Bücherregale entlang. Auf den Tischen und sogar auf dem Fußboden stapelten sich Bücher.

Möglicherweise gab es eine Erklärung für dieses Durcheinander, das auf den ersten Blick nicht einsichtig war, weil die den Klöstern eigenen Ordensregeln hier vollkommen mißachtet wurden.

Der Raum war ganz von Schriften beherrscht, so daß Malvina die Mutter Oberin nicht gleich bemerkte. Erst nach einer Weile entdeckte sie hinter einem Stapel von Papieren eine Gänsefeder, die sich zwischen den Rollen und Registern bewegte.

»Verzeihung, meine Mutter«, wagte sich Schwester Clotilde vor, »es tut mir leid, Eure Arbeit unterbrechen zu müssen ...«

»Wenn Ihr es wagt, mich zu stören, dann habt Ihr sicher einen guten Grund«, antwortete sie und hob den Kopf. »Das hoffe ich zumindest ...«

»Verzeiht, meine Mutter, aber der Bruder unserer Köchin ist heute morgen mit diesem Waisenkind aus Figeac eingetroffen.«

»Figeac? Das Kloster der Bénédictines de la Daurade wäre genauso nahe. Gibt es denn im Hospital Notre-Dame-des-Incurables keinen Platz mehr? Glaubt Ihr nicht, daß wir in unserer Gemeinde genügend notleidende Seelen haben ...?«

Während sie sich erhob, fügte sie hinzu:

»Tritt näher, daß ich dich ansehen kann. Bist du krank?«

Das Kind schüttelte den Kopf.

»Gut ... Vorsichtshalber wird unser Arzt dich abhorchen.«

Dann wandte sie sich wieder an Schwester Clotilde:

»Habt Ihr weder ein Band noch ein Medaillon oder einen Brief bei ihr gefunden ... nichts, was auf ihre Herkunft hindeutet?«

»Rougemont hat mir nichts gegeben, meine Mutter.«

»Sprecht mir nur nicht von Rougemont. Welcher Betrug

mag diesen Lumpen zu einer so christlichen Tat bewegt haben? Sicher steckt noch etwas anderes dahinter.«

Die Oberin vertiefte sich wieder in ihr Register. Ohne den Kopf zu heben, fragte sie:

»Wie ist dein Name? Dein Name?« wiederholte sie etwas strenger … »Wenn du keinen Namen hast, werden wir dir einen geben. Es ist Januar, nun … du hast die Wahl zwischen der heiligen Agnes und der heiligen Martina.«

Die Oberin musterte Malvina mit ihren stechenden blauen Augen, deren Strenge kaum durch die feinen Fältchen, die sie umgaben, gemildert wurde. Mit ihrem grauen, streng nach hinten frisierten Haar, der gestärkten Haube und den verkniffenen Mundwinkeln schien sie nicht zu Späßen aufgelegt.

»Malvina«, murmelte das Kind.

»Ich habe dich nicht verstanden, wie heißt du?«

»Malvina.«

»Es heißt: Malvina, meine Mutter.«

Nach einer kurzen Pause fuhr sie fort:

»Malvina, das ist doch kein Name … die Bauern in unserer Gegend haben wirklich eigenartige Sitten. Sicher hat man dich auf einen anderen Namen getauft, doch der scheint dir unbekannt zu sein … Weißt du wenigstens deinen Familiennamen?«

Die Kleine zögerte, dann dachte sie an den Pfarrer, der bei dem Versuch, sie zu retten, den Tod gefunden hatte:

»Fournier«, sagte sie.

Die Mutter Oberin schrieb den Namen in Schönschrift nieder.

»Nun gut, Fournier. Wo bist du geboren?«

»Ich wohne in Assier.«

»Du bist also nicht aus Figeac, wie Rougemont behauptet hat! Wirklich, das Lügen macht ihm keine Angst. Er hat uns viel Kummer bereitet, als er im Hospiz war«, fügte sie in betrübtem Ton hinzu. Dann seufzte sie und fuhr fort:

»Du scheinst noch recht jung zu sein, aber wir werden dennoch versuchen, dich zur Schule zu schicken. Einige unserer Schwestern unterrichten die Armen. Die Jugend ist unwissend dem Lästern, dem Fluchen und dem Ungehorsam preisgegeben ... Es ist unsere Pflicht, sie zu erziehen. Merke dir, hier ist für einen mittelmäßigen oder aufrührerischen Geist kein Platz.«

Der lange Strich, den sie unter die eingeholten Auskünfte zog, bedeutete das Ende der Befragung.

»Schwester Clotilde wird dich zu unserem Arzt bringen, damit er dich untersucht. Dann gehst du in die Küche, wo du eine warme Suppe bekommst ... Da Rougemont dich hierhergebracht hat, wird sich seine Schwester deiner annehmen ... Etwas Hilfe kommt ihr sicher gelegen. Los, los, haltet nicht Maulaffen feil ... Ich habe zu tun.«

Auf diesen Befehl hin zogen sich die Nonne und das Kind zurück. Mit gesenktem Kopf folgte Malvina der Schwester.

Diesmal nahmen sie einen schmalen Gang, der in den Krankensaal mündete. Dicht an dicht lagen die Strohsäcke, nur durch ein paar Bretter vom Boden getrennt. Auf jedem Sack lagen in wechselnder Richtung zwei, drei, ja gar vier Frauen, Körper an Körper, mit Laken bedeckt, die vor Flecken starrten. Kreaturen ohne Alter, geschwollene, schrundige und pockennarbige Gesichter. Die Kleine zuckte mehrmals zurück. Zur rechten wie zur linken Seite traf ihr Blick nur auf Leid.

»Paß auf, wo du hintrittst«, rief ihr eine Nonne zu, die sich mit Eimer und Schrubber abmühte, das Pflaster zu wischen.

»Du stehst im Weg«, schimpfte eine andere.

Schwestern mit weißen Flügelhauben verteilten Medikamente, Pflegerinnen schoben ihre Wägelchen, bei der Menge der Kranken hatten sie alle Hände voll zu tun. Und dabei noch all die Kinder, die trotz der Kälte nur spärlich bekleidet waren und – zumeist barfuß – überall herumliefen!

Am anderen Ende des Saals blieb Schwester Clotilde stehen. Sie suchte den Arzt. Dieser operierte ein junges Mädchen. Sie traten näher. Als sie den Mann von hinten sah, glaubte Malvina zunächst, es mit einem Zimmermann zu tun zu haben. Eine Bohrkurbel, eine Metallsäge und eine große Grobfeile befanden sich unter den unbekannten, mehr oder weniger furchteinflößenden Gerätschaften.

»Ich bringe Euch einen neuen Zögling. Könntet Ihr nachsehen, ob das Mädchen nicht ›infiziert‹ …?«

»Ich mache hier nur noch zu Ende, dann stehe ich Euch zur Verfügung.«

Malvinas Aufmerksamkeit konzentrierte sich jetzt auf diese dritte Person, die sich ihr im Hospiz präsentierte. Aubin Donatius war eine durch und durch unauffällige Erscheinung: Er war etwa fünfzig Jahre alt, klein, mager, hatte ein knochiges Gesicht mit einer Nase, die an einen Raubvogel erinnerte und unter der ein glänzender Tropfen hing, der an den Behang eines Lüsters denken ließ. Offenbar war er erkältet, denn zum zweitenmal innerhalb kürzester Zeit wischte er ihn mit dem Ärmel weg. Von da aus, wo die Kleine stand, unterschied ihn nichts von einem Handwerksmeister oder seinem Gesellen. Erst als er sich umwandte, entdeckte sie seine mit dunklen Flecken übersäte Schürze und seine Hände, die in roten Handschuhen steckten. Sie bearbeiteten kein Holz, sondern hielten eine gebogene Nadel, die wieder und wieder ins blutige Fleisch geschoben und herausgezogen wurde.

Besser als die Lümmel, die sich mit einem Doktortitel schmückten, verstand sich Aubin Donatius darauf, Wunden zu nähen, Schnitte in Pestbeulen zu machen, Geschwüre und andere Eiteransammlungen aufzuschneiden. Seine Arbeit als Chirurg hatte er mit der Zeit oder besser gesagt, mit dem Strom erlernt. Denn auf den Schiffen der großen Entdecker hatte er gelernt, mit dem Skalpell umzugehen.

Später erfuhr Malvina, daß die Nonnen diesen Mann für »überspannt« hielten, jedoch auch für ein medizinisches Genie. Aus weiter entfernten Ländern, vor allem aus Asien, hatte er neue Behandlungsmethoden mitgebracht. Seine ganze Leidenschaft galt der Schmerzbehandlung. Er wußte, wie der Schmerz funktionierte, und er zögerte nicht, sehr eigenwillige Methoden anzuwenden, um ihn auszuschalten.

So konnte er dank einer braunen Masse, die er seiner Patientin zu kauen gab, das Bein des jungen Mädchens nähen, ohne daß sie schrie oder weinte.

»So, das hätten wir«, sagte er, indem er dem Mädchen einen aus grobem Tuch gefertigten Verband anlegte. »Bleib eine Weile liegen, ich werde dann nachher noch einmal nach dir sehen.«

Dann wandte er sich Malvina zu: »Wir wollen ein wenig beiseite gehen, damit ich dich untersuchen kann.«

Das, was sich vor ihren Augen abgespielt hatte, jagte Malvina Angst ein, am liebsten wäre sie geflohen, doch die Drohung des Arztes hielt sie zurück:

»Wenn du den Brand hast, wird er deine Glieder zerfressen … Siehst du deine junge Freundin hier? Sie hat zu lange gewartet.«

Da jeder Widerstand sinnlos war, gab die Kleine nach. Im übrigen wollte sie auch gar nicht aus dem Hospiz fliehen. Dazu fehlte ihr einfach die Kraft. Es war besser, zu warten, bis in ihrem Kopf wieder Ruhe eingekehrt war. Und bis sie einen Plan entwickelt hatte.

Damit der Arzt nicht das Büchlein entdeckte, das sie unter ihrem Kleid verbarg, zog sich Malvina selbst aus und rollte ihre Kleider zu einer Kugel zusammen. Ihr Körper war von Kratzspuren und Wunden übersät. Sie mußten schnell gereinigt werden, denn an einigen Stellen war die Haut schon geschwollen, und eine gelbliche Flüssigkeit trat aus.

»Wir müssen um jeden Preis das Antonius-Feuer verhindern. Beweg deine Finger«, sagte er mit sanfter Stimme.

Malvina gehorchte und ließ die Finger kreisen.

»Es ist doch hoffentlich nicht ansteckend?« erkundigte sich Schwester Clotilde.

»Nein, aber es wäre unvorsichtig, sie nicht zu behandeln. Hubertine hat einige Pflanzen, die recht wirksam sein dürften. Und sagt ihr auch, sie soll ihr eine doppelte Portion Suppe geben, die Kleine hat nichts im Bauch.«

»Keine Sorge, unsere Köchin wird sie unter ihre Fittiche nehmen.«

»Besser konntest du es nicht treffen. Was die Wunden an deinem Körper angeht, sei geduldig. Das Übel kommt auf einem Pferd angaloppiert, doch verschwinden tut es zu Fuß!«

Der leicht beißende Geruch eines Feuers sagte Malvina, daß sie die Küche erreicht hatten. In einem riesigen Backofen türmte sich ein großer Haufen roter Glut; davor machte sich eine Frau mit üppigen Formen zu schaffen. Schweißüberströmt und mit hochgekrempelten Ärmeln war Hubertine damit beschäftigt, einen Schub Brot herzurichten. Die Hitze ließ die Ginsterreiser knistern, und das trockene Holz flammte in farbigen Schattierungen auf, die von Karmesinrot bis Goldgelb reichten. Rougemont, der in einer Ecke des Raums saß, sah ihr zu.

»Komm her und setz dich«, sagte die Köchin und schob die Weidenkörbchen zur Seite, um ihr Platz zu machen.

Hubertine ging zum Kamin, hob den Deckel von einem Topf, probierte und schüttelte den Kopf. Sie fügte Salz hinzu und probierte abermals. Die Suppe, die sie Malvina brachte, hatte nichts mit der durchsichtigen, mageren Brühe der Herberge gemein. Diese hier enthielt dicke vollgesogene Maisklößchen und reichlich daumengroße Speckstücke. Der Duft nach Schweineschmalz ließ den zusammengezogenen Magen des Kindes knurren. Malvina verschlang die Suppe gierig.

»Nun! Du scheinst in keinem besseren Zustand zu sein als die Schiffer, die sich monatelang nur von Schiffszwieback mit Würmern ernährt haben«, sagte Hubertine, was die mageren Wangen des Mädchens leicht erröten ließ. »Komm, nimm noch einen Löffel. Alles, was hineingeht, muß ansetzen.«

Malvina warf einen Blick auf den Backofen, der sich öffnete wie ein voller, üppiger Mund. Sie stellte sich vor, ihre Zunge wäre jener Schieber, auf dem die Köchin gerade kunstvoll verzierte Brotlaibe wie eine Opfergabe aufgereiht hatte. In wenigen Augenblicken würde das Wunder geschehen, doch schon jetzt lief ihr das Wasser im Mund zusammen. Brot und Fleisch, Milch und Mutter, Hubertine vereinte in sich alle Vorzüge, und darum konnte Malvina sie annehmen.

Auf den ersten Blick schien die Köchin älter zu sein als ihr Bruder. Doch jede ihrer Bewegungen strahlte Lebendigkeit aus: ihr fester Gang, die Geschicklichkeit, mit der sich ihre Hände der Gegenstände bemächtigten, von einem Gerät zum anderen wechselten. In der Region war Hubertine überall bekannt, weil sie mit den einfachsten Zutaten Gerichte von unvergleichlicher Schmackhaftigkeit zuzubereiten verstand.

Man muß dazu sagen, daß ihr ganzes Leben sie zu dieser Nahrungsalchimie hingeführt hatte. Zunächst hatte die Natur sie mit einem recht ausladenden Körper bedacht, in den sich eines Tages die Schlemmerei einnisten mußte. Schon als Baby hatte sie jene rundliche Form, die glücklichen Kindern eigen ist. Mit den ersten Zügen der Muttermilch hatte sie sich zu einer üppigen Frucht entwickelt, einer Frucht, die reifte. Später, im Frühling, hatten sich ihre Formen dann zu einer meisterhaften Blüte entfaltet. Der Tod ihrer Eltern hatte dieser Lebenskraft nichts anhaben können. Sobald Hubertine im Hospiz angekommen war, fühlte sie sich zu der Köchin hingezogen. Für die alte Mamoune war sie wie eine Tochter gewesen, und sie hatte sie ihre Rezepte und auch ihre Geheimnisse gelehrt. Mit der Genauigkeit eines Apothekers wog sie die Zutaten ab und vermischte sie, destillierte sie die Kräuter, damit ihre Suppen den Kranken die Lebenskraft wiedergaben oder, im Gegenteil, die Schmerzen der Sterbenden linderten. Damit begab sie sich nicht in einen Wettstreit mit dem Arzt, sondern unterstützte ihn mit den ihr zu Gebote stehenden Mitteln. Das war Mamounes Arbeit. Nachdem sie vor zwei Jahren gestorben war, war es Hubertines ganzer Ehrgeiz gewesen, ihr Werk fortzusetzen: die christliche Geste der Speisung fortleben zu lassen und – aus Schwäche – um das Vergnügen, Gutes zu tun, zu ergänzen, indem sie Köstlichkeiten herstellte.

»Wenn das Brot fertig ist, bekommst du einen hübschen Laib. Magst du?«

Keine Antwort.

»Keine Angst, wir jagen dich nicht fort.«

Malvina senkte den Kopf.

»Na, sag mal, du bist wohl nicht sehr gesprächig!«

Rougemont lehnte sich auf seinem Stuhl zurück, bis er

ächzte, und durchbohrte das Kind mit einem forschenden Blick.

»Sie spricht nie, wenn man sie dazu zwingt«, meinte er.

»Ich heiße Malvina.«

»Da siehst du es, Rougemont, mit mir spricht sie.«

»Ich heiße Malvina Fournier.«

»Fournier?« wiederholte Rougemont erstaunt.

»Genau, unter diesem Namen haben wir sie in unser Register aufgenommen«, bestätigte Schwester Clotilde, die soeben die Küche betreten hatte.

Der Händler erhob sich und durchmaß den Raum mit langen Schritten. Er sah das Mädchen herausfordernd an. Sie hatte diesen Namen nicht mit der Unbekümmertheit angegeben, die Kindern ihres Alters eigen ist. Im Gegenteil, sie hatte aus dem Willen heraus, mit ihrer Vergangenheit zu brechen, Fournier gesagt. Dieser allzu frühreife Geist ließ ihn zögern, sofort zu reagieren. Vielleicht war er auf einer falschen Fährte? Und wenn nun das Kind dieser Mörder etwas von der teuflischen Hinterhältigkeit seiner Eltern geerbt hatte? Könnte sie vielleicht zu einer ständigen Quelle des Ärgers werden? Etwas, was der Händler nun wirklich nicht brauchen konnte. Wenn er ihre wahre Herkunft enthüllte, würde man sie fortjagen.

Rougemont überlegte. Schließlich zog er es vor, zu schweigen und die geheime Hoffnung zu nähren, das Geld zu finden, das die Wirtsleute den Reisenden abgenommen und versteckt hatten.

»Hat die Mutter Oberin erlaubt, daß sie hierbleibt?« erkundigte er sich.

»Sie meinte, die Kleine könnte in der Küche helfen«, gab die Nonne zurück.

»Sehr gut«, sagte er, »dann bin ich beruhigt. Hubertine, ich vertraue dir meinen Schützling an. Ich muß heute noch weiterreisen, einige Kaufleute im Cantal sind an meinen Weinen aus Crespiat und Souleilla interessiert.«

»Aber du bist doch gerade erst angekommen«, sagte die Köchin und trocknete sich die feuchten Hände an ihrem Leinenkittel ab.

»Ich muß euch verlassen, der Umweg über Cahors hat mich schon zuviel Zeit gekostet …«

»Warte, ich werde dir etwas Proviant für die Reise holen.«

»Danke, du bist ein guter Mensch.«

Hubertine verließ die Küche.

Dann wiederholte er, an Schwester Clotilde gewandt:

»Gebt gut acht auf Malvina, dieses kleine Mädchen ist ein eigenartiges Früchtchen. Das werdet Ihr schnell feststellen …«

»Keine Sorge«, erwiderte die Nonne, »mein Augenlicht läßt zwar nach, doch ich werde unerbittlich sein, wenn es darum geht, schlechtes Verhalten zu bestrafen.«

In dieser Hinsicht vertraute ihr Rougemont ganz und gar: Schwester Clotilde würde es verstehen, diesen rebellischen Geist zu zähmen.

Hubertine kam aus der Vorratskammer zurück. Sie packte einen Roggenlaib, eine Speckschwarte und Äpfel in einen braunen Hanfbeutel.

»Hier, für die Reise. Werden deine Geschäfte dich lange fernhalten?«

»Man hat mir glaubhaft versichert, der Graveur von Montauban habe falsche Perlen erfunden. Die Adligen sind ganz verrückt nach diesem wertlosen Plunder. Weißt du, der Wein bringt nicht immer genug ein. Ich habe einige Truhen von diesem falschen Schmuck dabei.«

»Wir brauchen keinen Schmuck, sondern Nahrung«, sagte die Köchin und umarmte ihren Bruder zum Abschied. »Sei vorsichtig und komm bald zurück.«

»Ich werde bestimmt im nächsten Winter wieder vorbei-
kommen ...«

Ehe er ging, beugte sich Rougemont zu Malvina hinunter,
sein Gesicht war nur wenige Zentimeter von dem ihren entfernt. Ihre Blicke, in denen alles Unausgesprochene lag, trafen sich. Der Atem des Mannes näherte sich dem Kind. Ein
Gefühl drohender Gefahr ergriff sie. Sie hätte es nicht näher
beschreiben können, und der Händler würde mehrere Monate fortbleiben. Doch die Kleine beschloß, auf der Hut zu
sein.

3

suchte Malvina ihren Willen durchzusetzen. In der ersten Nacht weigerte sie sich, im Kinderschlafsaal zu übernachten, und zog den unbequemen Küchenboden vor. Zusammengerollt wie ein gejagtes Tier legte sie sich unter den Tisch. Ihr Blick war starr, der Mund angriffslustig verzogen. Selbst Hubertine vermochte es nicht, sie zur Vernunft zu bringen.

Am nächsten Tag war es Schwester Clotilde, der es nicht gelang, sie aus dem Keller zu vertreiben, wo sie sich versteckt hatte.

Keiner wagte es, die Schwelle ihrer Höhle zu überschreiten; allen schleuderte sie aus dem tiefsten Grund ihrer Verzweiflung ein »Geht weg« entgegen. Die Köchin hatte zwar versucht, ein Machtwort zu sprechen, doch vergeblich. Drohungen schienen auf die kleine Wilde keinen Eindruck zu machen.

»Sie ist wie eine Aspisviper, sie gleitet mir unter den Fingern weg und beißt mich, wenn ich mich ihr zu nähern versuche. Ich weiß nicht mehr, wie ich ihrer Herr werden soll«, vertraute sie der Mutter Oberin an. »Seit drei Tagen weigert sie sich, das zu essen, was ich ihr gebe. Sie wiederholt fortwährend, daß sie weg will. Aber das arme Dummerchen, wohin will es denn gehen? Großer Gott, wohin?«

»Soll ich mich um sie kümmern?«

Hubertine gab sich nicht gern geschlagen. Also bat sie um einen Aufschub. Es galt, die Worte und die Gesten zu finden, die Kinder glücklich machen.

»Fliegen fängt man nicht mit Essig«, lautete eine alte Lebensweisheit. Daran erinnerte sich Hubertine. Warum hatte

48

sie nur nicht schon früher daran gedacht? Malvina unterschied sich nicht so sehr von den anderen Kindern ihres Alters. Eine einfache Süßigkeit würde ausreichen, um sie für sich zu gewinnen.

Also begab sie sich auf den Speicher, auf dem sich die Kleine verkrochen hatte. Malvina saß mit gekreuzten Beinen in der Mitte des Raums. Und schmollte.

»Ich möchte dir nur etwas zu kosten geben«, sagte die Köchin, als sie eintrat.

»Ich habe keinen Hunger!«

»Es ist süßer Lattich … Du solltest ihn probieren, der Zucker nimmt ihm die Säure.«

»Ich will nach Hause.«

»Probier doch mal von der Marmelade. Ich bin sicher, daß du so etwas noch nie gegessen hast.«

Malvina zögerte, dann riß sie Hubertine diebisch den Topf aus den Händen. Argwöhnisch schnupperte sie, tauchte den Zeigefinger hinein und schob ihn in den Mund. Unversehens erhellte sich das Gesicht der Kleinen. Es glättete sich und zeigte den Ausdruck jenes sanften Glücks, das man auch als Naschhaftigkeit bezeichnet.

»Ich sehe, du kannst auch lächeln«, bemerkte Hubertine.

»Ich habe nicht gelächelt!«

»Deine Lippen nicht … Aber deine Augen schon … Ein großes, aufrichtiges Lächeln. Ich wußte, daß du kein schlechtes Mädchen bist … Ich denke, daß du sogar sehr klug bist!«

Die Köchin hatte nämlich bemerkt, daß Malvina zwar die Suppe, die sie ihr gebracht hatte, verschmähte, aber dennoch nicht aufgehört hatte, sich zu ernähren.

In diesem Raum, der zum Trocknen der Pflanzen diente, hatte das Mädchen alles gefunden, was es zum Überleben brauchte. Die Blumensträuße waren von der Decke abgenommen und die Blüten abgerissen worden, der Boden war mit Blättern, getrockneten Beeren und zerstoßenen Samen bedeckt. Also war es keine Ratte gewesen, die die Köchin gehört hatte, sondern sicherlich ein Schlag mit einem Schuh.

»Woher weißt du, ob die Pflanzen genießbar sind?« fragte sie das Kind.

»Ich weiß es, das ist alles!«

»Läßt du dich von ihrem Geruch leiten?«

»Nein, von meiner Zunge … Meine Zunge irrt sich nie«, sagte sie und zeigte sie stolz. »Ich zerkaue die Kräuter, probiere ihren Saft, und dann weiß ich, ob sie beruhigen oder wach machen … Das hat meine Mama mir beigebracht!«

»Du kennst also die Wirksamkeit der Heilpflanzen?«

»Der Heilpflanzen?« wiederholte das Mädchen fragend.

Dann fügte sie, ohne Hubertine Zeit für eine Antwort zu lassen, hinzu: »Das ist gar nicht so einfach, es ist sogar sehr schwer.«

Durch Malvinas drollige Art gerührt, rückte Hubertine ein wenig näher.

»Würdest du mir gern helfen?«

»Wobei?«

»Du könntest lernen, dich um die Kräuter zu kümmern, sie für die Herstellung von Kräutertees und Arzneimittel zu sortieren, zu verlesen und zu Päckchen zu bündeln. Ab April könntest du Pilze in ihren versteckten Ecken aufspüren, die ich dir zeigen werde …«

Unverhofft ergab sich für Malvina die Aussicht, das Hospiz verlassen und der Aufsicht der Nonnen entkommen zu können. Noch einige sanfte Worte mehr, und sie würde sich mit dem einverstanden erklären, was diese Frau von ihr verlangte.

»Ich möchte mein Wissen an dich weitergeben«, erklärte

die Köchin. »Und du wirst mir dafür das anvertrauen, was du weißt ... Bist du einverstanden?«

Die Kleine nickte.

Hubertine zeigte ihr die beiden Gärten, den in der Nähe der Krankenstation, in dem die Arzneikräuter wuchsen, und den mit den Würzkräutern in der Nähe der Küche.

»Schade, daß noch nicht Frühling ist, der Duft der Pflanzen hätte dich hierhergelockt. Basilikum, Thymian und Minze haben eine paradiesische Würze ... Man muß diesen Ort genau kennen, ehe man sich daranmacht, das zu verwenden, was die Erde uns bietet, um uns mit Genuß zu ernähren.«

Plötzlich hielt die Köchin, wie von einer unsichtbaren Hand zurückgehalten, inne.

»Denn vergiß nie«, fuhr sie in schulmeisterlichem Ton fort, »vergiß nie, daß du dich deiner Nase ebenso bedienen mußt wie deiner Zunge. Wir haben fünf Sinne: Geruchs- und Geschmackssinn, Gesichts- und Gehörsinn und den Tastsinn. Wenn du die Welt kennenlernen willst, mußt du jeden von ihnen gleichermaßen entwickeln und darfst keinem den Vorzug geben ... Das wäre, als würdest du auf ein Bein oder einen Arm verzichten.«

Malvina nickte, eher um sie zu beruhigen als aus Überzeugung. Denn nie, da war sie sich sicher, wäre es ihr möglich, die Dinge anders als durch den Geschmack, den sie hatten oder den sie wachriefen, einzuschätzen. Die Zunge ließ Empfindungen entstehen, die kein anderes Organ zum Leben erwecken konnte ... Man konnte nicht aus der Ferne probieren, man konnte die Dinge nur kennenlernen, indem man sich ihnen vollkommen auslieferte, durch den Mund. Das Fühlen wurde im Vergleich dazu fast nebensächlich. Allein das, was sie gegessen hatte, war von Malvina von Wert. Einerseits weil sie es verzehrte, es zerstörte, aber vor

51

allem, weil es ein Teil von ihr wurde. Soweit sie zurückdenken konnte, hatte sie nach dieser Regel gelebt. Und zwar so sehr, daß sie heute davon überzeugt war, daß die »köstlichen« Menschen freundlich waren und die »ekelhaften« zwangsläufig gemein.

Bei Schwester Clotilde zum Beispiel drängte sich der bittere Geschmack des Rhabarbers auf, wenngleich ihr Äußeres eher an eine stachelige Gurke mit grüngrauer, pockennarbiger Haut erinnerte. Sobald Malvina die alte Frau sah, bekam ihr Speichel einen stark sauren und unangenehmen Geschmack. Der Geschmack des Üblen erfüllte ihren Mund. Ihre Zunge hatte entschieden. Durch ihre geschmackliche Eingebung gewarnt, hatte sie beschlossen, sie abzulehnen. So wie Rougemont ihr Übelkeit verursachte, so befiel sie bei ihrem Anblick ein Schauder. Das war alles … und daran würde niemand etwas ändern können.

Hubertine hingegen gefiel ihr: Sie glich einer schönen Aprikose oder einem üppigen Pfirsich mit prallem, samtigem Fleisch, wie eine Wange, die sich zum Kuß darbietet. Die Kleine vergaß nicht, daß ihr erstes Zusammentreffen vom Wohlgeschmack des Brots und des Zuckers geprägt gewesen war. Auf ihren Lippen hatte sich der köstliche Geschmack von Marmelade verewigt. Eine Leckerei, für die jedes Kind empfänglich gewesen wäre, die für Malvina jedoch eine besondere Bedeutung hatte: An jenem Tag hatte die Köchin den Geschmack ihrer Mutter angenommen.

Dieselbe Güte, dieselbe tröstende und schützende Stimme. Und vor allem dieselbe überschwengliche Liebe, denn Liebe hatte Marie Raynal ihrer Tochter gegeben. Eine verschlingende, verzweifelte, fast despotische Liebe, so als müsse sie sich von einer Sünde reinwaschen. Zwischen den beiden bestand eine tiefe Bindung. Eine Verbundenheit, von der er, der Vater, ausgeschlossen war. Ständig überhäufte er Malvina mit Vorwürfen: »Hock nicht wie angeleimt auf deiner Bank, die Flammen werden dich noch verschlingen, und es wird nur Asche übrigbleiben. Schau dich doch an, könnte man nicht meinen, du seist eine Wahnsinnige? Kein Wunder, daß deine Mutter dir diesen Namen gegeben hat. Den hat ihr bestimmt der Teufel ins Ohr geflüstert.« Und wenn die Worte ihm keine Erleichterung mehr zu verschaffen vermochten, griff Gabert Raynal zur Peitsche, um sie zu schlagen. Er liebte den Ausdruck von Angst in ihren Augen. »Bei Fuß, zu meinen Füßen!« brüllte er und schlug sie. Sie zur Unterordnung zu zwingen, bereitete ihm ein ungeheures Vergnügen. Er war glücklich, wenn sie ihm so auf Gnade oder Ungnade ausgeliefert war. Denn der Gewalttätigkeit des väterlichen Zorns setzte die Kleine Unterwerfung entgegen, die Stärke des Schweigens, die gespielte Gefühllosigkeit. Nie hatte sie unter seinen Schlägen geschrien. Kein Klagelaut. Das Siegel des Entsetzens verschloß ihren Mund. Ihr Vater hatte ihr die Stimme gestohlen, seit er eines Nachts ihren Hund gequält und getötet hatte.

Wie jeden Abend hatte er zuviel getrunken. Sein Atem stank nach Alkohol, seine Gesten waren brutal, und in seinem Blick lag ein Haß, eine mörderische Wut auf die ganze Welt. In Abwesenheit der Mutter hatte Malvina die Küche aufgeräumt, das Geschirr abgespült, den Boden gefegt … Da hatte er sich ihr genähert, hatte sich an sie gepreßt, sich an ihr gerieben, ehe er ihr die Handgelenke verdrehte und sie an den Haaren zog, um sie zu zwingen, ihn zu küssen. Er machte sich einen Spaß daraus, seine Hände um ihren Hals zu legen und zuzudrücken, um sie zu erschrecken und zu nötigen. Das Mädchen hatte gespürt, wie er auf sie einprügelte, haltlos zuschlug. Sie hätte sich in sich selbst zurückziehen wollen, doch das Grauen lähmte sie. Um dem Monster zu entkommen, schleppte sie sich durch das Zimmer, dann über den Hof bis zur Hundehütte. In ihren Kummer eingeschlossen hatte sie geweint und, um ihren Schmerz zu bewältigen, ihren Gefährten umschlungen. Die Minuten waren langsam und zäh verstrichen. Doch schon hatte sie gehört, wie sich Schritte näherten. Mit einer Mistgabel bewaffnet war er zu der Hundehütte gekommen und hatte sie herausgefordert. Das Gelächter eines Betrunkenen, grauenvolle Drohungen: Er würde den tollwütigen Köter abschlachten, würde ihr diese Liebe nehmen, die in ihm eine mörderische Eifersucht weckte. Malvina hatte geschrien, als sie ihren Hund auf die Zinken der Mistgabel gespießt sah. Nicht enden wollendes Gebell, zwei-, dreimaliges Aufbäumen, dann der tödliche Stoß. Mit einer schnellen Bewegung hatte der Vater den glatten Bauch des Tieres aufgeschlitzt, die Eingeweide herausgerissen und mit unbeschreiblichem Vergnügen zerstochen und zertreten … Überall war Blut. Auf Malvinas Gesicht, auf ihren Händen. Das Tier lag zu ihren Füßen, der Vater ging zum Haus zurück. Der Schmerz war so groß gewesen, daß sie geglaubt hatte, daran sterben zu müssen. Sie hätte diesen Rohling umbringen, ihm das Herz herausreißen und ihn zwingen wollen, es zu essen, auf daß ihn seine Grausamkeit vergiftete.

Doch statt dessen hatte Malvina ihren Gefährten in die Arme genommen und gestreichelt. Aus den offenen Wunden rann das Blut. Ihr Mund hatte sich auf den geschundenen Körper gepreßt, und sie hatte begonnen, das Leben einzusaugen, das in dünnen roten Strahlen aus dem Körper rann … Ein dumpfes Pochen hallte in ihren Schläfen wider. Dann war es zu einem Hämmern angeschwollen, so als nähere sich ein Wesen durch einen finsteren, unbekannten Wald. Ein Summen hatte ihre Sinne erfüllt. Das Herz des

Tieres schlug in jeder Faser ihres Körpers, ein sanftes Raunen, das für immer andauern würde. Diese Paarung verband sie für die Ewigkeit.

»Warum bist du plötzlich so traurig?« fragte Hubertine.

»Ich bin nicht traurig.«

»Ruft der Garten Erinnerungen in dir wach?«

»Nein.«

»Gab es bei euch zu Hause auch einen Garten?«

Da Malvina nicht reagierte, drängte Hubertine nicht weiter in sie und lud sie ein, den Gemüsegarten zu erforschen.

Gebeugte Gestalten, Hände, die sich am Boden zu schaffen machten … Drei Nonnen waren bei der Arbeit. Um den verhängnisvollen Auswirkungen des Frostes vorzubeugen, bedeckte eine von ihnen die jungen Pflanzungen mit Stroh, während die beiden anderen Porree und Kohl ausmachten.

»Schwester Maria, Schwester Jeanne und Schwester Bénédicte«, stellte die Köchin vor. »Das ist Malvina, sie wird mit mir in der Küche arbeiten.«

»Was für ein reizendes Kind«, sagte die Älteste. »Es ist noch zu früh, aber im Frühjahr wirst du hier die wundervollsten Gemüse wachsen sehen. Meine Lieblingspflanzen sind die Artischocken. Weißt du, diese großen Kiefernzapfen mit den grünvioletten Blättern, die an Fliederblüten erinnern.«

»Aber Schwester, begehen diese Pflanzen nicht eine Sünde?« fragte Hubertine.

Die Nonne sah sie verwundert an.

»Stehlen sie sich nicht untereinander ein wenig von dem, was Gott ihnen gegeben hat?«

Alle drei brachen gleichzeitig in Gelächter aus.

»Statt Unsinn zu reden«, gab Schwester Jeanne zurück, »sagt mir lieber, ob Euch nichts für Eure Suppe fehlt!«

»Darum kümmere ich mich schon! Keine Sorge …«

Und tatsächlich verstand sich Hubertine besser als irgend

jemand sonst auf alle erdenklichen Arten der Aufbewahrung. Damit eine Weintraube an Weihnachten ebenso köstlich schmeckte wie im September, stülpte sie eine Phiole über die Trauben, sobald sie sich am Rebstock zu bilden begannen. Um zu verhindern, daß Früchte verdarben, tauchte sie sie in kochendes Wasser mit Honigzusatz … Das ganze Jahr über bereitete die Köchin in Kohlsuppe gegarte Klöße zu, *Azinat*, einen wohlschmeckenden Eintopf aus Schweinefleisch und Gemüse, oder *Aigo Boullido*, eine Suppe mit Ei und Knoblauch … Gern hätte sie Malvina diese Rezepte anvertraut, doch aus Angst, ihren Geist, auf den soviel Neues einströmte, noch mehr zu verwirren, setzte sie den Besuch des Gemüsegartens lieber ohne weitere Erklärungen fort. Im übrigen näherten sie sich der Apotheke.

Die Mutter Oberin betreute den Bestand allein. Voller Stolz herrschte sie über den großen Raum, wo in Glasschränken blaue, mit geheimnisvollen Inschriften versehene Porzellantöpfe aufbewahrt wurden. In der Mitte stand ein Eichentisch, der beladen war mit Porzellan- und Bronzemörsern, mit Destillierkolben, Kupfer- und Zinngefäßen. Jeden Morgen nach der Messe begab sich die Oberin in Begleitung von Schwester Clotilde hierher. Während die eine mit beiden Händen einen zehn Pfund schweren Stößel bediente, um die Arzneitränke, Latwerge und Salben herzustellen, ordnete die andere die Medikamente, die dann die Nonnen für ihre Kranken abholten.

»Die Mutter Oberin versteht es besser als jeder andere, die Arzneipflanzen zu untersuchen. Sie berührt sie, riecht an ihnen, reibt sie zwischen den Fingern. Und allein anhand des Geruchs vermag sie ihre Eigenschaften zu erfassen … Wenn ich Zeit habe, bringe ich ihr Pflanzen, Früchte, Knospen, Blätter, Rinden, Stiele, Wurzeln, Harz und Samen. Alles, was sie für die Herstellung der Arzneien benötigt. Das

Allheilmittel Theriak zum Beispiel besteht aus siebzig verschiedenen Zutaten, unter anderem Wein, Honig, Vipern-
fleisch und Opium ...«

Von dieser Erklärung offensichtlich beeindruckt, sah Malvina die Köchin an.

»Ihr wißt aber viel«, gestand das Kind schließlich ein.

»Ich weiß, daß du sie nicht magst, aber Schwester Clotilde
hat mir viel beigebracht.«

Diese Lektion vergaß die Kleine nicht. Auch sie wollte lernen ... Und zwar schnell. Darum war sie zu einigen Zugeständnissen bereit.

So verlegte sich Malvina in den folgenden Monaten darauf,
den Nonnen zu gehorchen. Sie war mit den verschiedensten
Aufgaben betraut. Sie erhob sich beim ersten Hahnen-
schrei, sprach den Angelus und kleidete sich schweigend
an. Zum Festtag des heiligen Romanus nähte Hubertine ihr
ein Mieder aus blauem Kammgarn, einen Rock in derselben
Farbe, eine rote Schürze und eine Musselinhaube mit Tüll-
schleifen. So gekleidet begab sie sich zur Messe, ehe sie
zum Unterricht ging. Die Lehrerin lehrte sie Frömmigkeit
und Tugend. Keine der Stunden begann oder endete, ohne
daß man den Heiligen Geist angerufen hätte. Montags wurden Gebete auf Latein und Französisch auswendig gelernt.
Dienstags wurden die beim Hersagen der Gebete begangenen Fehler berichtigt, mittwochs wiederholte und rezitierte
man in Kurzfassung *Das Leben Jesu*, freitags wurde gelernt,
wie man betet, samstags die Artikel des Glaubensbekennt-
nisses des Katechismus. Das war das Wochenprogramm,
dem sich Malvina folgsam unterwarf, da sie wußte, daß sie
anschließend zu Hubertine gehen und mit ihr das Abendessen vorbereiten würde.

»Das Salz mißt du mit deinem Daumennagel ab, zwei Prisen pro Teller … Nur zu, zähl …« Hier lernte die Kleine, ebenso wie in den Schulstunden, das Rechnen. Der Tisch war mit einer Vielzahl verschiedener Pyramiden bedeckt: Erbsenschoten oder Mais, jeweils in Zehnerhäufchen und nach Farben geordnet. Auch die Schalen waren zu je vier oder fünf gestapelt, je nach Schwierigkeit der Übung. Obwohl sie nur wenig freie Zeit hatte, ließ es sich die Köchin nicht nehmen, ihrem Schützling zu helfen. Auch sie hatte das Rechnen an Hand von Gegenständen gelernt, ehe ihr die Mutter Oberin eines Tages die Bücher der Bibliothek gezeigt hatte.

»Darf ich sie auch irgendwann sehen?« fragte Malvina.

»Wir werden unsere Mutter um Erlaubnis bitten.«

»Wann?«

»Wenn du zehn Jahre alt bist. Doch jetzt beschreib mir erst einmal den Agastachum, mal sehen, ob du dich erinnerst.«

»Es gibt zwei Arten, einmal mit roten Blüten, aber im allgemeinen sind sie weiß …«

»Und der Duft?«

»Sie riechen gut nach Minze, stark nach Limonen, und Melisse hilft dir bei der Schwitzsucht.«

»Du hast ein gutes Gedächtnis und weißt Bescheid.« Dann fügte sie, während sie ihr eine Scheibe Brot abschnitt, hinzu:

»Hast du die Kräuter und Gewürze eingeräumt? Ich hatte dich darum gebeten.«

Seit nunmehr zwei Wochen war Malvina diese Aufgabe anvertraut worden, doch sie wurde ihrer schon überdrüssig. Auswählen, trocknen, einsortieren … Selbst das Spiel mit den vielen Schublädchen des Schrankes oder das Aufschrauben der zylinderförmigen Glasbehälter bereitete ihr keine Freude mehr. Sie hätte lieber mit Mörser, Mühle und

Wiegemesser gearbeitet, die indes den Sachkundigen vorbehalten waren.

»Ich kann nichts mehr lernen, wenn ich nichts anfassen darf.«

»Kannst du mit einer Haue oder Hacke umgehen? Du weißt, daß es nicht so einfach ist, den Boden zu lockern und die Saatrillen zu ziehen.«

»Ich weiß, wie man das macht. Thymian, Bohnenkraut und Salbei wachsen in den Mustern, die Blumen kommen dorthin, wo nichts ist.«

Die Pflanzungen wurden nach englischem Vorbild angelegt. Keine rechteckigen, durch Wege getrennten Beete, sondern eine Abfolge dekorativer, verschlungener Motive, die ein bezauberndes Bild ergaben.

»Du bist eine hervorragende Schülerin, Malvina, doch es ist nicht gut, Abschnitte zu überspringen. Geh und stülp die Glasglocken, die im Gewächshaus liegen, über die jungen Stecklinge und die empfindlichsten Pflanzen.«

»Macht man das, um sie vor Kälte und Frost zu schützen?«

»Der Frost ist der schlimmste Feind der Natur.«

»Und warum gibt es dann in der Natur keine Glasglocken?«

Da Hubertine nicht wußte, was sie darauf erwidern sollte, ging sie zu ihrem Kessel, um Wasser nachzufüllen, das während ihrer Unterhaltung verdampft war. Auf dieses Rätsel wußte auch sie keine Antwort.

»Und vor allem vergiß nicht, mir Schalotten mitzubringen, meine Gemüse sind überreif … Ich muß ihnen den bitteren, fauligen Geschmack nehmen. So, beeil dich, sonst mußt du Schwester Clotilde helfen!«

Dieser Satz war für Malvina eine der schlimmsten Drohungen. Einer Kranken den Arm festhalten, während Meister Donatius ein Geschwür aufschnitt, oder bei einem Aderlaß ohne zu zittern die Schale halten, das war ihr nicht zuwider. Nein, es war Schwester Clotilde selbst. Auch wenn Hubertine ihr gegenüber fortwährend wiederholte, daß Tugend und Herzensbildung die besten Eigenschaften eines jungen Menschen seien, so verabscheute sie die Nonne dennoch. Weil sie die Obrigkeit verkörperte und Malvina außerdem keinerlei Beachtung schenkte. Sie hatte ihre Fortschritte nicht bemerkt. Es gab kein Lob, keine Ermutigung. Und als die Kleine sie gefragt hatte, ob sie eines Tages die Bibliothek der Mutter Oberin sehen dürfe, hatte Clotilde sie ausgelacht und vorgeschoben, sie müsse zunächst die Prinzipien der Religion vertiefen.

Malvina hatte sich verraten gefühlt. In einem Gefühlsausbruch hatte sie quer durch das ganze Hospiz gebrüllt, ihren Zorn gegen Gott und die Nonnen, die alle seine Verbündeten waren, herausgeschrien. Zwei Tage lang hatte sie sich in den Speicher eingesperrt und jegliche Nahrung verweigert. Sie vermochte das Feld ihrer Einsamkeit nicht einzugrenzen. Es wurde immer weiter und undurchdringlicher.

Eines Nachts schreckte ein dumpfer Lärm die Köchin auf. Über ihrem Kopf vernahm sie Schritte, die sich wie in einem wahnsinnigen Tanz im Kreis drehten, dann den Aufprall eines stürzenden Körpers. Da man nichts mehr hörte, war Malvina offenbar nicht mehr in der Lage, sich zu erheben. Die Stille verstärkte die Unruhe, die Hubertine überkam. Immer fürchtete sie das Schlimmste. Ihr Schützling war kein leichtes Kind. Mehrmals hatte sie schon ihr eigenartiges Verhalten bemerkt. Nie spielte sie mit den anderen Kindern. Wenn sie sich ihnen näherte, drängten die sich aneinander, so als verbreite sie Kälte. Sie hatten Angst vor ihr. So schnell sie konnte, lief die Frau die Stufen zum Speicher hinauf. Sie fand die Kleine auf dem Boden ausgestreckt. Mit weitaufgerissenen Augen und einem blauen Tuch, das sie sich in den Mund gestopft hatte. Sie bekam kaum mehr Luft. Sie biß mit einer solchen Wut in den Stoff, daß man sogar hätte meinen können, sie versuche sich zu ersticken.

»Mein Gott, was tust du?« rief sie und lief zu dem Kind. Ganz vorsichtig zog sie den Stoff aus dem Mund heraus.

Malvina hustete und rang nach Atem.

»Was ist los, meine Kleine? Warum quälst du dich so? Schwester Clotilde wird dir die Bücher zeigen ... Du darfst dich nicht so aufregen.«

Malvina glich mit ihrem geöffneten Mund und der gewölbten Brust einem Fisch auf dem Trockenen.

»Komm, atme, atme ...«

»Ich will meine Mama sehen«, stieß sie endlich hervor.

»Ich weiß, ich weiß«, antwortete Hubertine und schloß sie in die Arme. »Aber ich liebe dich auch.«

Die Kleine begann zu weinen. Zum erstenmal wurde ihr bewußt, wie sehr ihr ihre Mutter fehlte. Sie hätte sie gern gespürt, sie berührt. Vielleicht mußte sie mit aller Kraft daran denken? Wenn sie die Augen schloß, waren ihr oft Umrisse erschienen. In dieser Nacht hatte sie einen Punkt gesehen, unendlich weit und verloren, doch mit dem leuchtenden Glanz von Edelsteinen. Die Hand ausstrecken, um ihn zu berühren, vor allem nicht aufwachen, denn die Gestalt kam schon näher. Eine tanzende Linie, eine pastellfarbene Wolke, und dann näherte sich ein geheimnisvolles, gütiges Gesicht. Maries Lächeln, ihre Wärme, die Liebe, die sich auf ihren Lippen widerspiegelte. Eine blinde Liebe, zu allem bereit, um ihre Größe zu beweisen. Mit ausgestreckten Armen kniete sie da und rief ihr Kind: »Komm, mein Engel, komm, ich muß dir ein Geheimnis anvertrauen.«

Ja, jetzt erinnerte sich Malvina daran. Einige Tage bevor man ihr die Mutter entrissen hatte, hatte sie mit ihr gesprochen. »Du darfst vor allem nie sagen, was du in der

Herberge gesehen hast. Nur das Vergessen kann dich retten. Wir haben dir schon zu sehr geschadet. Ich werde uns anzeigen, mich und deinen Vater, und man wird uns bestrafen. Möge unser Tod das Pfand für deine Freiheit sein, möge er dir Erlösung bringen, mein geliebtes Kind, laß dich nicht vom Bösen beherrschen. Denn für zwei habe ich schon bezahlt.«

Die Verwunderung, die diese Erinnerung auslöste, ließ Malvina schweigen. Ihr Blick war starr und nachdenklich, doch glücklich. Mit ihren neun Jahren hatte sie soeben begriffen, warum sie weiterleben mußte. Pater Fourniers Worte hallten in ihrer Erinnerung wider: »Deine Mutter hat nur noch an dich gedacht.« Ja, das war es. Wie die Nonnen es von Christus behaupteten, so hatte sich auch Marie geopfert, um sie zu retten. Sie mußte vergessen, von nun an alles vergessen. Zuerst den schmerzlichen Gesang ihrer Erinnerung. Einer Erinnerung, der zuviel vergossenes Blut anhaftete.

Was man nicht sieht, das gibt es auch nicht, sagte sich Malvina. Nun, sie würde ihre Vergangenheit verschwinden lassen, wie sie ihre Puppe versteckte: unter einem Haufen Spielzeug, unter dem Gewicht ihrer Pläne. Sie mußte den Lauf der Zeit, den Lauf ihrer Geschichte umkehren.

»Ich werde es nie wieder tun«, vertraute sie Hubertine an. »Du brauchst keine Angst mehr um mich zu haben.«

Dann erkundigte sie sich beunruhigt:

»Glaubst du, daß du mich noch liebst?«

»Ja, mein Kind, natürlich.«

»Und du würdest alles für mich tun?«

»Was für eigenartige Gedanken in deinem kleinen Kopf herumgeistern!«

»Du wirst mich immer verteidigen, nicht wahr?«

»Gegen wen, guter Gott?«

»Ich weiß nicht.«

»Denk lieber an morgen.«

»Morgen?«

»Hast du vergessen, daß schon Frühling ist?«

»Morgen ist Freitag, der erste Maitag.«

»Und wir haben abnehmenden Mond«, fügte Hubertine hinzu. »Das heißt, daß wir uns zum Sammeln aufmachen werden.«

»Ich brauche also nicht zur Schule zu gehen?«

»Ich werde Euch unterrichten, junges Fräulein. So ist es mit der Oberin beschlossen.«

Malvina fiel der Köchin um den Hals.

»Danke, danke«, rief sie.

Dann flüsterte sie ihrer Freundin ins Ohr:

»Gibst du es mir zurück?«

»Was denn?«

»Mein Tuch, als ich klein war, wickelte mich meine Mama darin ein.«

Hubertine zog den Stoff aus der Tasche und befühlte ihn. Es war zweifellos die Arbeit einer begabten Weberin, denn das Tuch zeigte geschmackvolle Muster. An einer Ecke bemerkte sie zwei Initialen. Ein M und ein R. Die Köchin war verwundert, doch um die Kleine nicht noch mehr zu beunruhigen, gab sie ihr ihr ein und alles zurück, ohne weitere Erklärungen zu verlangen.

»Geh jetzt schlafen«, sagte sie nur, »wir brechen im Morgengrauen auf.«

Malvina konnte keinen Schlaf finden. Die ganze Nacht über lief sie zum Fenster, um den Lauf des Mondes zu verfolgen. Was hätte sie nicht alles getan, damit er schneller verblaßte? Das geliebte Gestirn, vor dem sie sich auf die Knie warf, das sie anbetete, anflehte, verehrte. Schließlich schlief sie, das Kinn auf die angezogenen Knie gestützt, auf der Türschwelle ein. Morgen würde es weder Gebäude noch eine Stadtmauer geben, nichts als den rauhen Boden, der doch ein Boden der Freiheit war.

Der Vogelgesang weckte sie. Zum erstenmal lauschte sie ihm wirklich. Allerdings nicht sehr lange, denn schon war sie aufgesprungen und hatte ihr seit zwei Tagen ungekämmtes Haar entwirrt. Trotz der Jahreszeit wählte sie ein dickes Wollkleid. In den groben Maschen, von denen eine Unzahl stacheliger Wollfasern abstand, würden sich die weißen Pusteblumen des Löwenzahns verfangen. Malvina drehte sich im Kreis, so daß sich ihr Rock bauschte. Dann lief sie zufrieden mit ihrer »Wollfalle« in die Küche. Dort wartete bereits eine Schale dampfender Suppe auf sie.
»Nun, bist du bereit für den großen Tag?« fragte Hubertine. Malvina nahm sich kaum Zeit für eine Antwort. Sie war zum Tisch gelaufen, um ihre Bouillon hinunterzustürzen.
»Iß auch etwas Weißbrot, für den Fußmarsch brauchst du Kraft.«
Die Kleine gehorchte, ohne auch nur den Kopf zu heben.
»Welche Aufregung«, bemerkte die Köchin, »du solltest wissen, daß Geduld und Beobachtungsgabe zwei Eigenschaften sind, die den Kräutersammler auszeichnen. Nur so kann man die Schätze der Natur würdigen, für die der gewöhnliche Mensch zumeist nur eine einfältige Bewunderung an den Tag legt.«
Doch Malvina hörte nicht mehr zu.
»Gehen wir?« rief sie und baute sich vor Hubertine auf.
Die Köchin lächelte und nickte.
»Ja, wir gehen!«
Das Unternehmen glich einer Forschungsreise. Jede mit einem Korb am Arm, einer Leinenhaube auf dem Kopf und einem Stecken in der Hand schritten sie durch die Pforte

des Klosters. Seit ihrer Ankunft hatte die Kleine das Haus nicht mehr verlassen. Das rege Treiben in der Stadt bereitete ihr ungeheure Freude. Sie hätte gern das Anlegemanöver der Lastkähne im Hafen beobachtet, von dem ihr die Nonnen so oft erzählt hatten, doch die wenige Zeit, die man ihnen zum Pflücken gegeben hatte, zwang sie, sich sogleich an die Fundstellen zu begeben. Also beschlossen sie, die Ufer des Lot zu verlassen, und wählten einen Weg, der in gerader Linie die Hügel hinaufführte.

Der Himmel war von einem kreidigen Weiß. Die dicken, verschwommenen Wolken trübten den Horizont und verdeckten die Sonne, die hinter dem weißen Wolkenschleier den Raum verschlungen zu haben schien. Die Luft war von einem Wohlgeruch erfüllt, in den Bäumen und Hecken zwitscherten die Vögel in hohen Tönen ihr Liebeslied. Malvina marschierte ohne jede Rücksicht auf Hubertines Müdigkeit und unbeeindruckt von der Morgenhitze, die schon in der Luft lag, voran. Frei, forsch und glücklich schritt sie aus.

»Komm schnell«, forderte sie und hielt dabei den Saum ihres Kleides hoch, so daß er gerade über die Gräser streifte. »Ich kann es nicht erwarten, alles zu sehen.«

»Statt so loszurennen, bleib lieber ein wenig stehen und mach die Augen auf!«

Malvina hielt einen Augenblick vor den Blumen am Wegesrand inne. Die größte pflückte sie. Sie betrachtete die leuchtendgelbe Farbe, sog den Orangenduft ein und fuhr dann mit der Blume über ihren Mund.

»Sie ist weich!« rief sie.

Der Pollen hatte kleine goldene Pailletten auf ihren Lippen zurückgelassen, die sie genüßlich ableckte.

»Das sind Waldosterglocken«, erklärte Hubertine.

»Die mag ich«, gab die Kleine zurück, die soeben den Stiel

geöffnet hatte und die Zunge über die Innenseite gleiten ließ, um den Saft zu probieren.

»Ich mag alles an ihr«, fügte sie hinzu, »innen wie außen …«

»Du bist ein sonderbares kleines Mädchen!«

»Das macht nichts, du hast ja gesagt, daß du mich lieb hast.«

Malvina war weitergegangen, jeder Schritt brachte neue Freude, eine Überraschung für das Auge, die ihr kleine Freudenschreie entlockte. Hier die Wiesenkönigin, hervorragend gegen Magenschmerzen geeignet, dort Raute, äußerst wirksam gegen bösartiges Fieber. In Essig eingelegt war sie ein gutes Heilmittel gegen Übelkeit.

»Gott hat den Menschen für jede Situation das Passende geschenkt.«

»Aber es gibt soviel zu lernen.«

»Sicher, aber ich spüre deine Kraft, Malvina. Ich weiß, daß du, ebenso wie ich, fähig bist, das Geheimnis zu erfassen, das die Pflanzen bergen.«

Die Kleine schien nicht zu begreifen, was Hubertine damit meinte. Also bat sie sie, ihre Gedanken zu erklären.

»Jedes Element der Natur«, sagte Hubertine, »steht in einer Beziehung zu den anderen, durch seine Farbe und seine Form … So heilen Pflanzen mit gelben Blüten Harnwegsleiden, weiße Veilchen helfen bei Halsschmerzen, Herbstzeitlosen gegen Gicht. Siehst du«, sagte sie, während sie eine ausriß, »die Knolle gleicht einer angeschwollenen Zehe.«

Ohne es zu wissen, erlernte Malvina auch die Säftelehre. Wenn einer der Säfte – Blut, Schleim, gelbe Galle, schwarze Galle – im Übermaß oder nicht ausreichend vorhanden waren, sollte man Substanzen meiden, die ihre Produktion anregten oder ihr entgegenwirkten. Darum war zwischen den kalten Kräutern – Sauerampfer, Chicorée, Lattich – und den warmen Kräutern – Salbei, Fenchel, Minze oder Petersilie – zu unterscheiden.

Dieser Unterricht interessierte Malvina derartig, daß sie in den folgenden Tagen mit Feuereifer die Pflanzen studierte. Stundenlang hockte sie im Garten des Hospiz, um sie zu beobachten und zu berühren. Ihre zarten Finger hüpften wie Feldmäuse von einem Blatt zum anderen. »Lorbeer ist gut gegen Atembeschwerden«, wiederholte sie, »Thymian hilft bei Asthma.« Ihr Lieblingsspiel bestand darin, hübsche Sträuße, die Liebe oder Ablehnung ausdrückten, zusammenzustellen. Sie war sich ganz sicher, daß die Pflanzen einander Zu- oder Abneigung entgegenbrachten. So mischte sie für Schwester Clotilde so offensichtlich gegensätzliche Pflanzen wie Oliven und Kohl, Weinreben und Gurken.
Im Sommer ging die Kleine oft mit der Köchin im Wald spazieren, um jeweils eine bestimmte Pflanzensorte zu sammeln: je nach Jahreszeit Blumen, Kräuter oder Pilze. Manchmal wurden aus diesen Ausflügen ernsthaftere Unterrichtsstunden. Dann zeichnete Malvina die Pflanzen, die sie liebte, in ihr Zeichenheft. Oft zeichnete sie die Abbildungen nach, die sie im Buch ihrer Mutter gesehen hatte. Nie ließ sie ihre Phantasie schweifen, hielt sich lieber an die naturgetreue Darstellung. Die Welt bot sich zur Entschlüsselung dar, und das Kind wurde nicht überdrüssig, ihre Geheimnisse zu erkunden. In der Apotheke, wo die Köchin ihre Ernte abgab, sah sie der Oberin bei der Zubereitung der Medikamente zu. Alles interessierte sie. Die Arzneizubereitung ebenso wie die Küche. Mit derselben Neugier lernte sie, wie Hubertine Abfälle, Schalen und Reste verwertete. Die Wurzeln der Rüben, das »Gerippe« des Kohls, die Stiele des durchgeschossenen Kopfsalats und das frische Grün der Radieschen, aus dem sie ein köstliches Püree bereitete.

Die Kleine war glücklich, und das sah man ihr an. Nichts hätte Hubertine mehr Freude machen können. Mit Hilfe der Natur versöhnte sich ihr Schützling mit dem Leben und auch mit den Menschen. Nach fast einem Jahr im Hospiz begann Malvinas Mißtrauen nachzulassen, sie wurde umgänglicher. Jener ausweichende Blick, der unglücklichen Kindern eigen ist, war verschwunden, sie senkte den Kopf nicht mehr, wenn man mit ihr sprach, wagte manchmal sogar ein Lächeln. Mit viel Geduld war es der Köchin gelungen, ihr Zutrauen zu gewinnen. Doch da war noch Rougemonts Besuch. Die erste winterliche Kälte kündigte seine Rückkehr an. Und Malvina hatte ihn nicht vergessen.

4

AM TAG VOR ROUGEMONTS Ankunft wachte Malvina mit fieberglühenden Wangen auf. Das Blut pochte in ihren Schläfen, ihr Herz raste. Weder dem Arzt, Meister Donatius, noch Schwester Clotilde wollte es gelingen, die Ursache für ihre Beschwerden zu finden. Die Kleine litt, war durch eine innere Kälte wie erstarrt. Man ließ sie zur Ader, Hubertine riet zu einigen Aufgüssen aus Baldrian – sehr wirksam bei Schlaflosigkeit – und zu Lindenblütentee. Aber nichts half. Malvina saß den ganzen Tag vor dem Kamin und zitterte.

In der gleichen Haltung, in der er sie vor einem Jahr zurückgelassen hatte, fand Rougemont die Kleine wieder vor.

»Was hat sie?« wollte er von Hubertine wissen. »Sie sitzt da wie aus Stein!«

»Ich bin ratlos. Alles war gut, bis ...«

»Willst du mir etwa weismachen, daß meine Anwesenheit sie so verschreckt?« fragte er und beugte sich zu dem Kind hinab. Er hob ihr Kinn, so daß er tief in ihre grauen Augen sehen konnte, die Kälte und unterdrückten Zorn verrieten.

»Bist du nicht glücklich hier?«

Der ranzige Geruch, den seine Lippen verströmten, die Säure seiner Haut widerten Malvina an. Schon als sie ihn hatte näher kommen sehen, war sie zusammengezuckt. Dann überfiel sie der Drang, sich zu übergeben. Sie würde fallen, in diese verhaßten Arme sinken.

Allein die Vorstellung gab ihr neue Kraft. Mit einem Satz sprang sie auf, stieß den Mann zur Seite und stürzte zur Tür.

»Was für ein Empfang!« rief Rougemont, während er sich

wieder aufrichtete. »Hat man ihr kein höfliches Benehmen beigebracht?«

»Sie ist dir dankbar«, erwiderte Hubertine. »Was willst du mehr? Laß sie also in Ruhe ...«

»In Ruhe? Und was noch?« brüllte er. »Ich rette ihr das Leben, und jetzt soll ich mir ihre Launen gefallen lassen?«

»Beruhige dich, das führt zu nichts.«

»Laß uns allein, ich habe mit ihr zu reden.«

Obwohl sie die Ältere war, gehorchte die Köchin ihrem Bruder. Niemals hätte sie gewagt, sich seinem Willen zu widersetzen.

Rougemont brauchte nicht lange zu suchen, um Malvina aufzustöbern. Angsterfüllt hockte sie in einer Ecke des Refektoriums und wartete. Mit seinen Bärenkräften zog er sie zu sich hin und setzte sie so auf den Tisch, daß sie sich nicht mehr von der Stelle rühren konnte.

»Du magst mich also nicht?« fragte er.

»Nein.«

»Warum? Kannst du mir das sagen?«

»Ihr seid das Böse.«

»Ich? Das Böse? Aber für wen hältst du dich, um so über mich zu richten?«

Malvina schlug die Augen nieder.

»Ich bin übrigens zur Herberge deiner Eltern gegangen. Dort ist alles noch unverändert.«

Rougemont erzählte, wie er eines Abends die Amtssiegel aufgebrochen hatte und in das verlassene Gemäuer eingedrungen war. Sicherlich wollte er das Kind beeindrucken, denn er schmückte seine Schilderung aus und ließ, um das Grauen zu verstärken, auch nicht das kleinste Detail des Polizeiberichts aus.

»Verwesende Leichen, menschliche Skelette ... Mehr als zehn, stell dir das mal vor! Die Schädel waren von den Körpern abgetrennt und lagen aufgestapelt in einer Ecke des Kellergewölbes. Bestimmt hat deine Mutter das Hirn der Toten verwendet, um damit die nächsten Opfer zu vergiften. Daran stirbt man nämlich, weißt du, wenn ein Mensch von seinesgleichen ißt!«

Malvina kämpfte mit den Tränen. Eine Stimme, die von weit her zu kommen schien, sagte ihr wieder und wieder: »Vergiß, vergiß alles.«

»Deine Eltern waren Kannibalen«, fuhr Rougemont fort. »Und genau das wirst du auch bald werden …«

Diese Worte trafen das Kind so heftig, daß es mit aller Macht versuchte, sich zu befreien. Im gleichen Augenblick jedoch ließ eine Drohung Malvina erstarren:

»Wie lange willst du eigentlich noch deine wahre Herkunft verleugnen? Wie lange willst du noch lügen?«

»Ich heiße Malvina Fournier«, sagte sie.

Sein Blick traf sie wie ein mit Gift getränkter Pfeil.

»Fournier!«

»Du weißt, daß Mörderblut in deinen Adern fließt!«

»Ich bin nicht schlecht!«

»Du willst nicht verstehen, was ich für dich getan habe. Aber hast du auch mal an Hubertine gedacht? Daran, wie enttäuscht sie von dir sein wird, wenn sie erfährt, von welchen Ungeheuern du abstammst? Das Grauen, das Leid, der Tod, den deine Eltern verbreitet haben, ist eine Saat, die gekeimt hat und deren Wurzeln bis zu dir vorgedrungen sind. Denn du hast es gesehen, Malvina. Im Dunkeln verborgen hast du all diese schändlichen Bluttaten beobachtet. Doch du hast geschwiegen, hast es hingenommen. So wie deinen Vater und deine Mutter wird das Böse auch dich lautlos umgarnen. Und es hat bereits begonnen, sich auch an dir emporzuranken, an deinen Knöcheln, deinen Beinen, deinen Hüften …«

Rougemont war mit jedem Wort näher an sie herangekommen, hatte mit seinen großen Händen Besitz ergriffen vom Körper des Mädchens. Wie das unausrottbare Böse, das bis in Brusthöhe emporklomm, dann die Kehle des Mädchens umschloß, die Stirn befiel und schließlich die Seele durchdrang. Seine Nägel bohrten sich in die Haut der Kleinen. Vor Angst wie gelähmt, wagte sie nicht mehr, sich von der Stelle zu rühren.

»Eines Tages«, fuhr er fort, »ist das Böse dann da, mitten in deinem Herzen. Es wird von einem giftigen Kraut überwuchert, erstickt, verschlungen. Irgendwann ... Es kann jederzeit geschehen.«

»Niemals«, schrie sie. »Niemals ... hört Ihr!«

Malvina preßte beide Hände auf die Ohren und weinte.

»Genug!« rief Hubertine, die durch das Schluchzen ihres Schützlings aufgeschreckt herbeigeeilt war.

Angst und Haß spiegelten sich abwechselnd in den Augen der Kleinen. Ihre Lippen bewegten sich vergeblich, es wollte ihr nicht gelingen, ihre Angst herauszuschreien.

»Was hast du mit ihr gemacht?«

»Misch dich nicht in meine Angelegenheiten!«

»Ich will nicht, daß du sie anfaßt. Raus hier ... Verschwinde!«

»Du verscheuchst mich wie irgendeinen dahergelaufenen Rüpel? Obwohl du das einzige an Familie bist, was ich habe ...«

»Ich werde nicht zögern, dich der Polizei auszuliefern, wenn du dich noch einmal herwagen solltest. Ich liebe dieses Kind, und du wirst es mir nicht wegnehmen. Hast du verstanden? Niemand darf ihr etwas zuleide tun!«

»Du gewährst dem Teufel Schutz! Dem Teufel«, wiederholte er.

»Willst du etwa mit mir über Redlichkeit sprechen? Für wie

dumm hältst du mich eigentlich? Meinst du, ich weiß nichts von deinen Geschäften?«

Der letzte Satz versetzte Rougemont in Wut. Er wurde bleich, suchte nach einer Antwort. Er hatte nichts von der Großherzigkeit und Rechtschaffenheit seiner Schwester, die ihr ganzer Stolz waren. Was konnte er dafür, wenn die Natur nicht alle Menschen aus demselben Holz geschnitzt hatte? Geld half, die Ungerechtigkeit zu ertragen. Und das rechtfertigte sehr wohl, daß man, ohne das geringste Schuldgefühl zu empfinden, sich von den moralischen Ansprüchen entfernte.

»Wenn ich gehe, heißt das nicht, daß du frei sein wirst«, sagte er zu Malvina. »Selbst wenn ich sterben würde, müßtest du mich noch in deinem Innern ausmerzen!«

Mit diesen Worten verließ Rougemont den Raum. Einige Minuten später durchschritt er die Pforte des Hospizes.

Hubertine brauchte lange, bis sie Malvina fand. Sie hielt sich im Gewächshaus versteckt. Sowie sich die Köchin ihr näherte, zog die Kleine, zwischen die Pflanzen gekauert, den Kopf so weit wie möglich zwischen die Schultern und ließ ihr Haar vors Gesicht fallen, als wolle sie sich dahinter verbergen, sich unsichtbar machen. Alles Fragen war sinnlos. Das Kind stieß nur langgezogene Klagelaute aus wie ein junger Hund. Da sie wenig Erfahrung darin hatte, was man angesichts eines solch merkwürdigen Verhaltens tun könnte, ließ sich die Frau von ihrer Intuition leiten. Sie hockte sich ebenfalls hin und ahmte die Laute nach, jedoch in einer ruhigeren Tonlage. Die Überraschung riß Malvina aus ihrer Verstörtheit. Als erstes wagte sie einen verstohlenen Blick durch ihre wirre Haarmähne. Dann beobachtete sie den Mund der Köchin, diesen Mund, der zu ihr sprach: »Hab keine Angst, hab keine Angst, er ist weg.« Zaghaft streckte Malvina ihre Finger aus, um über diese zarte, besänftigende Haut zu streichen. Hubertine lächelte.

»Sei ganz ruhig, mein Liebling. Komm, komm in meine Arme.«

Malvina drückte ihren Zeigefinger auf die Lippen der Köchin, genau in die Mitte, so wie es die Engel bei den Neugeborenen tun, damit sie vergessen, was ihnen die Natur im Mutterleib beigebracht hat. Dann fuhr sie mit dem Finger am Hals die Adern entlang bis zum Mieder. Sie preßte eine Hand auf die Brust, krallte sie in den Stoff, als wolle sie einen unauslöschlichen Abdruck hinterlassen. Das Herz berühren, durch die bloße Wärme, die Liebe teilen, wo Worte nur ein Hindernis sind.

Hubertine schloß sie in die Arme. Gern wäre sie einfach so, ohne etwas zu sagen, hier mit ihr geblieben, aber die Angst davor, Malvina in Haß und Rachegelüste abgleiten zu sehen, zwang sie, ihrem Schützling ein paar warnende Worte zu sagen.

»Diejenigen, die aufhören, an Gott zu glauben«, sagte sie, »die den Glauben verlieren, sind vom Teufel besessen. Laß dich nicht von deinem Zorn hinreißen. Du bist viel zu jung, um etwas Böses getan zu haben … oder auch etwas Gutes. Auf den Wegen des Königreichs wimmelt es von Dienern des Satans, so auch hier im Hospiz. Sie versuchen, dich der Gnade Gottes zu entreißen, um dich zu beherrschen … Da deine Seele in Aufruhr ist, mußt du noch wachsamer sein, denn der Dämon hat viele Gesichter. Um dich zu täuschen, kann sein Donnerschlag dich in siebenerlei Gestalt treffen: in Form von Eisen, um dich zu zerschmettern, in Form von Feuer, um dich zu verbrennen, in Form von Schwefel, um dich zu vergiften, in Form von Lumpen, um dich zu ersticken, in Form eines Blitzes, um dich zu erschlagen, in Form eines Steins, um dich zu zermalmen, und in Form von Holz, um dich zu durchbohren. Sei vorsichtig! Er lacht gern und weiß gelegentlich spaßig zu sein. Nicht umsonst heißt man ihn auch einen Schalk ...«

Malvina lauschte aufmerksam. Feine Rinnsale aus kleinen Schweißtröpfchen perlten ihr auf der Stirn, weil sie wieder Fieber hatte.

Hubertine hielt es für klüger, sie in die Küche zu bringen, wo sie sich am Feuer aufwärmen könnte.

»Komm, mein Engel, komm mit mir«, murmelte sie und nahm das Kind bei den Schultern.

Die Kleine war am Ende ihrer Kräfte. Als der Arzt sie zum zweitenmal abhorchte, fand er, daß sie noch verstörter war als zuvor.

»Wißt Ihr, was ihr einen solchen Schock versetzt hat?« erkundigte sich Aubin Donatius bei der Köchin.

»Ich glaube, ich kenne den Grund für ihre Erkrankung«, gestand sie. »Aber ich möchte Euch bitten, nichts darüber zu sagen.«

»Ich soll schweigen? Aber ich kann nicht die Verantwortung für ihren Zustand übernehmen! Ich mache mir Sorgen ...«

»... Sie hat viel durchgemacht. Es handelt sich nicht um eine Krankheit, sondern um eine Erschütterung der Seele.«

»In beiden Fällen ist eine Behandlung nötig.«

»Was sie braucht, ist Liebe, Liebe und Ruhe.«

Mit diesen Worten geleitete sie den Mann in den Krankensaal zurück. Und setzte ihn davon in Kenntnis, daß die Kleine diese Nacht in ihrem Bett schlafen würde.

Hubertine spüren, ihre zarte Haut, doch auch das konnte nicht verhindern, daß Malvina wieder den Alptraum von der Herberge hatte. Diesmal waren an die zwölf Männer um den Tisch versammelt und schlugen sich den Wanst voll. Ihr Schmatzen verriet ihre gewöhnliche Herkunft. Ein unbeschreibliches Durcheinander aus lautstarkem Gebrüll, mit dröhnender Stimme geführten Wortgefechten, dreckigem oder schallendem Gelächter, das aus vollem Hals und weit aufgerissenen Mündern ertönte. Unter einer karnevalesken Aufmachung verbargen sich schauerliche Verletzungen. Der Kopf des einen konnte sich – wie durch ein Wunder – an seinem Hals halten, der zu drei Vierteln durchtrennt war, bei einem anderen waren die Wundmale des Strickes zu erkennen, mit dem man ihn gehängt hatte. Allesamt Verbrecher, die an tödlichen Verletzungen litten und dennoch weiterlebten.

»Da hast du uns aber einen schönen Toten geliefert, meine Liebe! Dieser fahrende Händler ist zwar nicht sehr reich, aber es ist immerhin ein Anfang.«

Der dies gerade gesagt hatte, war ihr Vater.

»Komm, setz dich zu uns. Das Fest ist dir zu Ehren!«

Malvina wagte nicht, sich vom Fleck zu rühren. Auf dem Tisch ausgestreckt lag Rougemonts Leichnam, angerichtet wie ein Braten. Dampfende Eingeweide, kross gebratenes Fleisch. Eine eingetrocknete Wunde umschloß seinen Hals mit einer dicken Manschette geronnenen Bluts.

»Du hast dir deinen Platz unter uns verdient«, fuhr ihr Vater fort. »Jetzt hast auch du getötet und gesehen, wie der Tod entsteht. Du kannst dein Werk betrachten, fortan gehörst du zu uns, bist endlich von deinen Fragen und deinen Zweifeln befreit …«

An dieser Stelle erhob sich die ganze Gesellschaft. Und wiederholte unzählige Male mit durchdringendem Gesang: »Töten, um zu wissen, essen, um die Wahrheit zu erfahren …«

Als Malvina am nächsten Morgen erwachte, war sie gelähmt vor Angst. Ihr Körper war so steif, daß sie nicht wagte, ihre Glieder zu strecken. Die Muskeln wie aus Stein, die Knochen wie aus Glas – eine winzige Bewegung würde genügen, um sie zu zerbrechen. Ihr Herz schlug so heftig, daß es schmerzte. Ein schrecklicher Gedanke war ihr soeben gekommen. Ein so ungeheuerlicher Einfall, daß die Kleine ihn kaum ernst zu nehmen wagte! Und wenn Rougemont sterben würde? Der Erpresser tot! Der Glücksräuber tot! Tot, endlich tot! Und plötzlich hatte erneut der Zorn die Oberhand über jegliche Besonnenheit gewonnen, die Rache über die Nachsicht. Ihr Haß reichte bis zu Rougemonts Tod und sogar darüber hinaus.

Sie war von diesem Gedanken wie besessen. Obwohl Hubertine ihr immer wieder versicherte, daß ihr Bruder auf keinen Fall zurückkommen würde, blieb die Kleine davon überzeugt, daß er nie aufhören würde, im Schmutz ihrer Vergangenheit zu wühlen. Ein ekelhafter Schmutz, von dem ihr übel wurde. Wurde diese Übelkeit durch die Erinnerung an die Morde, die ihr Vater begangen hatte, hervorgerufen? Durch die Weigerung, auf ewig vom Fleisch dieser schändlichen Bestie zu sein? Oder durch das eigene Schuldgefühl? Malvina wußte es nicht. Was sie aber wußte, war, daß die bloße Tatsache, daß Rougemont existierte, dieses Unbehagen verstärkte, das ihr die Kehle bis zum Ersticken zuschnürte. Da er sie verdammt, für das Verbrechen bestimmt hatte, gab es keine andere Wahl, als ihn zu töten. Nicht um zu wissen, sondern um sich zu befreien.

Doch Vorsicht war geboten. Sie mußte listig sein, um keinen Verdacht zu erregen. Vielleicht wäre es auch gar nicht nötig, diese niedrige Arbeit selbst zu tun. Gott hatte sie verlassen! Nun, dann würde Luzifer ihr sicher zur Seite stehen. War er nicht ein Engel, der sich gegen seinen Schöpfer auflehnte? Ein gefallener Engel, dem es gelungen war, sich ein eigenes Imperium im Himmelreich aufzubauen. Sie erinnerte sich an das, was Hubertine sie über die verschiedenen

Erscheinungsformen des Satans gelehrt hatte, und Malvina entschied sich für eine achte Form, die die Köchin zu erwähnen vergessen hatte: die Heuchelei. Wenn sie sich den anderen gegenüber so zeigte, wie diese sie gern sehen wollten, würde niemand ihr Vorhaben erahnen. Wie eine Zecke, die sich klein und unscheinbar macht, würde sie sich gedulden, zurückgezogen in sich selbst, angeschwollen von im Zaum gehaltener Feindseligkeit. So würde sie im Hinterhalt lauern, bis ihre Beute in Reichweite wäre, um sich dann, wenn der große Tag gekommen wäre, in das verhaßte Fleisch zu beißen und sich darin festzusaugen.

Malvina mußte lernen, sich zu gedulden. Sechs Jahre vergingen, und Rougemont hatte sich nicht blicken lassen. Immer wenn sie die Köchin nach ihm fragte, sagte sie ihr, daß sie nicht daran denken solle. Ihr Bruder sei keine Bedrohung mehr für sie, schließlich habe sie ihn verjagt.

»Hast du das meinetwegen getan?«

»Deinetwegen? Aber nein, hör mal …«

»Was hast du zu ihm gesagt, damit er nicht mehr wiederkommt?«

»Eines Tages, wir waren beide noch sehr jung, haben wir uns gezankt … Um ein paar lumpige Geldstücke. Er hat mich in den Unterleib geschlagen … Ich war damals vierzehn Jahre alt, die Worte des Arztes waren schlimmer als die Schläge, die Rougemont mir versetzt hatte.«

Hubertine konnte die Tränen nicht länger zurückhalten.

»Wenn ich ihn fortgejagt habe, dann deshalb, weil er mir zum zweitenmal das Kind nehmen wollte, das ich nie gehabt habe! Verstehst du … Ich sehe in dir meine Tochter, meine über alles geliebte Tochter.«

Malvina lief auf die Köchin zu und umarmte sie.

»Das ist nicht schlimm«, sagte sie. »Weine nicht!«

»Wie soll ich es dir erklären? Du wirst bald fünfzehn, und

ich meine, daß du einen falschen Weg einschlägst. Sieh dich an, du bist klug, du bist schön, sogar sehr schön. Und du weißt es …«

Malvina war sich der Wirkung bewußt, die sie auf ihre Umgebung hatte. Die ausgedehnten Wanderungen auf dem Kalkplateau hatten ihre Beine wohlgeformt, die Taille schmal und die Schultern breiter werden lassen. Ihr beschwingter, anmutiger Schritt verlieh ihr eine überirdische Leichtigkeit, wie sie den Elfen eigen ist, die sich dem Himmel entgegenbewegen. Wenn die Hände und die etwas zu rundlichen Wangen noch an das Kind erinnerten, so hatte sie schon jetzt alles, was eine Schönheit ausmacht: eine seidige Haut, feste und volle Brüste, wohlgeformte Hüften und einen flachen Bauch. Ihr Haar war von lichterfülltem, rotbraunem Glanz, eine weiße, makellose Haut säumte einen vollen und weichen Himbeermund.

»Hier, dieser Teil unterhalb deiner kleinen Nase strahlt eine unwiderstehliche Kraft aus«, setzte Hubertine ihre Rede fort, »auf deinen Lippen erkenne ich nicht die Sinnlichkeit, die die Männer verführt, sondern den unterdrückten Ausdruck deiner Hartherzigkeit.«

»Warum sagst du mir das?« rief das junge Mädchen aufgebracht.

»Du trägst den bitteren Geschmack der Feindseligkeit in dir, Malvina! Wenn ich dir dies sage, dann nur deshalb, weil ich dich besser verstehen möchte. Aber es will mir nicht gelingen!«

»Hast du nicht versprochen, mich immer zu lieben?«

»Ich kann dich lieben und dich gleichzeitig nicht verstehen. Deine Seele ist zweigeteilt, wie eine offene Nuß … Wenn ich nur sicher sein könnte, daß die schlechte Hälfte nicht auch den Rest verdorben hat.«

»Du vertraust mir also nicht?«

»Ich kenne dich besser als irgend jemand sonst … Ich habe dein Geheimnis schon vor langer Zeit erraten!«

»Rougemont hat dir alles gesagt. Ist es das?«

»Ich kenne meinen Bruder, er ist nicht schlecht, selbst wenn seine Absichten nicht gerade ehrenwert sind. Geld hat ihn schon immer verrückt gemacht … Figeac, Assier, seine Reisen haben mir die Augen geöffnet. Jeder in dieser Gegend hatte schon von der ›blutigen Herberge‹ gehört.«

Malvina zuckte zurück.

»Ich hasse ihn, mein Gott, wie ich ihn hasse!« zischte sie erregt.

»Vor dir selbst solltest du dich in acht nehmen.«

»Weil ich das Kind eines Ungeheuers bin?«

»Weil du nichts unternimmst, um es nicht zu werden. Ich vermag den verborgenen Keim eines Menschen zu erkennen, und ich kann dir sagen, daß du dich seit geraumer Zeit verändert hast … Ich habe es gesehen … Du bist oft im Wald gewesen, oben in der Nähe von Cabessut.«

»Ich gehe nur in die Natur, gehe nur beobachten, nichts weiter. Die Tiere, die sich verändern, sich häuten, fesseln mich. Alles, was kriecht, sich windet und schlängelt: die Eidechse, die in dem kleinsten Spalt verschwindet, die Natter, deren grüne und gelbe Flecken sich je nach Jahreszeit verändern. Wie gerne besäße ich die Fähigkeit, die abgestorbene Haut abzustreifen und mich nicht mehr darum kümmern zu müssen. Du verstehst nicht, was für eine Qual es ist, jemand anderer sein zu wollen.«

»Das ist nicht die Natur, die ich dir gezeigt habe!«

»Meinst du die schöne und großzügige Natur? Hast du auch nur einmal die Hochzeitsrituale beobachtet? Nicht die der Blumen, die sich dem erstbesten hingeben, sondern die der Gottesanbeterinnen, die geschickt ihre Männchen verspeisen. Oder die der kriegslustigen Bienen, die in den Drohnen ein williges Opfer sehen. Du müßtest sehen, wie eine den Körperteil, den Stiel, durchtrennt, der Hinterleib mit Bruststück verbindet, wie eine zweite die feinen Verzweigungen ihrer Flügel zerfetzt, während eine dritte ihren Panzer durchbohrt, um dann ihren giftigen Stachel in das Fleisch der Drohne zu versenken. Dieser Anblick versetzt mich, ohne geringstes Schuldgefühl, in einen Taumel. Es gefällt mir, daß die Natur mich lehrt, wie man unterwirft.«

»Ich warne dich, Malvina. In jeder Kreatur steckt etwas Schlechtes. Je nachdem, wohin du deinen Blick richtest, zum Licht oder in die Finsternis, wird dein Leben entweder zum Paradies oder zur Hölle werden.«

»Rougemonts Blick hat mich dazu verdammt, das zu sein, was ich bin. Wie oft habe ich schon den Wunsch verspürt, ihn zu töten. Dieses Verlangen in mir ist ebenso wie das Verlangen zu essen. Es ist lebenswichtig …«

»Erziehung muß diesem Verlangen Einhalt gebieten, die Religion muß es verdammen!«

»Dein Gott ist auch nicht besser als die Menschen. Kriege, Epidemien und Elend sind seine Verbündeten … Er verschlingt Leben, mäht Völker nieder wie Weizenfelder.«

»Schweig still, ich erkenne dich nicht mehr.«

Malvina faßte sich wieder. Sie wollte nicht Hubertines Zorn erregen.

»Verzeih«, sagte sie. »Ich wollte dich nicht verletzen.«

»Ich werde immer an deiner Seite sein, um dir gegen das Böse beizustehen, aber ich möchte, daß auch du selbst dagegen ankämpfst.«

Das Mädchen ergriff die Hände der Köchin, führte sie an ihre Lippen und drückte auf jede Hand einen Kuß.

»Siehst du, ich beiße nicht! Was muß ich tun, um dir meinen guten Willen zu beweisen?«

»Kümmere dich um Schwester Clotilde, ihr Gesundheitszustand hat sich weiter verschlechtert. Der Arzt meint, sie leide an Schwindsucht.«

»Das kann ich nicht, ich kann ihr nicht helfen. Sie mag mich nicht!«

»Deine Bemühungen wären um so wertvoller. Ich möchte, daß du sie pflegst. Sie ist seit gestern bettlägerig.«

Malvina überlegte. Hubertines Zuneigung zu verlieren wäre schlimmer, als die Nonne zu ertragen. Also willigte sie in ihren Vorschlag ein.

Zum erstenmal seit ihrer Ankunft im Hospiz wurde Malvina von der Mutter Oberin empfangen.

»Wir dürfen keine Zeit verlieren«, sagte sie, als sie das Mädchen sah. »Schwester Clotilde ist eine gute und hochherzige Frau, ich freue mich, daß du ihr in diesen schweren Stunden beistehst. Ist dein frommer Dienst ein Zeichen dafür, daß du in unseren Orden eintreten möchtest?«

»Nein, meine Mutter, nichts läßt mich bis heute annehmen, daß ich berufen sein könnte. Meine Leidenschaft gilt den Pflanzen.«

»Den Pflanzen?«

»Genau wie Ihr begeistere ich mich für die Arzneizubereitung.«

»Das wußte ich nicht. Hubertine ist, was dich betrifft, nicht sehr gesprächig … Sie hat mir lediglich anvertraut, daß du außergewöhnlich klug bist. Du bist, so hat es den Anschein, aufgeweckt, stellst scharfsinnige, manchmal auch befremdliche Fragen, aber du gibst niemals auf, bevor du nicht eine Antwort bekommen hast.«

»Ich habe die Vorstellung, daß das Wissen mir ermöglicht, ein besserer Mensch zu werden.«

»Apotheker zu werden ist ein Anspruch, dem du nur schwerlich wirst gerecht werden können. Man muß fleißig und ehrlich sein, Gott und dem eigenen Gewissen gehorchen. Von Schwester Clotilde habe ich erfahren, daß du dich zu sehr vom Geist leiten läßt und zum Widerspruch neigst.«

Malvina ballte ihre Fäuste so heftig, daß sie ihre Finger quetschte und die Handflächen zerkratzte.

»Es ist die Eifersucht, die sie so sprechen läßt.«

»Deine Reaktion bestätigt allerdings ihr Urteil.«

»Ein geistloser Charakter zu sein ist so, als wenn man gar keinen hätte!«

»Es geht nicht darum, einen Menschen derart zu verändern, daß er vollkommen wirkt. Ich sehe in dir Wesenszüge, die keine Erziehung auszugleichen vermag. Narben sind unauslöschliche Spuren unserer Vergangenheit, und sie sind auf deinem Gesicht und in deinem Verhalten deutlicher zu erkennen, als du meinst! Die Jahre, die du hier verbracht hast, können nicht das Leid, das die Ursache für dein andersartiges Wesen ist, auslöschen – und werden es auch in Zukunft nicht können. Ich weiß, daß auch du eines Tages die große Lektion erteilt bekommen wirst … Doch nicht von den Schwestern noch von anderen, sondern vom Allerhöchsten selbst. Denn es gibt verwirrte Gemüter, die nur durch das Wort unseres Herrn wirklich berührt werden können! Schwester Clotilde hat mir versichert, daß du mit Gott kämpfst und auf seine Schwachheit hoffst, daß das Laster in dir schlummert wie ein schwelendes Feuer, all dem will ich kein Gehör schenken. Ganz im Gegenteil, ich möchte dir eine Chance geben.«

Malvina zog die Augenbrauen hoch.

»Ich glaube«, fuhr die Oberin fort, »daß es angebracht wäre, dir zu vertrauen. Wenn ich mich irre, wirst du in die Manufaktur geschickt. Wenn du meine Erwartungen erfüllst, wirst du Hubertines Platz in der Küche einnehmen. Ich übertrage dir also von nun an die Verantwortung für den Garten mit den Heilkräutern. Du wirst dich um die Pflanzenvorräte kümmern! Und wenn dir noch etwas Zeit bleibt, gestatte ich dir, in die Apotheke zu kommen und mir bei der Herstellung einiger Arzneien zur Hand zu gehen.«

»Ich danke Euch, meine Mutter … Aber ich glaube, ich könnte Euch noch mehr helfen. Und, seht nur, ich habe hier ein Werk, das Euch vielleicht von Nutzen ist«, sagte Malvina und zog unter ihrem Gewand das Büchlein hervor, das ihr ihre Mutter hinterlassen hatte. Natürlich hatte sie sorgfältig darauf geachtet, die Zeichnungen zu entfernen, damit die Identität der Besitzerin geheim blieb.

Die Nonne überflog es aufmerksam.

»In der Tat, erstaunlich!«

Sie blätterte die Seiten vorsichtig um, doch nichts in ihrem Blick ließ darauf schließen, daß es ihr gelang, deren Inhalt zu entziffern.

»Mir scheint, es handelt sich um eine fremde Sprache«, murmelte sie schließlich. »Wahrscheinlich um Türkisch, siehst du, hier ist der Name des Autors in goldenen Lettern eingraviert: *Jean-Baptiste Dandora de Ghalia, Apotheker zu Paris.*«

Die Oberin strich über die Inschrift, dann fragte sie:

»Aber wo hast du dieses Buch gefunden?«

»Man hat es mir gegeben.«

»Wann? Wie? Kennst du diesen Mann?«

Sofort verschloß Malvinas Gesicht sich wieder. Sie entriß der Nonne ihren Besitz, machte einen Knicks und lief davon.

In ihrem Kopf überschlugen sich die irrsinnigsten Fragen. Wie war dieses Buch in die Herberge gelangt? Hatte es der Verfasser ihrer Mutter geschenkt? Marie hatte von ihrer Kindheit erzählt, als sie mit ihren Eltern in Saint-Malo lebte. Ihr damaliges Leben schien anders gewesen zu sein. Malvina hätte gern mehr darüber erfahren. Vielleicht würde ihr jener Unbekannte helfen können, das Geheimnis zu lüften? Für einen kurzen Augenblick stellte sie sich vor, sie sei in der Hauptstadt. Frei, nach ihrem Belieben zu handeln, frei, das zu sein, was sie war: eine unbezähmbare Rebellin. Vor allem da Schwester Clotilde ihre letzten Kräfte dazu nutzte, ihr mit schöner Regelmäßigkeit Bußübungen aufzuerlegen, gefiel ihr diese Vorstellung immer besser. Wenn sie nicht bettlägerig war, bestand die Nonne darauf, daß Malvina ihr um fünf Uhr vor der ersten Messe beim Ankleiden half. Um fünf Uhr dreißig verlangte sie von ihr, die Kranken zu besuchen, damit sie über den Gesundheitszustand eines jeden auf dem laufenden war, den sie früher gepflegt hatte. Um acht Uhr brachte sie das Frühstück. Um elf Uhr war Hochamt. In der Zwischenzeit pflückte das Mädchen die Heilkräuter, die sie in die Apotheke brachte. Aber dort hielt sie sich niemals länger auf, denn um zwölf Uhr verlangte Schwester Clotilde ihr Mittagessen. Der Nachmittag verlief ähnlich. Um zwölf Uhr dreißig half Malvina Hubertine im Refektorium. Dann machte sie sich bis siebzehn Uhr erneut an die Gartenarbeit. Achtzehn Uhr Vespergottesdienst. Achtzehn Uhr dreißig Abendessen. Um neunzehn Uhr brachte sie Schwester Clotilde ins Bett. Dann mußte sie auf die Mutter Oberin warten, die der Schwester die Medizin verabreichte. Die alte Frau hatte kein sonderliches Vertrauen zu Malvina, ja beschuldigte sie, vom Teufel besessen zu sein. In ihrem Fieberwahn verstieg sie sich sogar zu der Behauptung, gesehen zu haben, wie Malvina von krampfhaften Zuckungen geschüttelt wurde.

»Schweigt still, seid Ihr verrückt geworden?«

»Du tust mühelos Böses, ganz einfach so, als sei es Schicksal«, entgegnete die Nonne.

»Dann bittet doch die Oberin, daß sich eine Eurer Mitschwestern um Euch kümmert!«

»Kommt nicht in Frage! Gott läßt dich nicht ohne Grund meinen Weg kreuzen. Hubertine war viel zu gutherzig. Du bist ein Unkraut, das sie hat hochschießen lassen …«

»Wißt Ihr überhaupt, was Mutterliebe ist? Ihr seid doch nur eine eifersüchtige, verbitterte alte Frau … Wenn der Tod Euch holt, wird er die Erde von einer Last befreien!«

Diese Worte trafen Schwester Clotilde bis ins Mark. Sie griff sich mit der Hand ans Herz, erlitt wieder einen Anfall. Sie rang nach Luft, spuckte Blut und diesmal auch Eiter. Zu Tode erschrocken machte Malvina sich auf die Suche nach Meister Donatius. Der Arzt war an solch dringlichen Alarm gewöhnt und beeilte sich nicht sonderlich.

»Ich weiß nicht, was ich tun soll«, gestand er dem Mädchen auf dem Weg zu Schwester Clotilde. »Meine Arzneien richten nichts aus …«

»Muß man mit dem Schlimmsten rechnen?«

»Geh und hol Hubertine. Sie hat in ihrem Vorratsraum Stechapfel, es ist an der Zeit, ihn einzusetzen.«

»Was ist das?«

»Der Stechapfel enthält ein hochgiftiges Alkaloid, aber seine getrockneten Blätter können, in kleinen Dosen verabreicht, den Körper dazu bringen, sich gegen die Krankheit zur Wehr zu setzen.«

Wenige Minuten später kam die Köchin mit einem Glas frischen Wasser. Sie schüttete vier Tropfen hinein und keinen mehr. Der geringste Irrtum wäre folgenschwer. Sie mußten sich etwas gedulden, bis die Medizin ihre Wirkung tat. Doch wie Meister Donatius es erhofft hatte, wurden Schwester Clotildes Beschwerden gelindert, und sie schlief ein, ohne von einem neuen Hustenanfall gepeinigt zu werden.

Nach nur zwei Tagen hatte sich ihr Zustand nachhaltig gebessert. Es schien wie ein Wunder, doch die Schmerzen hatten sich vorübergehend gelegt. Malvina war darüber weder glücklich noch verärgert. Ohne es sich einzugestehen, hoffte sie, daß ihr die Last, die die Nonne für sie war, bald genommen werden würde. War das ein Wunsch? Ein so starker Wunsch, daß er Wahrheit wurde. Die Ereignisse des 2. Mai 1774 legen diese Vermutung nahe.

Seit Menschengedenken hatte es in der Gegend von Cadurcie keine vergleichbare Dürre gegeben. Seit mehr als einem Monat verwüstete eine schwüle, drückende Hitze das Land. Rissige, ausgedörrte Böden, Pflanzen, die verkümmerten, noch ehe sie richtig zu wachsen begonnen hatten. Bauern und Pächter waren in Sorge, denn sie konnten die Weinberge und Weizenfelder nicht bestellen, und zögerten, den kostbaren Mais auszusäen, denn wenn er keine Ernte bringen würde, würden sie in Hungersnot und Elend gestürzt. Sie warteten auf ein Geschenk des Himmels, darauf, daß das Gewitter losbrach. Vergebens.

Die Schwestern hatten sich zum Abendessen versammelt, lauschten der Mutter Oberin, die das Tischgebet sprach, als plötzlich die Glocken ertönten. Die ehrwürdige Mutter hielt im Gebet inne, erhob sich und eilte ans Fenster.

»Es ist etwas Schlimmes passiert«, sagte sie.

Die Schwestern sahen sich beunruhigt an.

»Das sind die Glocken von Saint-Etienne. Sicherlich ein Brand …«

Im selben Augenblick kamen drei Nonnen ins Refektorium gelaufen. Ihre hastig hervorgestoßenen Sätze, die aufgeregten Gesten verrieten ihre Angst. Die einen meinten, das Feuer sei in weiter Ferne, andere wiederum bestanden darauf, die Sturmglocke des Hospizes zu läuten. Hubertine drehte den Kopf in ihre Richtung, hörte ihnen zu und vergaß darüber völlig, daß sie Schwester Clotildes Arznei abmaß. Die Tropfen fielen ins Wasser, bildeten dabei große, ölige Kreise, bevor sie sich auflösten. Malvina, die sich an der ganzen Aufregung nicht beteiligte, sich für das Geschehen nicht interessierte, fuhr fort, das Essen aufzutragen. Die Nonnen hatten den Tisch verlassen. Auch Hubertine war in den Hof hinuntergelaufen, um mehr zu erfahren. Die Sturmglocke läutete nicht. Schließlich kam die Köchin erhitzt zurück, wischte sich mit einem Zipfel der Schürze die Stirn ab, und zu Malvina gewandt sagte sie: »Du hattest ganz recht, dich von der Aufregung nicht anstecken zu lassen, es brennt in der Nähe von Daurade ... Ach, in diesem Durcheinander habe ich ganz vergessen, Schwester Clotilde die Medizin zu geben.«

Während sie sprach, träufelte sie erneut vier Tropfen in das Wasserglas. Malvina wußte, daß diese Gabe tödlich war. Und dennoch schwieg sie. Schwester Clotilde nahm das Glas, leerte es in einem Zug, schenkte sich sogar noch ein wenig Wasser nach, damit keine Arzneirückstände im Glas verblieben. Das Mädchen verfolgte mit seinem Blick das Gift, das in die Brust der Kranken wanderte.

Nach dem Essen verkroch sich Malvina in eine Ecke der Küche, setzte sich auf den nackten Boden und schlang ihre Arme um ihre Mitte. Dort hockte sie, stumm und starr, in furchtsamer Erwartung der Ereignisse. Was erhoffte sie sich von dieser Geste? Sie wußte es nicht, nur eines war ihr klar: Sie hatte sich entschieden zu schweigen. Meister Donatius stand am Krankenbett von Schwester Clotilde, die stöhnte und spie, und wunderte sich über die grünliche Flüssigkeit, die sie von sich gab. Was konnten dieses Erbrechen und dieser unerträgliche Gestank, der aus diesem Körper kam, bedeuten? Allen Bemühungen und allem Einsatz zum

Trotz verschlechterte sich der Zustand von Schwester Clotilde zusehends. Sie weigerte sich, Hubertines Arzneitränke zu schlucken, und behauptete, daß ein solcher sie jetzt umbringe. Sie klagte darüber, daß ihr Magen wie Feuer brenne. Nach ein paar Stunden der Agonie starb die Nonne in Malvinas Armen.

Am nächsten Tag ging das junge Mädchen in die Totenmesse, die für Schwester Clotilde gelesen wurde. Obwohl sie wußte, daß eine geweihte Hostie die Zunge schuldiger Menschen verbrennt, ging sie zur heiligen Kommunion. Der Leib Christi schmeckte wie gewöhnlich nach ungesäuertem und salzlosem Mehl. Sie konnte ihn hinunterschlucken, ohne daran zu ersticken oder auch nur husten zu müssen. Also war es – entgegen den wiederholten Beteuerungen der Nonnen – doch möglich, Gott hinters Licht zu führen, seiner allumfassenden Wachsamkeit zu entgehen und ungestraft zu sündigen, sofern man sich nicht ertappen ließ. Sie faltete die Hände zum Gebet. Aber nur scheinbar, niemand konnte ahnen, was sie wirklich dachte. In ihrer Vorstellung verwandelte sich der Alter in einen flammendroten Tisch, um den hybride Monster mit riesigen Fledermausflügeln und einem langen Dreizack saßen, gierig, widerliche Kröten mit einem Rückenkamm wie ein Wassermolch verschlingend und wie Schlangen zischend. Die Ungeheuer schlugen ihre Reißzähne in dieses ekelerregende Fleisch, in den weit aufgerissenen Mäulern wölbten sich dicke Zungen. Im Hintergrund wanden sich in Stein gehauene Engel, Zeugen des Mahls. Ihre Augen schauten wild hin und her, waren verdreht vor Hunger und Wut. Doch sie bekamen keinen einzigen Bissen. Ein Schauer überlief Malvina. Vielleicht sollte man die Hilfe des Teufels nicht übermäßig in Anspruch nehmen? Denn es war sehr wohl der Teufel gewesen, der, durch Hubertines Hand, Schwester Clotilde vergiftet hatte. Die Nonne hatte ihre Gleichgültigkeit, ihren Stolz mit ihrem Leben bezahlt, genauso würde es Rougemont eines Tages ergehen, der dafür würde büßen müssen, daß er ihre Leichtgläubigkeit mißbraucht hatte!

»Du hast Kummer«, meinte sie zur Köchin, als sie aus der Kapelle kamen.

Da Hubertine ihr nicht sofort antwortete, sondern mit gesenktem Blick wie angewurzelt stehenblieb, drängte Malvina weiter:

»Du bist so merkwürdig. Was hast du?«

Der Köchin gelang es nicht, die Worte zu finden, noch brachte sie den Mut auf, mit dem Mädchen zu sprechen. Schon einige Male hatte sie es seit Schwester Clotildes Tod versucht, doch stets schnürte sich ihr die Kehle zu, schlug ihr Herz wie wild, stieg ihr das Blut in die Schläfen – dann richtete sie ihren Blick fest auf den Boden. Ihr Gewissen ließ ihr einfach keine Ruhe. Als Meister Donatius erklärt hatte, er halte den ausgeworfenen Schleim der Nonne für die einfache Ausscheidung einer inneren Fäulnis, hatte Hubertine sich Vorwürfe gemacht, weil sie ihr Stechapfel verabreicht hatte, dessen Wirkung nur schwer vorherzusehen war. Diese Pflanzendroge hatte, da war sie sicher, den letzten Anfall ausgelöst. Sie hatte sich mit dem Allerhöchsten messen wollen und dadurch der Kranken dieses Leid zugefügt, das niemand verdiente.

Das junge Mädchen ergriff die Hände der Freundin.

»Du hast alles versucht, um sie zu retten«, beruhigte sie sie.

»Meine Selbstgefälligkeit hat mich verblendet!«

»Du kannst nichts Böses getan haben, nur die Menschen, auf denen der Fluch der Erbsünde lastet, können in Versuchung geraten.«

»Die Seele wird nicht durch das Blut vererbt ... Habe ich dir das nicht schon erklärt?«

Malvina trat ganz dicht an Hubertine heran. So nahe, daß niemand sie hörte:

»Wenn es einen Verdacht gibt, dann müßte er auf mich fallen.«

»Schweig! Ich könnte den Gedanken nicht ertragen.«

»Ein Gedanke wiegt nicht sehr viel, ist leicht zu vergessen ...«

Sie log. Von Geburt an marterte sie die Schuld. Malvina gehörte zum Geschlecht der schuldigen Kinder. Sie wußte, daß ein Geist, der vom Verbrechen gebrandmarkt ist, sehr leicht die Lasterhaftigkeit zum Freund bekommt. Ein unsichtbares, unzerstörbares Band, stacheliger als eine Distel, widerstandsfähiger als eine Queckenwurzel.

Malvina stockte der Atem, ihre Augen füllten sich mit Tränen.

»Du darfst nicht zweifeln«, sagte sie, »niemals! Du bist die Güte in Person!«

Während sie diese Worte wiederholte, lief sie über den Hof. Sie schrie ihre Unschuld heraus, die Unschuld all jener, die darunter litten, »zu Unrecht angeklagt« zu sein. Sie schrie und schrie. Ein Fenster nach dem anderen öffnete sich. Die Nonnen sammelten sich dahinter, um Malvina zu sehen, wie sie sich im Kreis drehte, den Kopf nach hinten geworfen, die Arme ausgebreitet, als suche sie eine Gnade zu empfangen, die ihr von oben zuteil würde.

»Nichts getan!« wiederholte sie ein letztes Mal, während sie die Tür zum Speicher hinter sich schloß. Ohne es zu wissen, gab Hubertine ihr die Möglichkeit zu einer Geste: ihre erste Geste wahrer Liebe.

Am gleichen Morgen hatte Malvina nämlich zufällig ein Gespräch zwischen Meister Donatius und der Mutter Oberin mit angehört. Ihre Namen, Schwester Clotildes, der der Köchin und ihr eigener, waren mehrmals gefallen. In den Worten lag Mißtrauen, ein schrecklicher Verdacht. Die Anschuldigung, die in ihren Worten mitschwang, war furchtbar. Ein Unfall, ein Mißgeschick, Absicht? Sie stellten sich Fragen, sprachen von Hexerei, von bösen Kräften, die ihr Unwesen im Hospiz trieben.

»Solchen Aberglauben darf man nicht unterstützen«, hatte der Arzt erklärt, »die Kranken weigern sich, ihre Medizin zu nehmen. Das Gerücht wird stärker, man spricht von Giftmord!«

War doch auf Meister Donatius' Anweisung hin Schwester Clotilde Stechapfel verabreicht worden! Und nun verließ ihn plötzlich der Mut. Er beschuldigte Hubertine, seine Anweisungen nicht befolgt und ohne sein Wissen die Menge verdoppelt zu haben. Die Angst trieb ihn zur Lüge.

»Habt Ihr bedacht, was aus dem Hospiz werden würde, wenn bei einer Untersuchung ein Verbrechen aufgedeckt werden würde? Ich kann und will ein solches Wagnis nicht eingehen.«

»Vielleicht war sie mit den Gedanken woanders«, begann die Oberin ihm nahezulegen, »ihr Schützling hat einen Einfluß auf sie, vor dem man sich nach Schwester Clotildes Worten in acht nehmen muß. Für den Frieden unseres Hauses wäre es mit Sicherheit das beste, wir würden das Mädchen in die Manufaktur schicken ...«

So traf Malvina erneut der Fluch. Es hatte genügt, daß jemand den Tod gefunden hatte, und sofort fiel der Verdacht auf sie. Ihre Vergangenheit holte sie ein, zerstörte mit einem Schlag das Leben, das sie voller Hoffnung versucht hatte, sich aufzubauen. Im Hospiz galt es schon als Sünde, sich einer Regel zu widersetzen. Aber gab es zwischen diesen beiden Welten, der guten und der schlechten, die so ge-

gensätzlich waren, nicht noch eine dritte, in der die Menschen gelernt hatten, sich zu vergleichen? Paris schien ihr diese Welt zu sein, wo alles und jedes zu seinem Recht kam. In einer solchen Ansammlung von Unterschiedlichem würde sie nicht auffallen. Vielleicht könnte sie sogar beweisen, daß diejenigen, die als Vorbild galten, fast nie mehr wert waren als jene, über die sie richteten?

Malvina stand am Fenster und wartete, daß es Abend wurde. In solchen Stunden verlieh die Nacht den Ereignissen das Profil des Wesentlichen. Sie liebte in äußerster Bedrängnis getroffene Entscheidungen, nur diese erfuhren eine Bedeutung, die allein die Tragödie hervorbringen konnte. Wenn es auch furchtbar war, Hubertine verlassen zu müssen, war es doch wundervoll, sie durch diesen Schritt entlasten zu können. Was für ein erhebendes Gefühl, Vergebung zu gewähren! Nach Belieben mit den Ereignissen zu spielen, den Lauf der Geschichte zu verändern. Der Tribut, der dafür zu entrichten war, erschien ihr vergleichsweise niedrig. Denn weder die Entfernung noch das Schweigen vermochte die Menschen zu trennen, die einander alles gegeben hatten. Für Malvina war es nicht Freundschaft, die sie mit der Köchin verband, sondern Liebe, eine einzigartige, unbedingte Liebe, die bis in alle Ewigkeit währte …

Es hatte zwei Uhr morgens geschlagen, als Malvina sich entschloß, aufzubrechen. Das Dämmerlicht um sie herum verschluckte alles. Wie um ihre Flucht zu erleichtern, hatten sich die Mauern, die Gegenstände, die Menschen, die sie umgaben, langsam in der Dunkelheit aufgelöst. Sie packte die wenigen Habseligkeiten, die sie besaß, zusammen, band sich das blaue Tuch um den Hals und versteckte das Büchlein, das ihr die Mutter hinterlassen hatte, unter ihrer Kleidung. Dann ging sie, ohne weiter nachzudenken, zur Pforte. Ein letzter Blick zurück; ein nervöser Schauer

überlief sie, als die Tür hinter ihrem früheren Leben zuschlug. Der Augenblick dieses »Übergangs« gab ihr das Gefühl, mit leeren Händen dazustehen. Die eine Seite loszu-
lassen, während sie die andere noch gar nicht erreicht hatte,
entsprach nicht ihrer Wesensart, doch sie überzeugte sich
davon, daß sie keine andere Wahl hatte. Sie beschleunigte
ihren Schritt, begann zu laufen. Je weiter sie sich entfernte,
desto leichter wurde die Last ihres Kummers. Ihre Tränen
versiegten. Sie schritt vorwärts und versuchte, nicht ihren
Erinnerungen nachzuhängen. Damit ihr das gelang, sagte
sie die folgenden Worte wieder und wieder vor sich hin:
vergessen, sich vergessen, eine andere werden …
Diese Litanei begleitete sie bis zur Grande Place, wo mehrere Postkutschen zur Abfahrt bereit standen. Die wenigen
Münzen, die ihr ganzer Besitz waren, genügten nicht, um
die Kutscher zu überreden, sie mitzunehmen. Lediglich einer der fahrenden Händler hatte ein Einsehen. Zwischen
den Krügen und Fässern würde sie allerdings nicht sehr be-
quem reisen; außerdem mußte sie wegen der Route des
Mannes einen großen Umweg in Kauf nehmen. Aber was
machte das schon? Sie konnte sich ruhig Zeit nehmen, denn
sie brach auf, um eine neue Malvina in jener Stadt zu entdecken, in der alles seinen Anfang nehmen könnte: Paris.

5

DER ZUFALL WOLLTE ES, daß Malvinas Ankunft in Paris mit einem historischen Ereignis zusammenfiel. Denn an dem Tag, als die junge Frau in der Hauptstadt ankam, folgte Ludwig XVI. seinem Großvater auf den französischen Thron. Auf Straßen, Plätzen und Boulevards drängte sich das Volk ... Es herrschte Freude, auch Hoffnung, denn nur wenige Male ist es einem im Leben vergönnt zu erleben, daß die wunderbarsten Träume wahr zu werden scheinen. Die Aussicht auf Veränderung beseelte die Geister. Und viele prophezeiten schon die ruhmreichste Herrschaft und blühendste Wirtschaft aller Zeiten.

»Sind die Pariser immer so närrisch?« fragte Malvina beim Anblick der Menschenmenge, durch die der Wagen sich bewegte.

Ohne Ordnung und Maß hüpften und schrien die Menschen, tanzten ausgelassen und lärmend durch die Straßen. Der Blick der jungen Frau musterte durchdringend einen jeden, auf den er fiel: der arme Schlucker klatschte in die Hände, der Hasenfellhändler schrie seine Ware aus, die Trödlerin tanzte mit ihren alten Hüten von einer Gruppe zur anderen, der unter seiner Last, die ein Pferd umbringen würde, gebeugte Träger hatte seine Ladung abgesetzt und sang. Selbst die Perückenmachergehilfen, die an mit Mehl bestäubte Wittlinge erinnerten, und die Bürger der umliegenden Viertel hatten sich zum Faubourg Saint-Martin begeben, um mitzufeiern.

Aus Furcht, durch das leiseste Augenzwinkern etwas von diesem Schauspiel zu verpassen, wagte Malvina es kaum, sich zu rühren. Der Verkehr auf der Straße war so dicht, daß er fast zum Stillstand kam. Obgleich sie ihre Begeisterung durch nichts getrübt wissen wollte, mußte sie voller Erstaunen feststellen, daß Paris nicht in jeder Hinsicht ihren Vorstellungen entsprach. Sobald ein Ortsfremder eine andere Straße nahm als die nach Versailles oder die Champs-Élysées, entdeckte er die Trostlosigkeit der Vororte. So schmückte der Name des heiligen Martin – der berühmteste unter Frankreichs Heiligen – eines der schmutzigsten und abstoßendsten Viertel. Wie in den ärmsten Städten der Provinz säumten strohgedeckte Lehmhütten und baufällige Häuser die engen, verdreckten Gassen, in denen die Feuchtigkeit stand. Die Fassaden waren nackt und glatt wie Felswände, in die man einige Öffnungen geschlagen hatte. Hier gab es keine Architektur, keine gestuften Fassaden, nur eine unregelmäßige Aneinanderreihung von Häusern, keine Vorsprünge, keine Gesimse, nur Ladenschilder und die schrägen Vorsprünge der Wetterdächer. Hier, das sah man deutlich, war das Elend zu Hause wie anderswo.

Nach einem mehr als einstündigen und gefährlichen Weg erreichte der Wagen die Pont-au-Change. Hier half der Händler Malvina, von ihrem Beobachtungsposten herabzusteigen.

»Ich habe Euch gar nicht gefragt, was Ihr in Paris machen wollt!« sagte er, als er ihr das Gepäck reichte. »Ich bin zwar nicht der Polizeipräfekt, aber ich interessiere mich für Zahlen.«

»Was für ein eigenartiger Zeitvertreib!«

»Zahlen sind meine Leidenschaft, Mademoiselle! Und so ist es mir immerhin möglich, Euch meine neuesten Schätzungen mitzuteilen. Wußtet Ihr, daß die Savoyer in der großen Mehrheit Holzsäger sind, die Limousiner Maurer, die Lyoner Last- und Sänftenträger, die Normannen Steinmetze, Steinsetzer und fahrende Händler …«

»Das genügt, Monsieur. Mit anderen Worten, das ganze Königreich ist hier vertreten.«

»Paris hat eine große Anziehungskraft. Der Mann aus der Provinz fährt einmal im Jahr nach Hause, schwängert seine Frau, um sie dann der Obhut der Alten und der Priester zu übergeben und in die Hauptstadt zurückzukehren, wo er hofft, reich zu werden.«

»Und wird er es?«

»Nun, Ihr habt es selbst gesehen, hier gibt es ebensoviel Armut wie anderswo. Wagt Euch nur nachts nicht in die verrufenen Viertel, das könnte sehr gefährlich werden.«

»Vielleicht könnt Ihr mir diese Unannehmlichkeit ersparen und sagt mir, wo Monsieur Dandora de Ghalia wohnt? Er ist Apotheker.«

»Mein Kind, es gibt Dutzende, die dieses Gewerbe betreiben! Auch wenn ich regelmäßig hierherkomme, kann ich nicht wie in Cahors jeden mit Namen kennen.«

Er hielt kurz inne, dann fuhr er fort:

»Aber vielleicht solltet Ihr zu den Hallen zurückgehen. Ich weiß, weil ich da meinen Wein verkauft habe, daß sich die Apotheker dort mit Heilkräutern versorgen. So sagt man doch wohl, nicht wahr?«

»Das ist ganz richtig. Wie bedauerlich, daß Eure Zeit so knapp bemessen ist, ich hätte das Gespräch gern fortgesetzt. Denn so wie die Zahlen Eure Leidenschaft sind, so sind die Pflanzen die meine!«

»In der Tat kann ich mich nicht zu lange aufhalten«, entgegnete er. »Doch ich darf Euch sagen, daß es mir ein Vergnügen war, Mademoiselle, Eure Bekanntschaft zu machen!«

Seine Worte unterstrich der Händler mit einer Verbeugung und wies ihr dann den Weg zu den Hallen.

»Gebt acht auf Euch«, rief er ihr nach und winkte, »Paris

zu durchqueren ist, als befände man sich im wildesten Schlachtgetümmel!«

Malvina fand diesen Ausdruck ein wenig übertrieben, doch schließlich mußte sie feststellen, daß er bei weitem untertrieben war. Der Marché des Innocents war von einem muffigen Geruch erfüllt, und es herrschte ein reges Kommen und Gehen, ein ohrenbetäubendes Stimmengewirr.

Seefischhändler, Geflügelhändler und Schlachter brüllten quer über den Platz. »Frischer Fangfisch, frischer Fangfisch, hier gibt es Makrelen, junge Makrelen!« »Ein gutes Stück, ein gutes Tier, kauft Kalbfleisch!« Die Schreier antworteten sich gegenseitig, übertönten sich; alle Tonlagen der menschlichen Stimme, von der höchsten bis zur tiefsten, waren vertreten. Selbst ein Tauber hätte hier hören gelernt. Alle Sinne wurden gereizt. Der Lärm und die Vielfalt der Ausdünstungen, dieses Gestanks, hätten das junge Mädchen aus der Provinz leicht in einen ohnmachtsähnlichen Zustand versetzen können, hätte sie darin nicht eine Gelegenheit gesehen, ihre Neugier zu stillen.

Wie immer, wenn sie sich in einer neuen Situation befand, diente ihr der Mund als Führer. Bedachtsam ließ Malvina die Zunge über die Lippen gleiten, auf denen ein unbekannter Geschmack lag. Nie zuvor hatte sie eine solche Mischung gekostet. Vor ihren Augen breitete sich eine Vielfalt von Waren aus: frischer Seefisch, süßsaure Zwiebeln, Sträuße von Feldblumen und stark riechende Kohlköpfe, die sich auf den Tischen türmten oder in Weidenkörben, gestapelt waren, ja manchmal direkt auf dem Boden lagen, wo ein Rinnstein Schalen, wurmstichiges und faules Gemüse aufnahm. Diese Gerüche enthüllten neue Geschmacksrichtungen, die es zu entdecken und zu erobern galt. Das war also die Stadt? Eine Summe von Verschiedenheiten, wo das Besondere verlorenging. Das junge Mädchen war vollkommen geblendet und von dem Wunsch beseelt, mehr darüber zu erfahren.

Fast hätte Malvina das Ziel dieses Ausflugs vergessen, wäre ihr Blick nicht plötzlich auf den Stand einer Kräuterhändlerin gefallen. Borretsch, Portulak, Beifuß, Kerbel, Koriander, Ysop, Melisse, Baldrian … Nie hätte sie sich einen solchen Reichtum von Waren auf so engem Raum träumen lassen. Das junge Mädchen trat näher. »Seht nur, ich habe sicher, was Ihr sucht! Ein paar getrocknete Wurzeln? Sauerampfer ist hervorragend geeignet, um Skrofulose zu heilen«, rief ihr die alte Frau zu und zeigte ihr dabei die Pflanzen, als handele es sich um Seidenbänder. Ihre Gesten waren gewählt, ja fast geziert. »Schöne Farbe, gute Qualität, alle heute morgen frisch in Montreuil gepflückt …«

»Montreuil?«

»An Eurer Kleidung und Eurem Gepäck sehe ich, daß Ihr eben erst angekommen seid und daß Euch Montreuil nichts sagt. Dabei hole ich dort all diese schönen Sachen. Seht Euch nur diese eigenartige Frucht mit der Krone an! Ich wette, so etwas habt Ihr nie gesehen! Das ist Ananas! Es heißt, die Engländer hätten sie uns gebracht … Ich rate Euch, sie zu kosten … Sie ist ausgezeichnet.«

Malvina sah sie verblüfft an. Dieser Satz enthüllte ihr ihre tiefe Unwissenheit. Diese Händlerin in den Hallen schien über Pflanzen und Früchte soviel zu wissen wie Hubertine und die Mutter Oberin zusammen.

»Und wofür ist Melisse gut?« fragte sie, um sich ein Bild vom Wissen der Frau zu machen.

»Es ist ein heilsames Kraut, das Herz und Geist stärkt. Man kann köstliche Kuchen damit backen und die Körpersäfte kräftigen. Wollt Ihr ein wenig?«

»Nein«, sagte Malvina eingeschnappt, »doch da Ihr so gut

unterrichtet seid, könnt Ihr mir vielleicht sagen, wo sich die Apotheke des Monsieur Dandora de Ghalia befindet?«

»Der Osmane? Er ist der einzige, den ich kenne.«

In der Tat war Graf Jean-Baptiste Dandora de Ghalia innerhalb von zehn Jahren zum berühmtesten und freigeistigsten Apotheker des Viertels geworden. In diesem Mann, der unbestritten die Aufklärung verkörperte, sahen die einen ein Genie, die anderen einen Scharlatan. Seine Entdeckungen waren in keinem *Dictionnaire des révolutions scientifiques* oder in irgendeinem anderen Nachschlagewerk vermerkt, und doch hatte er über fünfzig Bücher und Schriften über Medizin, Arzneimittelherstellung, Astronomie, Moral und Wahrsagerei veröffentlicht.

»Sein Geschäft liegt in der Rue Saint-Honoré«, fuhr die Händlerin fort. »Weniger als fünf Minuten von hier entfernt. Geht zurück in die Richtung Seine, und nehmt die zweite Straße rechts … Ihr könnt es nicht verfehlen, es liegt auf der Höhe von Pont-Neuf!«

Malvina bedankte sich und versprach, sie wieder zu besuchen, sobald sie sich eingerichtet hätte.

Die Rue Saint-Honoré war eine der längsten Straßen von Paris. Malvina mußte jedoch nicht lange gehen. Die Apotheke »Au Bordon d'or« lag näher zum Palais Royal hin als zur Place Vendôme. Die Fassade war schon von weitem so auffällig, daß man sie nicht übersehen konnte. Unter dem Ladenschild stand in naturgetreuer Größe eine Statue des heiligen Nikolaus, Schutzpatron der Drogisten, Spezereienhändler und Apotheker. Auf der Schwelle lag ein dicker, purpurfarbener Teppich, in den mit Goldfäden das Wappen des Grafen Jean-Baptiste Dandora de Ghalia eingewirkt war. Durch den Titel ebenso wie durch die prunkvolle Fassade eingeschüchtert, trat Malvina zurück. Sie wollte aus einem anderen Blickwinkel die Pracht des Hauses bewundern, das so erhaben wirkte mit seinen drei Stockwerken, dem majestätischen Eisenbalkon und den riesigen Fenstern, hinter denen man Kristallüster erkannte, in denen sich der Schein der strahlenden Mittagssonne brach. Die reiche, von den vier Jahreszeiten inspirierte Ausstattung der beiden Schaufenster blendete die Kunden und erweckte ihre Begehrlichkeit. Auf seidenen Stoffen in schimmernden Farben standen wundervolle blaue Fayencegefäße, Amphoren, die wirkten, als habe man sie gerade vom Meeresgrund geholt, halbgeöffnete Schatullen, die ungeschliffene Kristalle bargen. An feinen Ketten aufgehängt schwebten Kräutertafeln in blattgoldbelegten Rahmen. Malvina konnte es kaum fassen, daß ihre Mutter eine so bedeutende Persönlichkeit gekannt hatte.

Die von drei Kurieren und zwei Lakaien begleitete Kutsche, die soeben vor der Apotheke anhielt, bestätigte diesen Eindruck. Eine junge Frau stieg aus. Sie trug ein wundervolles blaues Pequinmieder und einen farblich darauf abgestimmten spitzenbesetzten Rock, der mit weißen Rosen bestickt war. Ihr Hut, ein imposanter mit Schleiern und wirkungsvollen Bändern gezierter Aufbau, erreichte eine so majestätische Höhe, daß sie den Kopf neigen mußte, um das Geschäft betreten zu können. In Paris schien die Eleganz eine erstaunliche Kunstfertigkeit zu verlangen! Diese Verstiegenheit belustigte Malvina, ehe sie schließlich aufmerksam ihr eigenes Spiegelbild in der Schaufensterscheibe betrachtete. Sicher, ihr bäuerliches Gewand verriet ihre Herkunft, doch die schmale Taille und die üppigen Brüste, die aus dem Mieder hüpfen zu wollen schienen, zogen die Blicke an und machten den allzu ländlichen Eindruck vergessen.

Um sich keinem allzu harten Wettstreit auszusetzen, wartete sie, bis die Kundin das Geschäft wieder verlassen hatte. Erst dann trat sie ein. Sie hatte kaum Zeit, sich diesen rauchgeschwängerten und von unbestimmbaren Düften erfüllten Ort genauer anzusehen, denn schon hatte sich der Mann, der hinter dem Ladentisch saß, erhoben und trat auf sie zu. An seinem gepflegten Äußeren und seiner Haltung erkannte Malvina, daß dieser Mann der Graf Jean-Baptiste Dandora de Ghalia war. Im Gegensatz zu den gewöhnlichen Verkäufern, die in schwarze Kittel gekleidet waren, trug er einen hellbraunen Rock mit blaßroten Streifen, eine indigoblaue Weste mit ziselierten Metallknöpfen und Schuhe mit eckigen Kappen. Der sorgfältig gestutzte perlmuttfarbene Bart, das feine Gesicht und die schmale Nase, auf der eine Brille saß, vollendeten das Bild des Dandys.

»Womit kann ich Euch zu Diensten sein?« fragte er mit einer Stimme, deren Geziertheit alles Natürliche überdeckte. Da sie nicht wußte, wie sie sich vorstellen sollte, antwortete Malvina, sie müsse überlegen.

»Es ist mir zwar unbekannt, daß eine Apotheke der geeignete Ort für Überlegungen ist, aber tut Euch keinen Zwang an, Mademoiselle, tut Euch keinen Zwang an … Der Duft der betäubenden Essenzen ist zweifellos einer der berauschendsten.«

»Monsieur, die Wahrheit ist, daß ich nicht weiß, wo ich beginnen soll.«

»Am Anfang, gütiger Gott, dann seid Ihr vor jedem Irrtum gefeit.«

Sie straffte sich, räusperte sich und sagte: »Mein Name ist Malvina.«

»Malvina?« fragte der Apotheker und schob die Brille auf die Stirn. Die kleinen blauen Augen, die vor Klugheit und Schläue funkelten, musterten ihr Gegenüber. »Nein, das sagt mir nichts.«

»Malvina Raynal«, fügte sie hinzu. »Ich bin die Tochter von Marie.«

Sosehr der Graf auch überlegte, sein Gedächtnis ließ ihn im Stich.

»Ich habe so viele Erinnerungen, als wäre ich tausend Jahre alt«, meinte er. »Könnt Ihr mir nicht mit einer kleinen Begebenheit unseres Zusammentreffens auf die Sprünge helfen?«

Malvina zog das Büchlein ihrer Mutter aus der Tasche und reichte es ihm. Das Gesicht des Mannes erhellte sich. Er ergriff die Schrift und blätterte sie durch, wobei seine Hand über jede Seite glitt, als wolle er sie dadurch besser in sich aufnehmen. Schließlich umspielte ein Lächeln seine Lippen. Ganz offensichtlich war er gerührt und von einem Gefühl erfüllt, das zärtliche und freudige Erinnerungen in ihm aufsteigen ließ.

»Kommt«, sagte er und zog sie zum Ladentisch. »Setzt Euch und erzählt mir von Eurer Mutter … Warum begleitet sie Euch nicht?«

»Sie ist tot, Monsieur, seit sechs Jahren.«

Der Apotheker legte seine Hand auf die von Malvina. Nach einer Weile fuhr sie fort:

»Die Krankheit hat sie dahingerafft, ebenso meinen Vater …«

»Ich weiß um das Leid, das der Verlust eines geliebten Wesens auslöst. Nichts vermag den Schmerz zu lindern, den man angesichts einer solchen Trennung empfindet … Es ist nur ein schwacher Trost, sich zu sagen, daß die Toten nicht wirklich sterben, weil sie in unserer Erinnerung lebendig bleiben!«

»Auf dem Heft stand Euer Name«, sagte sie. »Ich glaubte, gut daran zu tun, Euch aufzusuchen …«

»Und Ihr habt gut daran getan.«

Dann, als er die Schrift wieder aufnahm, die er beiseite gelegt hatte, fügte er hinzu:

»Marie war ein eigenartiges Kind. Bezaubernd, aber eigenartig. Ohne mich zu täuschen, glaube ich sagen zu können, daß Ihr ihr ähnlich seid. Als ich sie das letzte Mal sah, war sie erst sieben Jahre alt. Das war im Jahr 1739 ... Ja, genau, ich spielte zu jener Zeit häufig Karten. Euer Großvater, Monsieur de Bertignac, war ein hervorragender Spieler ... Und ein hervorragender Falschspieler! Um eine Schuld zu begleichen, lud er mich ein, einige Tage auf seinem Anwesen in Saint-Malo zu verbringen.«

Malvina hing wie gebannt an seinen Lippen. Der Bericht dieses Mannes erschütterte sie. Er erzählte ihre Geschichte, die ihrer Vorfahren, von denen sie nichts wußte. Ihre Mutter hatte nur selten von ihrer Kindheit und ihren Eltern gesprochen ... Und nun bettete ein Unbekannter auf einmal die fehlenden Stücke in ihre Geschichte ein. Natürlich war die Tatsache, mütterlicherseits von einem Falschspieler abzustammen, nicht eben eine Enthüllung, auf die sie stolz sein konnte. Doch hatte die mütterliche Linie zumindest den Vorzug, ihr eine unerwartet hohe gesellschaftliche Stellung zu verleihen. Nur reiche Leute hatten Zeit, Geld zu verlieren und einen Aristokraten zu sich einzuladen.

»Seither haben wir uns nie wiedergesehen«, fuhr der Graf fort.

»Aber jetzt bin ich da ...« murmelte sie und machte sich ganz klein, so als versuche sie, möglichst wenig Platz einzunehmen. »Ich bin gerade in Paris angekommen und weiß nicht, wo ich hingehen soll.«

Angesichts dieses Ansinnens verstummte Dandora de Ghalia und überlegte. Er hatte sich immer freundlich gezeigt und ohne Zögern seinen Mitmenschen geholfen, doch dieses Mädchen war ihm eine Unbekannte. Noch dazu wirkte sie im Gegensatz zu Marie ländlich und unbeholfen.

»Ich verstehe Eure Bedenken«, fuhr Malvina fort. »Meine Eltern haben mir keinerlei Vermögen hinterlassen, und ich habe Euch außer meiner Jugend nichts zu bieten.«

»Die Jugend ist das einzige Gut, nach dem es sich zu streben lohnt … Ohne es zu wissen, haltet Ihr den wertvollsten Besitz in den Händen!«

Die verschiedenen Schichten von Puder, Schminke und Wangenrot verdeckten die Spuren des Alters auf dem Gesicht des Grafen. Malvina begriff, daß das Feuer, das sie verzehrte, und ihr Wissensdrang diesen Mann zu betören vermochten, der trotz seines Alters noch immer voller Leidenschaft war.

»Ich wurde in Cahors von den Dames de la Charité aufgezogen. Die Nonnen haben mir eine gute Erziehung und Ausbildung gegeben. Im Hospiz habe ich viel über die Pflanzen, ihre Merkmale und Eigenschaften gelernt … Wenn Ihr es wünscht, kann ich Euch eine Probe meines Könnens vorführen, die Euch erlaubt, Euch ein Bild von meinen Kenntnissen zu machen …«

Die Augen des Apothekers funkelten belustigt.

»Nun, das werden wir später sehen, erzählt erst einmal weiter, ich höre!«

»Natürlich habe ich noch viel zu lernen«, sagte sie. »Und ich hoffe, wenn ich diesen Vergleich anführen darf, mich wie unser König auf Erfahrung und Weisheit stützen zu können.«

Der Mann lächelte. Seinem Gegenüber mangelte es offenbar nicht an Kühnheit. Doch es schien ihr unbekannt, daß der Beruf des Apothekers nicht nur eine lange Ausbildung erforderte – vier Lehrjahre bei einem Meister und sechs Gesellenjahre, ehe man ein eigenes Meisterstück vorlegen durfte –, sondern vor allem, daß Frauen nicht zugelassen waren.

»Ich kann Euch nicht als Lehrling aufnehmen«, sagte er.

»Aber ich bin in der Lage, Heilmittel herzustellen, ich verstehe mich auf das Geheimnis der Pflanzen und Früchte … Ah, ein Beispiel! Um den Einflüssen des Alters vorzubeugen, braucht man die Haut nur mit einer Salbe aus Äpfeln und gestampften Mandeln zu schützen. Das ist ein altes Rezept aus unserer Gegend … Eines von vielen, die ich kenne. O Meister, laßt mich für Euch arbeiten!«

Das war nicht im Ton einer Bitte, sondern einer Anordnung vorgetragen.

Der Graf lehnte sich in seinem Sessel zurück, schlug die Beine übereinander, neigte den Kopf zur Seite, und sein Gesicht nahm den Ausdruck gespielter Strenge an.

»Glaubt nicht, daß Euch hier das Paradies erwartet! Die Grenzen, die Ihr für Euch selbst setzen werdet, werden schärfer gezogen sein als die, die ich Euch ziehen könnte. Euer Wissensdrang wird Euch gefügig machen, die Arbeit wird Euch von überflüssigen Gedanken befreien und die Müdigkeit Euren rebellischen Geist zähmen. Die Neugier und der Wissensdurst, die bei wissenschaftlichen Entdeckungen entstehen, drängen den Geist zur Suche nach Wundern und zwingen ihn, daran zu glauben. In diesem Sinne betreibe ich meine Forschung …«

Malvina wußte nicht, was sie tun mußte, um in diese neue Welt einzudringen, hingegen wußte sie genau, daß sie alle Hürden überwinden und den Anordnungen des Grafen ohne jegliches Zögern Folge leisten würde.

»Ich will für Euch arbeiten«, wiederholte sie.

»In diesem Fall bedarf Euer Auftreten einiger Veränderungen. Ihr könnt nicht meine Gehilfin werden, ohne der Welt zu zeigen, welche Ehre das für Euch bedeutet. Die Haltung eines Menschen muß immer Ernst und Würde ausstrahlen. Euer Rücken darf weder gebeugt noch krumm sein, Ihr müßt Euch vielmehr aufrecht und mit Stolz, jedoch ohne jeden Hochmut bewegen. Nun, wir wollen mit Alcibiade die Probe aufs Exempel machen. Wenn er Euch für die Gefolgsdame einer der hohen Herrschaften hält, die mir die Ehre ihres Besuchs erweisen, ist die Partie gewonnen, wenn nicht, müssen wir von vorne beginnen, bis die Vollkommenheit erreicht ist.«

»Alcibiade!« rief er, »Alcibiade!«

Keine Antwort.

»Alcibiade!«

Entgegen den Anordnungen des Meisters mußte sich Malvina beugen, um die Person wahrzunehmen, der dieser Ruf galt. Stieg da jemand durch eine Falltür vom Keller herauf? Dies war der erste Eindruck, als Dandoras Gehilfe zwischen zwei Stapeln von Schachteln auftauchte. Obwohl das junge Mädchen an die Launen der Natur gewöhnt war, wich sie doch bei diesem Anblick zurück. Alcibiade war nicht nur winzig – das heißt nicht größer als ein Kind von sechs Jahren –, sondern seine Brust glich einem Vogelkamm, während sich sein Rücken zu einem plumpen Buckel wölbte. Wenngleich eine lange Tunika den Körper zu verhüllen suchte, spürte man, daß dieser auf zwei mißgestalteten Füßen stand und ständig vornüber zu kippen drohte.

»Madame wünschen?« fragte er mit einer angedeuteten Verbeugung.

Malvinas Blick war unverwandt auf das Gesicht des Zwergs geheftet. Von ihm gingen eine große Anmut und eine mächtige, ja fast magnetische Anziehungskraft aus. Es strahlte eine klassische Schönheit aus, der Kopf schien von einem Adonis geliehen. Die sehr hohe Stirn zeugte von überschwenglicher Großzügigkeit, das vorgestreckte Kinn von

Willensstärke, der sprühende Blick, halb von perlmuttweißen Lidern und langen, gebogenen Wimpern überschattet, erinnerte an Jadekugeln.

»Kann ich Euch behilflich sein?« wiederholte er.

An ihrer Stelle antwortete der Apotheker: »Zeig unserer neuen Schülerin die Apotheke. Sie bleibt bei uns.«

Der kleine Mann nickte, entfernte sich und bedeutete dem jungen Mädchen, ihm zu folgen.

»Seid Ihr bereit für die Besichtigung?«

»Ja«, erwiderte sie. »Bereit zu sehen, was zu sehen und was geheimgehalten ist!«

Die Räumlichkeiten der »Au Bourdon d'or« waren entsprechend den vier kosmischen Elementen – Feuer, Wasser, Luft und Erde – aufgeteilt. So war das Geschäft getrennt vom Laboratorium, vom Raum, in dem die Fermentation stattfand, und vom Lager, das sich teils im Keller, teils auf dem Speicher befand, je nachdem, ob man feuchte oder trockene Luft brauchte.

»Ich bin es mir vor allem schuldig«, bemerkte Alcibiade mit übertriebenem Ernst, »Eure Aufmerksamkeit auf den Raum zu lenken, in dem wir uns gerade befinden. Ihr müßt wissen, Mademoiselle, daß unsere Apotheke nach der des Krankenhauses Hôtel de Dieu den ersten Rang unter den Apotheken von Paris einnimmt. Unsere Gefäße stammen aus der berühmten Manufaktur von Sceaux!«

Entlang den Wänden standen mit Schnitzwerk verzierte dunkle Holzvitrinen, in denen rund hundert Steingutbehältnisse aufbewahrt wurden. »Die schweren stehen unten«, erklärte der Zwerg, »die Gefäße, die Pflanzen enthalten, weiter oben.« Im Gegensatz zu denen im Hospiz, die bei weitem nicht so edel waren, waren diese hier von unterschiedlicher Form und reich verziert. Das Brennen bei niedrigen Temperaturen ließ der Vorstellungskraft alle

Möglichkeiten: Blumengirlanden, Kornblumensträuße, reliefartige Plaketten, bogenförmiger Schmuck, Gefüge aus Palmen und Zweigen. Auf jedes Gefäß war in kaledonischem Grün das Wappen des Grafen gezeichnet. Das Mädchen trat näher, um die Aufschriften zu lesen, die den Inhalt angaben: Theriak, Damaskus-Wasser, zyprisches Vitriol, armenischer Bolus, Sennesblätter, Skammonium, Candia-Wurzel, Kassia von der Levante standen in Flaschen aus damaszenischem Metall nebeneinander aufgereiht …

»Unser Meister ist türkischer Abstammung«, erklärte Alcibiade. »Wir führen den größten Teil unserer Waren aus dem Orient, der Neuen Welt und den Kolonien ein.«

Später sollte Malvina erfahren, daß Jean-Baptiste Dandora de Ghalia im Alter von fünf Jahren als Mündel des Marquis de Bonnac, Botschafter der Hohen Pforte, nach Frankreich gekommen war. Dieser hatte Zuneigung zu dem Waisenjungen entwickelt und ihn an Kindes Statt angenommen. Eine Geste, die er nicht bereuen sollte. Sobald ihm die Gelegenheit geboten wurde, hatte sich der junge Mann seiner ehrgeizigen Pläne würdig erwiesen. Studium der Medizin in Bologna, London und Paris mit Auszeichnung, dann eine Stelle als leitender Chirurg im Hospital von Anvers und schließlich ein triumphaler Eintritt als Chirurg in das Regiment der Berry-Kavallerie. 1758 hatte sich Dandora de Ghalia, der Armee überdrüssig und durch den Tod seines Adoptivvaters verstört, der Pharmakopöe zugewandt und eine Apotheke in Paris eröffnet. Seine Verbindungen zu höchster Stelle hatten es ihm ermöglicht, nicht nur seine Titel und Ansprüche zu behalten – seine Liebe zur Wissenschaft hatte genügt, um den König zu überzeugen –, sondern auch dazu geführt, das Vertrauen eines hochgestellten und angesehenen Kundenkreises zu gewinnen.

»Wenn es Euch recht ist, wollen wir uns jetzt ins Laboratorium begeben«, sagte der Zwerg und führte Malvina in den nächsten, durch einen roten Samtvorhang abgeteilten Raum.

In diesem Kabinett, das den Blicken der Kunden nicht zugänglich war, thronte ein Kamin, um den herum mehrere Holztische aufgestellt waren. Darauf fanden sich eine Reihe von Töpfen aus Kupfer und Gußeisen, Pinzetten, Siebe, Schnellwaagen mit Laufgewichten und Standwaagen, Mandelpressen und Gefäße zur Pillenherstellung. Ein Gehilfe pulverisierte in einem Mörser Arzneistoffe, während ein anderer an einem Ofen mit Destillieren beschäftigt war.

»Welche Essenz steigt aus diesem Glas auf?« fragte Malvina.

»›Mirabilia Magna‹, eine Flüssigkeit, die aus menschlicher Leber gewonnen wird.«

Das junge Mädchen vermochte sein Erstaunen nicht zu verbergen.

»Ich weiß nicht, ob Euer Geschmacksempfinden ausreicht, um hier zu arbeiten, aber Euer Ekel ist zumindest eindeutig.«

Sie mochte es nicht, wenn man sich über ihre Unwissenheit lustig machte. Also wandte sie sich, um Haltung bemüht, zu einer Tafel, an der in buntem Durcheinander verschiedene aus Formelwerken ausgerissene Seiten hingen … Obgleich sie daran gewöhnt war, Rezepte und alchimistische Formeln zu lesen, waren ihr diese völlig unverständlich. Die gedruckten Zeichen waren mit Tinte und Feder bearbeitet worden, und an einigen Stellen machten Anmerkungen die Entzifferung unmöglich.

»Keine Sorge«, beruhigte sie Alcibiade, »Meister Dandora ist ein Erfinder und Erneuerer. Er interessiert sich für die

Erfahrungen in der Forschung. Die Arbeiten seiner Vorgänger dienen ihm nur als Grundlage, als Spielfeld!«

Das bestätigte das Bild, das sie von dem Grafen hatte: Seine Überspanntheit beruhte weniger auf Gefallsucht, sondern war aufrichtiger Ausdruck seiner umfassenden Neugier. Je mehr Malvina die Apotheke erkundete, desto mehr hatte sie den Eindruck, hier das Verlangen stillen zu können, das sie nach Paris getrieben hatte: die Suche nach dem Neuen, dem Andersartigen und darüber hinaus Wissen. Diese Vorstellung war äußerst erfreulich … Das Betrachten und Beobachten bereitete ihr ebensolche Freude, als koste und labe sie sich am köstlichsten Elixier.

Die Besichtigung der Pflanzen bereitete ihr Freude, die Entdeckung der tierischen Materialien fesselte sie. In Steintöpfen und Glasflakons gärten die Körper von Land- und Wasserreptilien, auf Brettern waren Insekten aufgespießt, von denen einige sie an die Zeichnungen ihrer Mutter erinnerten … In dieser gekreuzigten Haltung lag der Tod! War es möglich, daß sich Marie bereits als Kind vom Leben eingeengt gefühlt und den Wunsch gehegt hatte, sich davon zu befreien, um jenem Zustand des aufgespießten Insekts zu entkommen? Malvina schwor sich, den Grafen, sobald sich Gelegenheit bot, danach zu fragen. Doch im Augenblick empfahl es sich, Alcibiades interessanten Ausführungen zu lauschen.

»Spinnenbrei ist bei jenen Damen sehr beliebt, denen der Spiegel ein gar zu mageres Bild zurückwirft. Er ist mehrmals täglich, immer zur selben Zeit einzunehmen. In weniger schlimmen Fällen wird unsere ›Pâte gourmande‹ vorgezogen. Das ist eine Mischung aus indischen Nüssen, Mandeln, Pistazien, Pinien- und Melonenkernen, Rebhuhnfleisch und Zucker …«

»Gibt es hier noch andere Wunder zu entdecken?«

»Wenn Ihr es wünscht, kann ich Euch unsere Mineralien-
sammlung zeigen … Aber Ihr dürft dem Meister nichts davon sagen, es wird unser erstes Geheimnis sein!«
Malvinas Lächeln beruhigte den Zwerg.

Die Wendeltreppe, die sie hinabstiegen, war so schmal, daß
man Mühe hatte, das Gleichgewicht zu halten. Das feuchte
Mauerwerk deutete darauf hin, daß sie sich unterhalb des
Seine-Spiegels befanden. War es die Feuchtigkeit, die einen solchen Gestank verbreitete, oder ein verwesendes
Tier? Ein widerwärtiger Geruch verursachte dem Mädchen
Übelkeit. Gerade wollte sie Alcibiade nach der Ursache fragen, als eine winzige Tür, die sich kaum vom Mauerwerk
abhob, ihre Aufmerksamkeit erregte.
»Von dort kommt also dieser ekelhafte Geruch«, rief sie und
hielt den Handrücken vor die Nase.
»Schwört bei allem, was Euch heilig ist, diesen Raum nie zu
betreten!« rief der Zwerg in einem Ton, der keinen Widerspruch duldete. Seine Augen weiteten sich, sein Atem ging
schneller. »Der Meister würde Euch auf der Stelle fortjagen. Folgt mir zu unseren Steinen.«
Er zeigte ihr den Selenit, in dessen silbrigem Widerschein
sich die Mondphasen erahnen ließen, den mit leuchtend-
gelben Pünktchen gesprenkelten Sonnenstein, den Alexan-
drit, dessen blaugrüne Farbe im Schein der Flamme him-
beerrot wird …
Malvina sah sich alles an, doch ihre Gedanken schweiften
ab. Das Geheimnis des verbotenen Raums beschäftigte sie.
»Ihr hört ja gar nicht zu. Wenn Ihr wollt, kann ich meine Erklärungen auch beenden.«
»Nein, ich bitte Euch, sprecht weiter! Wozu dienen die Ru-
bine?« fragte sie, damit er fortfuhr.
»Zu Puder zerstoßen und mit Wasser vermischt wirken

sie gegen Augenleiden und Wassersucht ... Der Topas findet bei Blutkrankheiten Anwendung. Saphirelixier lindert Schmerzen, und der Hyazinth soll vor der Pest schützen.«

Malvina war so von der Schönheit der Steine überwältigt, daß sie kaum noch zuhörte.

»Ihr werdet feststellen, daß der Meister immer einen Smaragd bei sich trägt.«

»Schreibt man der Farbe Grün besondere Tugenden zu?«

»Aber ja! Sie wendet Unglück ab!«

Plötzlich drehte sich der Zwerg um.

»Es ist Zeit hinaufzugehen«, sagte er. Die Stimme des Herrn hatte gerufen.

Und sie begaben sich wieder nach oben. Dann entfernte sich Alcibiade.

»Wir wollen gemeinsam die Besichtigung beenden«, meinte der Apotheker und ergriff Malvinas Arm. »Ich will Euch Euer Schlafgemach zeigen.«

Ein Bogengang führte zu einem vornehmen Anwesen mit eindrucksvollen, aber wohlgeordneten Proportionen. Die reiche Ausstattung, die der Apotheke in nichts nachstand, überraschte durch ihren barocken Charakter. Auf die Schönheit des dem 17. Jahrhundert eigenen Stils folgte die Üppigkeit einer orientalisch beeinflußten Einrichtung: eine Vielzahl von handgeknüpften Teppichen, die entweder in der *Manufacture de la Savonnerie* hergestellt oder aus dem Orient eingeführt worden waren. Überall herrschten geschwungene Linien vor, die bisweilen übersteigerte Bögen bildeten, um dann wieder in schlichte Geraden zu münden. Als Mann von Geschmack, der dem Vergnügen frönte, hatte Jean-Baptiste Dandora de Ghalia sein Gold genutzt, sein Haus so zu gestalten, daß es für jeden, der in Paris Rang und Namen hatte, als Ehre galt, dort empfangen zu werden. Berühmte Künstler waren an der Einrichtung beteiligt ge-

wesen: Robert hatte die Mythologie auf seine Weise dargestellt, während Boucher den Salon mit ländlichen Fresken
verzaubert hatte. Eine weitläufige Galerie war zu beiden
Seiten mit Darstellungen von Bacchantenfesten, antiken
Statuen und Sultansbüsten gesäumt. Zum erstenmal in ihrem Leben sah Malvina ein Speisezimmer. »Es hat Katharina der Zweiten von Rußland als Vorbild für den Speisesaal
ihres Sommerpalastes gedient«, erklärte der Graf. An den
mit purpurrotem chinesischem Seidenstoff bespannten
Wänden hingen Gemälde aus der holländischen und flämi-
schen Schule. Auf den Kredenzen und den Geschirrborden
standen Vasen und Schalen aus Porphyr, Achat, Jaspis und
seltenem Porzellan; der gesamte Raum wurde von einem
Lüster aus böhmischem Kristall erleuchtet.
In dem angrenzenden Studierzimmer mit seinem Marmor-
ofen standen in Bücherregalen mehrere hundert Werke.
Das junge Mädchen blieb stehen, um über die in Chagrin
und rotes oder grünes Saffian gebundenen Bücher zu streichen. Ohne daß sie es gewagt hätte, den Grafen dabei anzusehen, fragte sie:
»Darf ich fragen, was in dem Büchlein stand, das Ihr meiner
Mutter geschenkt habt?«
Malvina war sicher, daß es einen Zusammenhang zwischen
seinem Inhalt und den in der Herberge begangenen Verbrechen gab.
»Ihr sprecht doch darin nicht etwa über Gift?« erkundigte
sie sich, als wolle sie die Antwort vorwegnehmen.
»Nichts liegt mir ferner, als die Vorstellungen der Brinvillier
nachzuahmen … Das ist eine Kunst, die jenen Frauen vorbehalten ist, deren Niedertracht ohnegleichen ist! Nein, es
geht im Gegenteil um die Suche nach Heilmitteln, die Leiden lindern, vor allem um Mohn.«
Also war Marie keine Giftmischerin gewesen, wie Rouge-

mont sie hatte glauben machen wollen. Was war schlecht daran, die Gäste schläfrig zu machen? Gabert hatte ihr keine andere Wahl gelassen, als ihm auf diese Weise zu helfen. Malvina erinnerte sich, daß er oft gedroht hatte, sie zu töten, wenn sie sich seinem Willen widersetzen wollte.

»Warum habt Ihr Eurer Schrift den Titel *Das Geheimnis der Geheimnisse der Natur* gegeben?« erkundigte sie sich erleichtert.

»Weil es darum geht, wundersame Wirkungen durch natürliche Mittel zu erzeugen. Ich kämpfe gegen die niederträchtige Magie, die auf künstliche Reize und Illusionen zurückgreift, und wende mich lieber den verborgenen Kräften dieser Welt zu. Wie bleich Ihr seid!« fügte der Apotheker hinzu, der die plötzliche Verwirrung auf dem Gesicht des jungen Mädchens bemerkt hatte. »Ihr seid sicherlich erschöpft. Ich will Euch die Führung durch meine Gemächer ersparen und Euch lieber die Küche zeigen.«

Die Küche, die dreißig Fuß lang und achtzehn Fuß breit war, erinnerte an eine Theaterszenerie. Nichts fehlte in dieser geräumigen Werkstatt des Gottes Komos. Das von oben einfallende Tageslicht spielte mit den Flammen des Feuers, das in einem Kamin brannte. Er war Mittelpunkt und Seele des Raums, um ihn gruppierte sich alles andere. Zur Linken lag der »Suppenherd«, der mit blauen Fayencekacheln gefliest war und auf dessen drei Feuerstellen Bouillons, Saucen, Fleisch und Gerichte zubereitet wurden, die ständiger Aufmerksamkeit bedurften. In der Verlängerung befanden sich ein kupfernes, ebenfalls mit Glut gefülltes Kohlebecken, ein großer Mörser und zwei Hähne, aus denen das Wasser der Zisterne lief. Nie zuvor hatte Malvina eine solche Vielzahl an Gerätschaften gesehen: riesige Töpfe aus Kupfer und Weißblech, Kasserollen, Schokoladenkannen, Kaffeekannen, Bestecke, Teller … Daneben standen zwei Arbeitstische, einer zum Zurichten der Speisen, ein größerer und ein kleinerer, auf dem das Gefieder des gerupften Geflügels wieder in Form gebracht wurde, und ein Hauklotz, auf dem das Fleisch zerteilt wurde. Hinzu kam der Keller, wo Schweineschmalz, Eier, Käse, Milch, Speck und alle Würzmittel gelagert wurden, wie etwa Essig und der Saft der unreifen Trauben.

»Wenn Hubertine das sehen könnte!« rief Malvina und strich mit der Hand über jedes Möbelstück, als wolle sie den Raum besser erfassen.

»Hubertine?«

»Ja, die Köchin im Hospiz.«

»Ist das die Frau, die ihre Rezepte an Euch weitergegeben hat?«

Malvina nickte.

»Ja, und sie hat mir auch das Kochen beigebracht«, fügte sie selbstgefällig hinzu.

»Pflanzen und Kochen sind kaum voneinander zu trennen, es gibt Speisen, die der Seele ebenso guttun wie dem Magen. Das ist ein sehr interessantes Gebiet …«

»Die Nachtigall singt, ohne es gelernt zu haben. Nun, Hubertine hat mir immer gesagt, ich hätte die Gabe, die Geschmacksrichtungen zu erfassen und mit sicherer Hand in Harmonie zu bringen.«

Der Graf sah sie an. Das Mädchen weckte seine Neugier.

»Wenn ich Euch so zuhöre, kommt mir ein Gedanke. Ich habe viel über den Geschmack gearbeitet. Meine Frau, die Gräfin, unterstützte mich bei meiner Forschung. Unglückseligerweise hat sie sich vor zwei Jahren das Leben genommen, indem sie die Dämpfe des Goldzyanids einatmete. Sie wurde an ebender Stelle gefunden, wo Ihr jetzt steht.«

Malvina zuckte zurück.

»Fürchtet Euch nicht. Ihr Geist sucht das Haus nicht mehr heim.«

Dann fügte er leise, fast flüsternd hinzu:

»Nicht selten treibt die Liebe die Menschen in den Wahnsinn. Das wird Euch auch eines Tages jemand lehren.«

Malvina sah ihn unbeteiligt an. Die Liebe tauchte in keinem ihrer Vorhaben auf. Die Trennung von Hubertine hatte einen Schlußstrich unter alles gezogen, was im engeren oder weiteren Sinne mit Gefühlen zu tun hatte. Von nun an sollte die Gleichgültigkeit ihr einziger Maßstab sein.

»Eure Ankunft weckt in mir den Wunsch, das fortzusetzen, was ich mit der Gräfin begonnen habe. Meine Kenntnisse und Eure Gabe für das Kochen können jedes für sich genommen nicht viel ausrichten. Doch vereint könnten diese Fähigkeiten vielleicht unsere Zeit nachhaltig verändern. Der Augenblick wird kommen, da ich Euch mein Geheimnis von der ›Küche der Körper‹ enthüllen werde.«

Was verstand er unter »Küche der Körper«? Malvina hätte gern mehr darüber erfahren, doch sie wagte es nicht, Fragen zu stellen. Im übrigen schien der Graf ganz in seine Gedanken versunken, er strich über seinen Bart, als könne ihm diese Geste zu mehr Klarheit verhelfen.

»Ja, dieses Vorhaben reizt mich«, dachte er laut, ehe er sie zu ihrem Schlafgemach führte.

Es war, wenngleich nicht so luxuriös wie die Gemächer des Grafen, sehr geräumig. Die Einrichtung bestand im wesentlichen aus einem Bett, einem Tisch und einer Kommode, auf der eine Standuhr in Form eines Globus thronte. Chirurgische Werke füllten nicht nur die Bücherregale, sondern stapelten sich auch auf dem Boden. An den Wänden entdeckte das Mädchen anatomische Zeichnungen; die größte unter ihnen zeigte einen altgriechischen Athleten. Seine vorgebeugte Haltung und das Fehlen der Schädeldecke ga-

ben den Blick auf die beiden Gehirnhälften frei. Der Anblick dieses Bildes rief bei Malvina heftige Kopfschmerzen
hervor, so als wolle ihr Gehirn plötzlich auf sich aufmerksam
machen.

»Hier hat mein Sohn Matthieu einige Jahre lang gewohnt«,
erklärte der Graf. »Er lebt jetzt im Ausland. Ich gehe jetzt,
damit Ihr Euch einrichten könnt, Alcibiade wird Euch später zum Abendessen rufen.«

6

MALVINA BLIEB GERADE ZEIT, um ihre Sachen auszupacken und von ihrem Fenster aus einen Blick auf den Garten zu werfen, der auf fast eintausendzweihundert Klafter den Hofraum verschönte, als Alcibiade auch schon an ihre Tür klopfte. Sie wurden zum Abendessen erwartet, aber zuvor führte der Zwerg sie noch in ein geräumiges Zimmer, das als Wäschekammer und Umkleideraum diente. Alle, die im Dienste des Grafen Dandora standen, trugen eine Uniform, die nach seinen Anweisungen entworfen und angefertigt worden war. Das war eine seiner zahlreichen Grillen. Das Mädchen sollte jedoch noch andere, weitaus verwunderlichere entdecken.

»Ich werde Eure Lumpen ins Feuer werfen«, erklärte der Zwerg und deutete auf einen Paravent, hinter dem sie sich umziehen konnte. »Aber laßt Euch ruhig Zeit, ich warte im Korridor auf Euch!«

Das Kleid, in das sie hineinschlüpfte, fühlte sich auf ihrer Haut wie eine sanfte Liebkosung an. Es war aus grünweißem, feinem Baumwollgewebe und wurde auf der Brust zugehakt, die durch eine kokette Schleife – man bezeichnete sie als »vollständige Zufriedenheit« – betont wurde. Die Ärmel waren ohne Spitzenbesatz und reichten bis zur Armbeuge, während der Rock – der kürzer war, als es die Mode vorschrieb – an jeder Seite mittels Stoffknöpfen gerafft wurde. Das Mädchen drehte sich mit der Selbstgefälligkeit eines Pfaus, der stolz ein Rad schlägt, im Kreis. Dann betrachtete sie sich in einem großen Standspiegel. Ihr Anblick erstaunte sie. Schon ihr Äußeres zeugte von der bevorstehenden Wandlung.

Zu ihrer Überraschung wurde Malvina anschließend, als sei

sie ein Gast von Rang, in das Speisezimmer geführt. Der Graf, der am Kopfende der Tafel saß, erwartete sie bereits und erhob sich, um sie zu begrüßen.

»Ihr seht hinreißend aus«, sagte er. »Es ist ein besonderes Vergnügen, sich an der Frische einer noch grünen Frucht ergötzen zu dürfen! Aber nehmt doch Platz, ich werde das Essen auftragen lassen.«

Malvina war eingeschüchtert. Ihre Verwirrung war offenbar nicht zu übersehen, denn der Apotheker ergriff das Wort und bestritt fast den ganzen Abend über allein die Unterhaltung. Er erklärte ihr jedes Gericht, das auf den Tisch kam – gekochter Schinken aus Bayonne, Hals und Zunge aus Vierzon. Datteln von der Levante – bis hin zu den Desserts und Weinen. Malvina betrachtete diese ganzen Köstlichkeiten, traute sich aber nicht, sie anzurühren. Wie hätte sie auch? Ihr war nicht entgangen, daß der Zwerg, den man in eine Ecke des Zimmers verbannt hatte, eine einfache Schale in Milch gekochter Maronen aß.

»Trotz seiner fünfundzwanzig Jahre«, beruhigte sie der Meister, »ist und bleibt Alcibiade ein Kind. Er ernährt sich nur von Gärstoffen, die Entstehung, Wachstum und Regeneration steuern und beeinflussen. Er ist davon überzeugt, daß Milch ebenso dazu taugt, ›die Fähigkeiten großer Denker zu steigern wie den muskulösen Körper eines Zyklops zu kräftigen‹. Alles Süße ist für ihn Ausdruck der natürlichen Kräfte, denen die Menschen nur gehorchen können. Aber eßt, Mademoiselle, genießt das Privileg, das Euch gewährt wird, denn die Aufgabe, die Euch erwartet, wird Euch in eine andere Welt versetzen, die Euren Gaumen nicht auf so köstliche Art zufriedenstellen wird!«

Malvina runzelte die Stirn.

»Habt Ihr mir nicht gesagt, ich sollte bei Euch als Köchin arbeiten?«

»Ich möchte, daß dich kein Mensch außer Alcibiade und mir zu Gesicht bekommt.«

Als wolle er dieser Anordnung dadurch mehr Gewicht verleihen, hatte der Graf sie zum erstenmal mit du angeredet.

»Es handelt sich dabei nicht um eine übertriebene Form von Besitzdenken, doch ich möchte die größtmögliche Wirkung erzielen.«

»Entschuldigt, Meister, aber ich verstehe den Sinn Eurer Worte nicht.«

»Du wirst im Verborgenen leben, und zwar so lange, bis aus dir eine Persönlichkeit geworden ist. Aber nicht eine Köchin, sondern eine ›Geschmacksexpertin‹.«

Malvina sah ihn verständnislos an.

»Die praktische Lehre von der Kunst des Geschmacks«, erläuterte Dandora, als lese er ihr den Eintrag aus einem Lexikon vor. »Es war deine Mutter, die mir vor mehr als zwanzig Jahren ihre Leidenschaft für das Schmecken vermittelt hat. Für das Spielen war es dein Großvater, ich habe es dir schon erzählt …«

Sie unterbrach ihn.

»Erzählt mir mehr.«

»Deine Großmutter war eine zurückhaltende Frau … Dein Großvater dagegen liebte die Künste und den Luxus. Ich habe nie erfahren, was die beiden dazu gebracht hat, Frankreich zu verlassen – ich vermute, es waren Schulden –, aber unsere letzte Begegnung, ich erinnere mich noch genau, nahm eine seltsame Wendung.«

»Bei unserer Ankunft«, fuhr der Graf fort, »entschuldigten sich unsere Gastgeber dafür, daß sie uns nicht gebührend empfangen könnten. Ein Umzug würde vorbereitet, und ihre Tochter sei krank geworden. Erst am Vorabend unserer Abreise hatte sich Maries Gesundheitszustand gebessert, und sie aß mit uns zu Abend. Mit einemmal kam sie zu mir und schmiegte sich in meine Arme ... um mich an ihren Fingern kosten zu lassen.«

Malvina spürte den salzigen Geschmack von Tränen auf ihren Lippen.

»Ein Geschmack für jeden Finger«, brachte sie mit tränenerstickter Stimme hervor.

»Genauso war es. Sie hielt mich an der Hand. Ihr Daumen, der mit einem bitter schmeckenden Gelee überzogen war, offenbarte den Geschmack des Kummers, der Geschmack ihres Zeigefingers, der mit Marmelade umhüllt war, verkörperte die Zärtlichkeit ... und so weiter und so fort, bis zum kleinen Finger. Auf ihm perlten Milchtropfen. Sie wollte, daß ich sie an Kindes Statt annehme.«

Malvina hatte den Blick starr auf ihre Serviette geheftet und stellte sich vor, welche Folgen das hätte nach sich ziehen können. Wenn es dazu gekommen wäre, wäre Marie, nachdem ihre Eltern geflohen waren, nicht unter die Vormundschaft ihrer Cousins in Quercy gestellt worden, die sie mit Härte aufzogen; und sie hätte auch nicht den Gecken des Dorfes, Gabert Raynal, geheiratet! Er war zwar vermögend, aber derart gewalttätig, daß kein Vater, so bestechlich er auch sein mochte, ihm seine Tochter zur Frau gegeben hätte.

»Über Jahre hat mich dieses Bild verfolgt! Ihr Blick ist mir nie aus dem Sinn gegangen ...«

Und eben an diesen Blick erinnerte ihn jetzt Malvina. In ihren Augen erkannte er denselben Wahn, ihr Mund hatte denselben genießerischen Zug ... Lag es an der Rührung, die durch diese Ähnlichkeit wachgerufen wurde? Jedenfalls verlief der Rest des Mahls schweigend. Der Apotheker sprach erst wieder, um Alcibiade zu bitten, den Tee zu servieren.

Malvina beobachtete jede der Gesten des Zwergs, als sei er

ein Hoherpriester, der ein Ritual vollzog. Auf einem mit Perlmuttintarsien verzierten Schemel aus Edelholz stellte er ein silbernes Tablett ab, auf dem eine Teekanne, bunte Süßigkeiten, eine Zuckerdose mit Zange und ein Rosenstrauß standen. Dann begann ein außergewöhnliches Ballett: Mit weit ausholenden Bewegungen des Ellenbogens und der Hand schenkte Alcibiade den Tee ein. In goldfarbenen Arabesken floß das Elixier in die Gläser, verlieh ihnen einen schönen Topaston.

»Bitte koste davon ... Als man sich in Versailles für den Kaffeegenuß begeisterte, hielt ich weiter an der Meinung fest, daß es nichts Köstlicheres als Tee gibt.«

Malvina trank einen Schluck. Rein äußerlich betrachtet unterschied sich das Getränk kaum von einem Kräuteraufguß, doch sein Geschmack durchdrang ihren Geist mit ungeahnter Kraft.

»Ich habe das Gefühl, in einen Wirbel geraten zu sein«, murmelte sie.

»Genieße es, denn ab morgen müssen wir uns an die Arbeit machen! Wir werden auf zwei Gebieten tätig werden: Erstens soll dir eine Erziehung zuteil werden, die diesen Namen auch verdient. Gott sei Dank hat Jean-Jacques Rousseau das Natürliche und Echte in Mode gebracht, dadurch wird unsere Aufgabe leichter. Zweitens sollst du nach deinen eigenen Vorstellungen in einem Laboratorium wirken. Du sollst probieren, forschen, versuchen, die geeignete Formel zu finden, nach der sogar abstoßende Nahrungsmittel in Köstlichkeiten verwandelt werden können.«

Das war ein merkwürdiges Anliegen. Zwar verlangte der Graf damit von Malvina eine ihr wohlvertraute Arbeit – im Hospiz hatte Hubertine schließlich nach derselben Regel gekocht –, doch paßte es für einen Mann von Stand nicht, dem Häßlichen gegenüber dem Schönen den Vorzug zu geben. Sein prallgefüllter Geldbeutel erlaubte es ihm, die kostbarsten und seltensten Dinge zu erwerben … Das Mädchen hatte sich insgeheim schon Rezepte überlegt, mit denen sie ihn in Erstaunen hätte versetzen können. Mit den Blättern der Melisse, die den Geschmack der Zitrone besitzt, hätte sie weißes Fleisch gewürzt und mit den eingelegten Blütenblättern von Gänseblümchen den Backwaren das Aroma von Marzipan verliehen …

»Die Unsterblichkeit des Einfachen, die Flüchtigkeit des Vielschichtigen«, erklärte der Graf.

»So gehört Kochen nicht zu den Freuden des Lebens?«

»Es geht hier nicht um die Freuden, sondern um wissenschaftliche Forschung«, erwiderte er, womit er seiner Schülerin den Weg wies, dem sie würde zu folgen haben.

Es dauerte einen Monat, der Malvina lang und hart erschien, bis sie sich an ihr neues Leben gewöhnt hatte: die unbarmherzige Regelmäßigkeit des Unterrichts in Anstand und Aussprache, die fortwährenden Ansprüche des Apothekers, der sich unerbittlich zeigte, wenn es darum ging, sie bis tief in die Nacht lernen zu lassen, und unberechenbar, wenn auf blitzschnelle Befragungen endlose Betrachtungen folgten. Nach Tagesanbruch widmete sich das Mädchen zwei Stunden dem Studium der Naturgeschichte und Chemie. Da die Kochkunst aus den verschiedensten Quellen schöpft, diente eine beachtliche Zahl von speziellen Werken ihrer Ausbildung. *De materia medica* von Dioskurides, *Regimen Sanitatis Salernitatis* von Arnaud de Villeneuve, *Chimie du goût et de l'odorat* von Pater Poncelet, botanische Schriften von Bernard de Jussieu und wissenschaftliche Arbeiten von Rouelle. Nicht zu vergessen die unentbehrlichen Rezepte, die sich in *Délices de la campagne* von Nicolas de Bonnefons, *Le Cuisinier royal et bourgeois* von

Massialot oder in *Le Nouveau Traité de cuisine* von Menon fanden.

Gegen sieben Uhr kämpfte sich Malvina durch das Gedränge auf dem Markt. Dort herrschte ein immer gleiches Durcheinander. Während sie mit den Bauern feilschte, mußte sie aufpassen, daß sie nicht von einem Wagen überrollt wurde. Wenn es regnete, lief das Wasser von den Dächern auf die Früchte, die bunt durcheinander auf den Tischen aufgetürmt waren. Gutes und Schlechtes lagen dicht beieinander. Malvina hätte viel lieber schöne, orangefarbene, süßlich duftende Möhren, eigenartig gewundene Bohnen oder krause, zartgrüne Petersilie gekauft, doch die Anordnungen des Grafen waren in diesem Punkt eindeutig: »Das Widerwärtigste, nur das Widerwärtigste!« So suchte sie also schrumplige Äpfel, verfaulte Birnen, zu lange gelagerte Kohlköpfe, schimmliges Gemüse … Verdorrte Wurzeln und Blätter, Kraut und Strünke, die bereits angefault waren. In der Halle, in der der zerstörerischen Kraft der Bakterien keine Grenzen gesetzt waren, verlief der Fäulnisprozeß so schnell, daß ein Salat zusehends an Frische verlor und die Zucchini, die in der Hitze gärten, bei der kleinsten Berührung zerfielen. Der Kaldaunenhändler hob ihr die billigen Stücke auf, die Abfälle, die beim Zerlegen des Fleisches anfielen, die Innereien und Schlachtabfälle: Gedärme, Reste, schlechtes Fleisch der Schlachtwurst, das er ihr zu achtzehn Sol das Pfund verkaufte. Sie nahm auch gern die Reste, die man den Bettlern überließ, oder die Knochen, die sonst die Hunde bekommen hätten. Des weiteren besorgte sie sich beim Fischhändler zu einem Spottpreis Fischgräten, Köpfe und Eingeweide.

Aus diesen schäbigen, schlechten und angestoßenen Zutaten mußte Malvina wohlschmeckende Gerichte zubereiten. Oft dachte sie beim Kochen an Hubertine. Ihre Freundin hatte recht: Die Stücke, die die Menschen gemeinhin für minderwertig hielten, boten, sofern sie der Gesundheit nicht schadeten, ungeahnte Möglichkeiten. Wenn man bereit war, Vorurteile zu überwinden, eröffnete sich einem eine neue Welt, reich an ungewöhnlichen Stoffen, an »starken« Geschmackseindrücken, die es zu entdecken galt. Malvina wußte nicht, warum Dandora verlangte, daß sie sich dieser merkwürdigen Aufgabe widmete, doch sie beugte sich seinen Anweisungen und vollbrachte, in seinem Laboratorium verborgen, mit viel Feingefühl beachtliche Umwandlungen. In ihrem bedingungslosen Streben nach Vollkommenheit gelang es ihr, die niedersten Zutaten zu verbessern, zu verfeinern, ihnen die Essenz zu entlocken. Sie verlieh den kleinen Dingen Größe, adelte das Minderwertige, verfeinerte die gewöhnlichen Bestandteile der Nahrungsmittel, verbesserte sie, reinigte sie, vergeistigte sie. So sehr, daß sie selbst manchmal den Ursprung nicht mehr erkennen konnte. Als unnachgiebiger Priesterin dieser Liturgie des Geschmacks gelang es Malvina schließlich, ihre eigene Zunge zu täuschen, so daß sie nicht mehr in der Lage war, Thymian von Majoran zu unterscheiden oder schlimmer, eine einfache Spargelstange von einem Stück Bambus, der aus dem Süden, aus Septentrion oder Ponant, eingeführt wurde.

Wenn der Graf gegen drei Uhr zu Malvina in die Küche kam, wartete er stets einen Augenblick, bevor er sich ihr gegenüber bemerkbar machte. Voller Entzücken beobachtete er die eingespielten Handgriffe des Mädchens. Die Ärmel aufgekrempelt und den Rock gerafft, um ungehindert arbeiten zu können, eilte sie geschäftig von einem Topf zum nächsten. Sie hatte die merkwürdige Angewohnheit, sich immer wieder die Hände an der Schürze abzuwischen. Zwei-, drei-, viermal rieb sie Handrücken und Handflächen ab. Es hatte den Anschein, als sei es ihr ein Bedürfnis, doch in Wirklichkeit gewann sie dadurch Zeit, die vielen Aufgaben, die sie noch vor sich hatte, gedanklich zu ordnen. Die Liste dieser Tätigkeiten war endlos lang: abschmecken, braten, fein schneiden, kneten, marinieren, nappieren, schmoren … Malvina fühlte sich als Zaubermeisterin, wenn nicht sogar als Alchimistin, wenn sie die Grundstoffe verwandelte. Kaum hatte sie eine Pilzessenz hergestellt, mußte sie ein hartes Stück Fleisch weichklopfen. Zu gern erschien der Graf überraschend in der Küche. Er amüsierte sich dann über Malvinas entsetzten Gesichtsausdruck, wenn er sich erkundigte, ob alles fertig sei. Es ging nicht darum, die einfallsreichen, kulinarischen Glanzleistungen des Mädchens zu verzehren, sondern darum, sie mit kritischem Verstand zu begutachten.

Um den Schwierigkeitsgrad zu erhöhen, praktizierten Meister und Schülerin das Spiel der Blindverkostung: An jedem Gericht wurde gerochen, anschließend wurde es gekostet und genauestens untersucht. Die Eindrücke wurden danach in ein besonderes Heft eingetragen. Das Gespräch schweifte dann oft ab, das Thema wurde abgewandelt, daraus ergab sich wiederum eine Abweichung vom Gegenstand des Gesprächs oder aber eine neue Erkenntnis. Dandora lehrte seinen Schützling die Notwendigkeit der Erinnerung.

»Die Erinnerungen bilden das Raritätenkabinett des Feinschmeckers«, sagte er. So stellte er donnerstags Malvinas Erinnerungsvermögen auf die Probe, indem er ihr Übungen zur Gedächtniskunst auferlegte. Mit verbundenen Augen mußte sie sich den Geschmack von Nahrungsmitteln einprägen und jedem eine Geschichte, eine Tatsache oder eine Person zuordnen.

»Der Geschmackssinn ist unter den fünf Sinnen derjenige,

der am meisten vernachlässigt wird«, erklärte der Apotheker. »Die idealistische Tradition spricht dem Sehen und dem Hören den ersten Rang zu: Diesen beiden kommt, das ist wahr, der Vorteil zugute, Mittlerfunktionen zu haben. Aber sie können lediglich auf Bilder und Töne zurückgreifen, zwei Dinge, die wenig mit der Materie zu tun haben. Der Geschmackssinn dagegen bringt den ganzen Körper ins Spiel: Kauen, Schlucken, Verdauen, Ausscheiden … all dies sind Vorgänge, die das belegen. In dieser Hinsicht stimme ich mit den Materialisten wie Diderot und den Hedonisten wie La Mettrie überein, die alle Sinne, ohne Ausnahme, voll und ganz würdigen.«

Nun hatte jemand all dies in gelehrten Worten ausgedrückt. So war es also nicht pure Einbildung, wenn Malvina sich vorstellte, daß Wissenschaftler ihre Ansichten teilten. Die Wegbereiter des Geschmacks würden bei der Nachwelt nicht in den Ruf geraten, keine neuen Wege eingeschlagen zu haben! Wenn die Suche nach einem seltenen Gewürz, einem erlesenen Aroma mehr als ein an sich edles Ziel war, würde das weite Feld des Geschmacks, ebenso wie die Schöpfungen im Bereich der Musik und der Poesie, eine andere Art der Zukunftsforschung darstellen. So war es jetzt nicht mehr ungewöhnlich, daß bei Hofe die Großen dieser Welt erörterten, was man gemeinhin als »guten und schlechten Geschmack« bezeichnete. Es war in Mode, sich als Feinschmecker zu erweisen. Man bedauerte nicht diejenigen, die Hunger litten, sondern diejenigen, die schlecht aßen, keinen Geschmack hatten.

Malvina verfolgte mit Begeisterung diese Debatten. Für sie jedoch blieb Geschmack eine Frage des Wesens, der Empfindungen, der Gefühle, die das Herz, die Seele berührten. Sie verglich den Geschmack mit einer Art Abgrund, dessen Tiefe man vor dem Sprung nicht ausloten konnte. Beim

Abendessen, das sie nun in der Küche und in Gesellschaft von Alcibiade einnahm, richtete sie es so ein, daß der Zwerg ihr gegenübersaß. Sein Mund, die leichten und gleichmäßigen Bewegungen: Darin war alles enthalten. Sie liebte die leichte Einkerbung in der Mitte der Oberlippe, fand sie anziehend, unwiderstehlich. Körperliche Schönheit war ihm versagt. Seine Anziehungskraft lag in der Hintergründigkeit dieses Gesichts, das erst Verwunderung widerspiegelte, dann Zuneigung, die frei von jedem fleischlichen Verlangen oder Begehren war. Sein Gebrechen erhob ihn über alle anderen Männer: Geliebter, Bruder und Vater – es war, als verkörpere er sie alle zugleich.

Das Mädchen sah ihm gern beim Essen zu. Sie war davon überzeugt, daß jede Körperhaltung ein bestimmtes Gefühl ausdrückte. Daß die Erziehung seine Manieren sicher verfeinert hatte, erklärte dennoch nicht das außerordentliche Zartgefühl, die Feinfühligkeit, mit der Alcibiade aß. Sein Mund ließ die barbarischen Sitten früherer Zeiten vergessen, weder verschlang er noch zermalmte er die Nahrung, sondern schien sie in einem zärtlichen Liebesspiel zu verführen.

»Bist du die Lektion über die einzelnen Stufen des Probierens noch einmal durchgegangen?«

Wie jeden Abend fragte der Apotheker auch heute seine Schülerin ab. Seine Suche nach dem Geschmack wurde zu einer Art Besessenheit, die Malvina erheiterte.

»Hörst du mir zu?« erkundigte er sich ungehalten.

Ihre Gedanken schweiften ab. Wie konnte er bloß annehmen, daß es für sie aufregender sein könnte, über Geschmacksknospen, Bitterstoffe oder den Säuregrad zu sprechen, als Alcibiade zu betrachten? Innerhalb weniger Monate hatte sie sich verändert. An einem Sommertag hatte sie die Wärme der Sonne auf ihrer Haut gespürt. Seit fünfzehn

Jahren liebkoste sie die Sonne nun schon, doch erst jetzt nahm sie sie wahr. Und sie wußte, warum. Zumindest glaubte sie es zu wissen: Ihre Intensität erinnerte sie an Alcibiades Lächeln. Ein Wunderwerk verschmelzenden Lichts. Wenn sie stundenlang das knisternde Feuer im Kamin beobachtete, dann, weil sie davon träumte, daß die Lippen des kleinwüchsigen Mannes sie auf gleiche Weise verzehrten. Im Laufe der Zeit war ein brennendes, unbezähmbares Verlangen in ihr entstanden. Sie vermochte die wahnsinnige Unruhe, die sie erfüllte, nicht mehr zu bezähmen. Ein geheimnisvolles Feuer loderte in ihrem Fleisch, hatte sich ihres ganzen Körpers bemächtigt. Eine Glut, die ihre Adern wie Lava durchströmte. Eine unaufhaltsame, uneingestandene Versuchung ergriff von ihr Besitz.

In ihren Träumen sah sich Malvina an Alcibiades Seite, der wie im Mutterleib zusammengerollt schlief. Sie weckte ihn nicht, sondern betrachtete ihn, liebkoste jeden seiner Züge mit ihren Blicken. Wenn sie bei seinem Mund angelangt war, hielt sie inne. Dieses Detail faszinierte sie: diese fein geschnittenen, diese genießerischen und sanften, diese verlockenden und üppigen Lippen. Allein ihre Sinnlichkeit ließ sie sein Gebrechen vergessen. Die Versuchung, ihn zu nehmen, ihn zu küssen, wurde immer drängender, war nicht mehr zu unterdrücken. Sie wollte seine samtweiche Haut berühren, die an eine reife Frucht erinnerte, seine Wärme auf ihrem Körper spüren. Mit einer zarten Geste führte sie die Hand des Zwergs zu ihren vor Erwartung angeschwollenen Brüsten, die sich danach sehnten, erweckt zu werden. Der Druck einer Zunge, ein leichtes Saugen, fordernde, spitze Zähne, die ihre Brustwarze umschlossen: Alcibiade spielte mit diesem Fleisch, das ihn zu nähren schien. Wenngleich ihm die Natur die Muttermilch verweigerte, gewährte sie ihm doch einen einzigartigen Genuß, ein nach Moschus duftendes Fleisch, das er kosten und verschlingen durfte. Die Bisse, die er ihr in seiner Wollust zufügte, hinterließen keine Wunden. Für Malvina war es keine Qual, im Gegenteil, sie genoß diese vollständige Hingabe: Ein Teil ihres Körpers, ihr ganzer Körper ging in der vollkommenen Vereinigung auf, verschmolz. Indem die junge Frau sich nehmen ließ, spürte sie zugleich ihre lebensspendende Kraft. Je mehr Energie er aus ihrem Körper sog, desto glücklicher fühlte sie sich. Es gab keinen Sieger und keinen Besiegten! Eine wechselseitige, lebensnotwendige Verbindung vereinte sie, entführte sie in eine andere Welt an der Grenze zum Wahnsinn.

»Woran denkst du?« rief der Graf. »Deine Wangen sind feuerrot.«

»An die Zunge, Meister, an nichts anderes!«

»Ja, sie ist wirklich ein wahres Wunderwerk!«

»Aus Samt, ein Band aus Samt«, sagte sie.

»Du hast recht, auf ihr befinden sich Tausende von Geschmacksknospen, und jeder einzelnen wird eine besondere Rolle zuteil.«

Malvina betrachtete den Mund des Apothekers. Sie stellte sich vor, wie die Nahrung durch seine Kehle lief, von dort in den Verdauungstrakt kam, den Magen erreichte, und schließlich …

»Warum starrst du mich so an? Habe ich einen Fleck auf meiner Weste?«

»Ich versuche, durch Euch hindurchzusehen, Meister, so als sei Euer Fleisch aus Glas.«

»Ein ziemlich merkwürdiger Einfall, Mademoiselle. Findest du diese Vorstellung nicht auch reichlich unverfroren, Alcibiade?«

Der Zwerg äußerte sich nie, doch an jenem Abend ergriff er das Wort.

»Wenn die Sinne und das Herz verschmelzen, kann man nicht widersprechen. Ich verstehe sehr gut, was Malvina damit meint.«

Als Malvina sich in ihrem Schlafgemach einschloß, dachte sie darüber nach, wie glücklich sie sich in ihrem neuen Leben fühlte. Jetzt beobachtete sie das menschliche Verhalten nicht mehr, ohne das Gefühl zu haben, Einfluß darauf nehmen zu können. Indem sie beim Kochen Zutaten verwendete, die keiner mehr wollte, die nicht aufgrund ihres Äußeren ausgesucht wurden, begann sie zu ahnen, daß sich ihr Schicksal endlich wenden könnte. Ein Leben ohne Gegner, die es zu besiegen oder zu überwältigen hieß, ohne innere Leere, die es zu füllen oder zu überwinden galt. Und wenn der magische Punkt mit jenen Bestien, die in immer anderen Formen erschienen, wenn das Gespenst des Todes in ihren Alpträumen eine Zeit widerspiegelte, die der Vergangenheit angehörte? Die Vorstellung, ein erträgliches Leben zu führen, war in greifbare Nähe gerückt. Ein Dasein so leicht wie das Rauschen des Windes in den Blättern, so luftig wie der Nebel, der sich in der kühlen Morgendämmerung ausbreitete.

Als alle im Haus schliefen, erhob sich Malvina, zündete den Kerzenleuchter an und öffnete einem unsichtbaren Gast die Tür. »Begeben wir uns doch in den Salon! Gefalle ich Euch, lieber Freund? Ihr findet mich hinreißend? Danke.« Wie nie zuvor war sie um ihr Aussehen besorgt. Der Graf hatte ihr reichlich Ziegelpuder überlassen, um die Zähne blank zu putzen, und etwas Alaun und Nußrinde, um Glanz in das Haar zu bringen. Sie beschloß, diese Dinge nun zu benutzen.

Eines Tages, als Malvina gerade am »reinen Geschmack« arbeitete, war Dandora mit einer hübschen, mit Bändern verzierten Schachtel in der Hand in die Küche gekommen.

»Ein Kleid für dich«, hatte er gerufen und den Karton auf den Tisch gestellt.

»Ein Kleid?« hatte sie überrascht wiederholt. »Aber das kann ich nicht annehmen!«

»Ich bin sehr zufrieden mit dir. Und da ich dir für deine Dienste nichts bezahle, dachte ich, dieses Geschenk würde dir vielleicht Freude machen. Seit diese Kleider, die man auch auf einem Maskenball oder auf der Bühne tragen könnte, Mode sind, muß man über eine Woche im voraus bei Mademoiselle Bertin bestellen.«

»Darf ich es aufmachen?« fragte sie ungeduldig.

»Ich werde an dieses Geschenk eine Bedingung knüpfen! Du darfst es erst aufmachen, wenn ein Ereignis bevorsteht, das eines solchen Kleides würdig ist. Es ist an mir, dir die Gelegenheit dazu zu geben!«

Obwohl er sich ihr gegenüber unnachgiebig zeigte, faßte Malvina von Tag zu Tag mehr Zuneigung zu ihrem Förderer. Sie hatte den Eindruck, nun endlich zu wissen, was das Wort Vaterliebe bedeutete. Zärtliche Gesten waren selten, aber das Vertrauen, das er ihr schenkte, machte sie überglücklich. An Dandora gefiel ihr, daß er sich nicht scheute, Ideen anderer zu übernehmen, und nicht an ein im voraus festgelegtes Schicksal glaubte.

»Ich weiß nicht, wie ich Euch danken soll«, sagte sie, »außer vielleicht mit einer Neuigkeit, die Eure Erwartungen erfüllt.«

»Erzähl es mir rasch«, forderte der Graf sie auf, während Malvina sich wieder der Herstellung dieser einzigartigen Mischung zuwandte. »Der Arzt von Monsieur Turgot hat mich rufen lassen! Der Finanzminister wird von einem heimtückischen Gichtanfall geplagt. Man muß ihn, so heißt es, in den Rat tragen, wo der König ihm gestattet, sich in seinen Sessel, den einzigen im ganzen Raum, zu setzen.«

»Bei Eurer Rückkehr werde ich die Ehre haben, Euch die ersten Stunden der Welt zu servieren. Den Geschmack des Gartens Eden …«

»Der Geschmack des reinen, von der Verderbtheit der Welt unberührten Paradieses? Wie wunderbar! Ich komme so schnell wie möglich zurück«, sagte er und küßte sie auf die Stirn.

Der Graf war stolz auf seinen Schützling. So war es ihr also gelungen, aus jedem Nahrungsmittel die Essenz und die Quintessenz herauszufiltern. Sie hatte den Geschmack der Speisen eingefangen und ihnen den Lebenssaft entzogen …

Malvina war während ihrer Versuche mit Fleisch auf diese Formel gestoßen. Wie viele Stunden hatte sie am Herd gestanden und damit zugebracht, zu kochen, zu analysieren und wieder von vorn zu beginnen. Wie viele Nächte hatte sie darauf verwendet, ihre Techniken zu verbessern, Irrtümer auszumerzen und wieder von vorn zu beginnen. Diese Arbeit verlangte eine ständige Verbindung von Kenntnissen und neuen Erfahrungen: etwas Neues probieren, es zubereiten, die einzelnen Substanzen ordnen und in ihre Grundbestandteile zerlegen … Oft, wenn sie Zweifel hatte, war sie fahrig und entmutigt. Wie sollte man aus etwas Abstoßendem den winzig kleinen Partikel an Reinheit herausfiltern, der jedem Stoff innewohnt? Niemals würde es ihr gelingen, den reinsten Geschmack, das »Osmazon« der Alchimisten zu entdecken. Aber ihre Beharrlichkeit, ihre Willenskraft hatten sie darin bestärkt, ihre Arbeit fortzusetzen. Der reine Geschmack war an jenem Tag entstanden, an dem sie den Einfall hatte, sich über jede Logik hinwegzusetzen, sie hatte Fleisch in Verwesung übergehen, mürbe werden lassen, bevor sie mit dem Reinigungsprozeß, dem Läutern begann. Das »Werk der Nacht« erwies sich als unerläßlicher Schritt, als derjenige, der zur Finsternis verdammt, ehe man zum Licht gelangt. Er vergönnte die notwendige Verflüssigung und ein Auflösen der Materie. In dem Topf, der sich erhitzte, begann das Wasser zu brodeln, wobei die Muskelfasern des Fleisches aufquollen, die Gelatine, die dort eingeschlossen war, austrat. So übertrug der schmackhafteste Bestandteil des Fleischstücks seine Essenz auf die Bouillon, das Albumin dehnte sich aus, stieg an die Oberfläche als feiner Schaum. Sie wurde nicht müde, immer wieder, viele hundert Male, zu probieren, dann konnte Malvina die kostbare Flüssigkeit gewinnen. Probieren, schmecken ... Sie schmeckte kaum noch etwas. Ihr Mund war von den heißen Stoffen wie betäubt und nicht mehr in der Lage, das wiederzuerkennen, was sie zu Beginn des Vorgangs herauszuschmecken geglaubt hatte. Alle Geschmacksknospen waren verbrannt, aber das Ergebnis war zwingend: Sie hatte das Geheimnis des »Werks des Lichts« enthüllt. In diesem Stadium des Prozesses erhielt sie einen Saft, der konzentriert, von derart exquisitem und einwandfreiem Geschmack war, daß er einem Lebenselixier, einem Allheilmittel, ja sogar trinkbarem Gold vergleichbar war ... Davon zu kosten würde jedes menschliche Wesen glücklich machen.

Malvina hätte ihre Entdeckung noch vervollkommnen können. Doch sie zog es vor, die Abwesenheit des Grafen zu nutzen, um Alcibiade zu Ehren ein besonders gutes Essen zuzubereiten. In der Küche deckte sie den Tisch, so wie sie es in den Wirtshäusern und in den Restaurants des Palais Royal gesehen hatte. Ein besticktes Tischtuch, silbernes Besteck, eine Karaffe aus böhmischem Kristall und zwei Kandelaber. Damit das Essen auch tatsächlich eine Überraschung war, hatte sie alles, was an gewohnte Speisen erinnerte, ausgeschlossen. Es gab keinen Schinken aus Bayonne, keinen gekochten Hals oder Zunge aus Vierzon oder Prinzeßmandeln, die man sich so einfach im Hôtel d'Aligre, dem Feinschmeckertempel, besorgen konnte. Statt dessen bereitete sie in allen nur erdenklichen Varianten Maronen zu: als Püree, einfach nur in der Schale gekocht oder in herzförmiges Naschwerk verpackt … Und anstelle von Wein gab es zwei Gläser Milch. Malvina erinnerte sich, daß Alcibiade sie für sein Leben gern trank.

Es wurde ein bewegender Abend. Die junge Frau konnte gar nicht aufhören, ihren Gast auszufragen. Sie bewunderte die Willenskraft, mit der Alcibiade seinen Haß auf die Natur überwunden hatte, die ihn so entstellt hatte. Anstatt sich gegen sie aufzulehnen, hatte er es vorgezogen, sie zu bezwingen, indem er sich allen Dingen gegenüber aufgeschlossen zeigte. Er hatte sich mit dem Teleskop und später mit dem Mikroskop beschäftigt und dadurch begonnen, sich für die größten und die winzigsten Dinge zu interessieren. Er beobachtete mit Vorliebe die Sterne, diese merkwürdigen, kleinen Nadelköpfe, die irgendwo in der unendlichen Weite steckten, dachte über den Ursprung der Kometen, die Bewegung der Planeten, die Anziehungskräfte nach. Ihn beschäftigten alle Fragen, die metaphysisches Denken erforderten. Diese Faszination für den Himmel hatte er schon als kleines Kind gehabt: Sofort hatten die Gestirne seinen Geist betört. Er war im übrigen bei Vollmond in einer sternklaren Sommernacht geboren worden. Ein gesegneter Tag! Damals sah er nicht anders aus als andere Babys, unschuldig, zart, für die Liebe bestimmt, denn noch deutete nichts auf das Unglück hin. »Ein hübscher, sechs Pfund schwerer Junge«, hatte der Arzt gerufen, als er ihn in die Höhe hielt. Hatte er nichts bemerkt? Oder hatte er aus Ohnmacht geschwiegen? Er leugnete das Gebrechen auch dann noch, als das Kind zu wachsen vergaß. Sicher, für die

Anatomen war dieses angehende Monster ein ausgezeichnetes Anschauungsobjekt. Alcibiades Mutter, eine einfache Blumenhändlerin, schämte sich seiner. Als er acht Monate alt war, ließ sie ihn bei einer Amme. Und mit jedem Geburtstag wurde er mehr zum Waisenkind. Sein Buckel fing an zu schwellen, wurde zu einer Wucherung, die sein Gleichgewicht beeinträchtigte, so daß er zu hinken begann. Er litt nicht nur unter der Last des Gewichts, sondern auch unter den Demütigungen. Wie Pfeile trafen ihn die Blicke der anderen, die ihn kreuzigten. Er hätte sich am liebsten noch kleiner gemacht, um kein Mißfallen zu erregen, doch sein Wunsch, zu sterben, wurde so stark, daß er sich ans Leben klammerte, nur um ihn aufrechtzuerhalten. Denn wenn auch der Verfall seines Körpers nicht aufzuhalten war, so hatten sein Herz und vor allem sein Gehirn eine außergewöhnliche Empfindsamkeit und Klugheit entwickelt. Aufgeweckt und voller Wissensdurst, ständig auf der Suche nach einer chirurgischen Abhilfe, hatte er einen Aufenthalt im Hôtel-Dieu dazu genutzt, sich medizinische Grundkenntnisse anzueignen. Die Wissenschaft war für ihn die letzte Hoffnung auf Heilung. Und wenn auch Jean-Baptiste Dandora de Ghalia diesen Traum nicht hatte wahr werden lassen können, so hatte Alcibiade doch in ihm einen Meister gefunden und darüber hinaus einen Lebensinhalt.

So verband Malvina und Alcibiade eine ähnliche Kindheit und das gleiche Gefühl von Verlassenheit. Warum hatte der Allmächtige sie beide dazu ausersehen, anders zu sein? Wie gern hätte Malvina ihm von dem Kampf erzählt, den sie gegen diese »Willkür« führte, die sie für die Fehler ihrer Eltern büßen ließ. Sie dachte daran, dem Zwerg dieses Leid anzuvertrauen, das sie mit schöner Regelmäßigkeit und Beständigkeit weiter absinken ließ. Doch die Angst hinderte sie daran. Ihre Empfindungen verleiteten sie zu anderen

Geständnissen. Da es ihr nicht leichtfiel, über Gefühle zu sprechen, griff sie lieber auf ein Bild zurück, das zwar weder besonders hoch- noch feingeistig war, aber zumindest den Vorteil hatte, eindeutig zu sein!

»Glaubst du, daß sich beim menschlichen Herz wie bei einer Kastanie unter einer stachligen Hülle das köstliche und wohlschmeckende Fruchtfleisch verbirgt?«

»Dein Vergleich ist in der Tat ausgefallen, aber ist es nötig, seine Zeit damit zu vergeuden, die Mysterien der Natur zu beleuchten, wo dich in Wahrheit doch nur die Liebe interessiert?«

»Nein«, sagte sie mit kaum hörbarer Stimme. »Ich will nur lernen, was eine Frau wissen muß.«

Alcibiade lächelte. Was sollte er sagen? Er hatte keinerlei Erfahrung auf diesem Gebiet.

»Das Wort ›Liebe‹ ist ein geheimnisvolles Wort«, sagte er vorsichtig.

Nach einer Weile fuhr er fort:

»Die Liebe trägt den Namen einer fernen Insel, von der man viele wundersame Dinge gehört hat. Man träumt davon, dorthin zu gelangen, aber man weiß nicht, wie man es anstellen soll.«

»Ein unerreichbares Paradies?«

»Gewissermaßen ... Anfangs ist die Liebe unaufdringlich, man kann sie nur erahnen, sie ist noch aufgerollt, schimmernd und rauschend wie die Muscheln, die man sich ans Ohr hält. Dann, eines Tages, ist sie da, dicht und alles überwuchernd. Man spürt sie, man sieht sie, aber Worte vermögen nicht, sie zu beschreiben.«

»Wäre es möglich, daß ich noch nie jemanden geliebt habe?«

»Wir suchen alle dasselbe auf dieser Erde: die höchste Erfüllung. Liebe ist nicht das Ergebnis eines Denkprozesses, man findet sie, oder man findet sie nicht. Aber sicher hast du doch zumindest deine Eltern geliebt?«

»Ich habe noch nie einen Mann geliebt«, sagte sie. »Weder meinen Vater noch irgendeinen anderen ... Ich habe sie alle gehaßt, bis auf den Grafen, für den ich tiefen Respekt empfinde.«

»Versuche nicht, dich vor dieser göttlichen Morgenröte, die man Liebe nennt, zu verschließen. Es gibt nichts Kostbareres, als den strahlenden Blick eines geliebten Menschen auf sich zu spüren. Lieben heißt lebendig sein, Malvina ... lebendig!«

»Wenn du recht hättest, dann wäre ich nie geboren worden. Nein, die Liebe erschreckt mich! Sie legt uns nur Pflichten und Rechte gegenüber einer anderen Person auf. Sie entfremdet uns von uns selbst, sie lähmt uns durch Abhängigkeit, durch die ständige Hoffnung auf Trost, Aufmerksamkeiten, Liebesbeweise. Sie macht uns zu Sklaven. Liebe ist gefährlich, hinterhältig, verlogen, denn sie läßt uns denken, daß sich nur in den Augen des geliebten Wesens unsere Vollkommenheit widerspiegeln könnte. Man wird von einer eisernen Faust gefangengehalten, ist auf Gedeih und Verderb dem unbeständigen Wesen des Menschen ausgeliefert. Darauf kann ich verzichten! Eine solche Enge erstickt mich. Ich versichere dir, Alcibiade, mein Verzicht auf Gefühle schenkt mir eine Ausgeglichenheit, die die Liebe mir durch die Wucht ihrer Leidenschaft nehmen würde. Ich will ein Leben, das meine Erwartungen übertrifft, und kein Mann, wie schön, wie intelligent oder wie verliebt er auch sein mag, vermag es, mich umzustimmen.«

»Wie kommt es, daß du so hart bist in deinem Urteil? Dein Herz ist so verbittert, so voller Narben und Enttäuschungen. Vergiftet von dieser heimtückischen Heftigkeit, die es launisch und unbeständig macht. Hast du eine so schlechte

Meinung von den Männern, daß du sie derart zurückweist? Die größte Macht, Malvina, ist nicht die Macht des Geldes oder die politische Macht, sondern die Macht der Verführung. Der, den alle lieben, besitzt die Welt. Wenn du es nicht zuläßt, geliebt zu werden, wirst du nichts im Leben erreichen! Keine Wurzeln, keine Bindungen. Du wirst nur eine leere Puppe sein mit einem Herz aus Lumpen. Du wirst zur Einsamkeit verdammt sein … zu einer immerwährenden Einsamkeit.«

»Bist du denn schon geliebt worden, um die Liebe so treffend zu beschreiben?« wollte sie wissen.

Alcibiade erwiderte darauf nichts. Stets hatten ihn die Frauen zurückgewiesen, sich über ihn lustig gemacht. Er machte ihnen angst. Wenn sich ihr Blick ein zweites Mal auf ihn richtete, dann nur, weil seine Mißgestalt ins Auge sprang. Das Herz des Zwergs war dafür geschaffen, Liebe zu geben und zu nehmen, aber seine äußere Erscheinung schreckte die Menschen entweder ab oder erregte ihr Mitleid.

»Nur eine einzige Regel zählt«, meinte er schließlich, »folge deinem Stern.«

Der Blick ihres Gegenübers machte Malvina verlegen, und sie erhob sich, um ein paar Holzscheite nachzulegen. Die Flammen schlugen höher. Das Feuer prasselte, breitete sich in ihrem Körper aus, setzte sich in ihren Adern fest, schürte ihr das Herz. Sie fuhr sich mit der Hand über die Stirn. Dann, ohne sich umzudrehen, fragte sie zaghaft: »Liebst du mich ein bißchen?«

Alcibiade hielt inne und beobachtete aufmerksam diese Frau, die ihm den Rücken zuwandte. Der sanfte Schwung ihres Nackens wurde durch die auf dem Kopf zusammengefaßten Locken betont. Vom ersten Tag an war ihm ihre Schönheit gefährlich und geheimnisvoll gewesen. Er hatte sie sogleich auserwählt, hatte so lange auf sie gewartet, von ihr geträumt, ohne daran zu glauben, daß dieser Traum Wirklichkeit werden könnte. Welch zärtlicher Wahnsinn, welche erschreckende Freude – wie konnte sie nur bei einem Wesen Liebe suchen, das so weit von ihrer eigenen Schönheit entfernt war? Jeden Morgen hatte er von neuem gehofft, hatte diese Vorstellung ihn mehr beherrscht, Monat für Monat, bis er schließlich alle Hoffnungen aufgab. Er entschied sich, diese Liebe tief in seinem Herzen zu verschließen, sie niemals zuzugeben, um sie besser gefangenhalten zu können, und nun drängte sie ihn zu einem Geständnis … nur, um sich einen Spaß daraus zu machen, ihn in Versuchung zu führen? Wollte sie keine beruhigenden Worte hören, die sie bewegten, sich nicht rühren lassen ohne den Ehrgeiz, Gleiches mit Gleichem zu vergelten?

»Könntest du mich lieben?« wiederholte Malvina und wandte ihm diesmal ihr Gesicht zu. Unter dem leichten Stoff ihres Kleides hob und senkte sich ihre Brust zu rasch, ihr Kinn zitterte.

Er schlug die Augen nieder. Entsetzlich, diese Worte aussprechen zu müssen, die nicht seinen Empfindungen entsprachen. Entsetzlich, jegliche Hoffnung zunichte zu machen aus Angst, abgewiesen zu werden. Er rief:

»Ich liebe dich nicht. Und du liebst mich ebensowenig!«

Das Mädchen erstarrte. Er, der Häßliche, der Bucklige verweigerte sich ihr, wies sie ab. Sie konnte es sich nicht vorstellen, nicht hinnehmen. Sie ballte die Fäuste, als könnte sie auf diese Weise ihrer Enttäuschung besser Herr werden. Noch nie hatte sie sich so erniedrigt gefühlt, noch nie hatte sie eine so herbe Niederlage hinnehmen müssen. Ihr Zorn wuchs, ihre Vernunft ließ sie im Stich. Sie schrie:

»Hör gut zu, Alcibiade, höre, was ich dir jetzt sagen werde. Ich werde dich wie einen Mann behandeln und mit den niederträchtigsten Manövern verführen, die deinen Artgenossen so gut gefallen: Ich werde mich verstellen, Listen anwenden und dir Theater vorspielen. Auch wenn ein solches Verhalten deiner unwürdig ist, wirst du innerlich jubeln. Meine Gleichgültigkeit wird dein Verlangen steigern, und in dem Moment, in dem es mir gefällt, werde ich dich herpfeifen und du wirst wie alle anderen angelaufen kommen. Ich habe keine Angst, weder vor mir noch vor sonst irgend jemandem, hast du mich verstanden! Du bist auch nicht besser als die anderen!«

Alcibiade betrachtete sie mit stoischem Gleichmut und versuchte, die Verwirrung, die ihn erfüllte, aufzulösen.

»Ich hasse dich für das, was du mir angetan hast!« schrie sie.

»In dir tobt die Gewalt«, sagte er, »sie frißt sich in deine Eingeweide, wie Larven in einen Baumstamm. Sieh dich vor, das ist eine Krankheit, die auch den Geist angreift, und das um so mehr, als du dich weigerst, gegen sie anzugehen. Dein Haß auf die Männer gleicht einer verrückten Königin, der, nachdem sie herrscht, nichts mehr zu erobern bleibt. Er ist flüssig, ohne erkennbare Form und kann sich daher in den kleinsten Winkel ergießen. Er scheint dir gemildert, unbedeutend, ja gebändigt. Doch er erwacht zu neuem Leben, bringt wieder und wieder seine Verwünschungen hervor. Wenn du ihm nicht widerstehst, wird er dich, da ihr euch beide gleichermaßen zu den dunklen Mächten hingezogen fühlt, erneut beherrschen.«

»Jeder kann sich bessern. Sieh mich doch an, ich habe mich geändert! Erlesene Speisen aus Nichts zuzubereiten, sie wiedererstehen zu lassen … Dieses Werk, deren Urheberin ich allein bin, hat mich verwandelt.«

»Es hat dich zufrieden gemacht, aber es erfüllt dich nicht«, meinte Alcibiade leicht spöttisch.

»Du willst von Liebe sprechen?«

»Ja, natürlich, denn Lieben und Essen sind seelenver-
wandt.«

»Du hast recht! Ersteres erhält die Art, das zweite den einzelnen.«

Er unterbrach sie.

»Ich glaube nicht, daß du mich verstehst, Malvina. Die
wahre Natur des Herzens ist anderswo.«

»Seit ich hier bin, möchte ich etwas geben … Aber sprich du
mir nicht von Liebe, nachdem du mich abgewiesen hast!«

»Ja«, sagte Alcibiade, »… du machst mir angst.«

7

IN DEN FOLGENDEN TAGEN legte Malvina eine eigenartige Schweigsamkeit an den Tag, die der Graf jedoch aufgrund seiner Lebenserfahrung sofort als Verstimmung deutete. Er versuchte, Genaueres zu erfahren. Warum dieser traurige Blick, diese plötzliche Schwermut? Doch das junge Mädchen entzog sich jedem Gespräch. Die tiefe Demütigung schnürte ihr wie eine zu enganliegende Kette die Kehle zu, erstickte die Worte. Sobald das Abendessen beendet war, schloß sie sich in ihr Schlafgemach ein. Dann stand sie stundenlang vor dem Spiegel. Wahn der Einsamkeit, eine Art vollständiger Preisgabe. Der Spiegel zeigte ihr das eigene zerrissene, gequälte Bild. Das Abbild eines glatten, durchscheinenden Gesichts, das jedoch völlig ausdruckslos war. Dann verzog sie den Mund und schnitt Grimassen, ehe sie schließlich das Haar vor die Augen fallen ließ, um völlig dahinter zu verschwinden, sich gänzlich auszulöschen. Ersticktes, nervöses Lachen, Tränen der Verzweiflung …

Sobald sie den Blick auf ihr eigenes Spiegelbild richtete, schien nichts ihren Fall aufhalten zu können. Der Schwindel, der sie angesichts dieses dunklen Brunnens ohne Grund erfaßte, machte ihr ihre innere Leere deutlich. Malvina haßte sich selbst, und das machte ihre Einsamkeit noch unerträglicher. Um nicht völlig zu verzweifeln, näherte sie sich vorsichtig ihrem Bild. Sie legte die Hände auf die Umrisse und drückte ihm einen Kuß auf. Einen Kuß, der bei der Berührung mit dem Spiegel eiskalt war. Es gibt Worte, die die Lippen nur in der Berührung mit einem anderen Lippenpaar formen können. Diese gespielte Versöhnung machte ihr wieder Mut. Der Kuß war stürmisch, fast schmerzhaft und von solcher Inbrunst, daß sie in Verzükkung geriet. Die anderen liebten sie nicht, also würde sie sich um so mehr lieben.

Eines Abends, es war schon spät, warf sie sich einen Umhang um die Schultern und schlich sich aus dem Haus. Es regnete. Ein dichter, feuchter Nebel hatte sich über die Stadt gelegt. Er schien die Straßen zu verschlingen, und nur die grellen Farben der Pferdekutschen waren durch den dicken Schleier zu gewahren. Mit hoher Geschwindigkeit raste eine Kutsche vorbei und hätte sie fast zu Fall gebracht. Sie beschleunigte den Schritt. Ihr Herz klopfte heftig, ihre Muskeln waren angespannt. Eine starke Hitzewelle durchflutete ihren Körper. Mit einer Handbewegung streifte sie die Kapuze zurück und schüttelte so heftig den Kopf, daß sich ihr Haarknoten löste.

Warum war das Verlangen in ihr Fleisch, in ihr eben erst geordnetes Leben eingedrungen? Warum entzog sich ihr das Glück immer wieder? Das konnte nur Gott beschlossen haben. Alcibiade war zu gutmütig, zu schwach, um ohne fremde Hilfe die Kraft aufzubringen, sie zurückzustoßen. Der Allmächtige wollte sie strafen, dessen war sie sich jetzt ganz sicher. Sie hätte Rougemont nicht den Tod wünschen, nicht jene grausame Freude beim Tod von Schwester Clotilde empfinden dürfen. Sie hätte es nicht tun dürfen, und doch hatte sie es getan, ungestraft hatte sie mit Gott und der Sünde gespielt … und mit der Hölle.

Unbewußt hatte sie sich mit jedem Schritt jener Auseinandersetzung genähert, um deren Unvermeidbarkeit sie schon lange wußte. Vor ihr erhoben sich die Mauern der Kirche Saint-Roch. Durch die geöffnete Tür nahm sie im Inneren einen sanften, flackernden Schein wahr. Malvina trat ein. Die brennenden Kerzen erhellten nur den Altar und die ersten Bankreihen, alles andere versank im Dunkeln.

Wenige Menschen verharrten schweigend und regungslos im Gebet. Es war Samstag abend, und sie waren gekommen, um vor der sonntäglichen Messe die Beichte abzulegen. Im rechten Gang machte ein Mönch mit einem langen Löschhütchen eine Kerze nach der anderen aus, so daß das hohe Gewölbe bald in tiefem Schatten lag. Im Schutz der Dunkelheit trat Malvina vor und nahm auf einer der leeren Bänke Platz. Die Hände zu falten schien ihr unpassend, also begnügte sie sich damit, die Augen zu schließen. Sie versuchte, alle Gedanken zu verbannen, sich ganz auf den Grund ihres Besuches zu konzentrieren: das Böse zu verkörpern und nichts anderes. Es verlangte Mut, Gott in Seiner eigenen Kirche, inmitten der Gläubigen herauszufordern. Wenn es ihn wirklich gab, sollte Er sich jetzt in Seinem Zorn zeigen und nicht länger warten.

Die Geräusche um das Mädchen herum waren lauter geworden: die gemurmelten Gebete, das feine Klappern der Rosenkranzperlen, der leise Seufzer einer Frau, die vor der zwölften Station niederkniete …

Plötzlich schien es Malvina, als gebe sich Gott zu erkennen. Die Statuen der Jungfrau Maria, des Herrn Jesus und der Heiligen wandten sich ihr gebieterisch und bedrohlich zu. Sie sah, wie sich ihr lebloses Profil, ihr starrer Blick, die ausgestreckten, reglosen Hände belebten. Fragend, anklagend, fordernd wie ein Gericht, das sich erhoben hatte, um sie zu verurteilen. Gern hätte sie ihnen ihren Haß entgegengeschrien, doch die Worte in ihrer Kehle blieben ungesagt. Ihre Beine hatten zu zittern begonnen. Ein unbeherrschbares, immer heftigeres Zittern. Malvina hatte Angst. Es war zu früh für einen Richterspruch. Es gab keine Beweise, keine Taten: Eine Todsünde mußte bewußt und freiwillig begangen werden. Was sie in der Herberge gesehen und im Hospiz getan hatte, war nur eine Provokation des Schicksals gewesen. Die anderen hatten sie gezwungen. Sie trug nicht die Verantwortung dafür, sie war als einfaches Opfer den schändlichen Einflüssen böser Geister ausgesetzt gewesen. Malvina fröstelte. Sie zog den Umhang fester um die Schulter, schlug den Kragen hoch und erhob sich. Die Gläubigen hatten die Kirche verlassen, und der Mönch löschte die letzten Kerzen.

»Ich will Euch nicht aus Gottes Haus vertreiben, Mademoiselle«, sagte er, während er auf die junge Frau zuging, »Ihr …«

Malvinas Blick ließ ihn innehalten. Er sah darin unsäglichen Zorn. Und auch tiefe Verzweiflung.

»Kann ich Euch helfen?« fragte er. »Vielleicht wünscht Ihr ein Gespräch.«

»Nein.«

Den Mönch verwunderte diese Antwort nicht. Gleichwohl drängte er:

»Gott vereint Mitleid und Zorn in sich, aber Seine Barmherzigkeit ist groß. Welcher Sünden Ihr Euch auch schuldig gemacht haben mögt, Ihr müßt wissen, daß Ihr auf Gott vertrauen könnt, wenn Ihr die Schwere Eurer Schuld einseht.«

»Es ist zu spät, zu spät!«

»Gottes Güte ist grenzenlos, daran dürft Ihr nie zweifeln. Wer seine Sünden nicht bekennt, weicht vom rechten Weg ab, denn er ist nicht mehr im Besitz der Wahrheit. Und Gott zu verlieren ist das größte Unglück, das Euch zustoßen könnte!«

Bei diesen Worten stürzte Malvina wie eine Furie aus der Kirche. Das Gespräch hatte sie auf eine Idee gebracht. Eine Idee, die sie begeisterte.

Es hatte aufgehört zu regnen. Die Straßen waren dunkel. Nicht der kleinste Lichtstrahl, kein erleuchtetes Giebelfenster. Es mußte spät sein. Malvina begann zu laufen, denn die Zeit drängte. Von ihrem neuen Plan beflügelt, spürte sie weder ihre Beine noch ihren keuchenden Atem. »Was man sich vorstellt, kann man auch umsetzen«, wiederholte sie immer wieder, »man kann alles tun.« Sie eilte die Treppe hinauf, die zu ihrem Zimmer führte. Dort zündete sie, ohne auch nur ihren Umhang abzulegen, eine Kerze an und ging zur Kommode. In einer der Schubladen befand sich die Schachtel, die der Graf ihr geschenkt hatte. Zum erstenmal öffnete sie sie. Vor ihr lag sorgfältig zusammengefaltet ein kirschrotes Kleid. Der feine Stoff, eine reich bestickte chinesische Tussahseide, deutete darauf hin, daß es sich um ein Kleidungsstück von ausgesuchter Qualität handelte. Die mit weißem Taft gefütterten Ärmel waren mit einer reizvollen, feinen Spitze gesäumt. Das Samtmieder, das von kunstvoll verschlungenen silbernen Bändern zusammengehalten wurde, umschloß ihre Taille und den Oberkörper bis hin zur Brust. Der Rock bauschte sich weit und glockig und war an einer Seite so geschickt aufgeschlagen, daß der Knöchel im weißen Seidenstrumpf hervorblitzte. Malvina zupfte den Ausschnitt zurecht, ihre Haut wirkte wie elfenbeinfarbenes Kerzenwachs. Sie parfümierte sich mit Sandelholzöl, bürstete ihr Haar, das in einer seidigen Lockenpracht bis zur Taille hinabfiel. Ein letzter Blick in den Spiegel, eine verführerische Pose, um festzustellen, ob sie sich ihrer Wirkung sicher sein konnte.

»Liebt Ihr mich?« fragte sie ihr Spiegelbild und zog dabei ein bezauberndes Schmollmündchen. Ja, er würde nicht anders können, als sie zu lieben.

Um die Entfernung, die sie noch von ihrem Liebhaber trennte, auszukosten, schritt Malvina gemessen die Treppe hinab. Ihr Herz pochte, die Beine versagten ihr fast den Dienst. Glücklicherweise war die Tür zum Laboratorium nur angelehnt, Alcibiade war damit beschäftigt, die Rezepte abzulegen.

»Schläfst du noch nicht?«

Die Stimme des jungen Mädchens ließ den Zwerg herumfahren. Er blieb wie versteinert stehen, den Blick unverwandt auf die Gestalt gerichtet, die sich im Halbdunkel abzeichnete. Er betrachtete sie, um sich ihren Anblick besser einprägen zu können. In dem roten Kleid, das ihre Hüften und ihre Brüste betonte, erinnerte sie an die Schlange im Paradies: hoheitsvoll und sich ihrer Stärken bewußt, ja fast hochmütig und von bewundernswerter, unbeschreiblicher Schönheit. Sie kniete vor dem kleinen Mann nieder und blickte mit unendlicher Sanftheit zu ihm auf, ohne dabei ihre Überlegenheit auszuspielen. Endlich fragte sie mit einer Stimme, die so betörend war, daß er sie kaum als die ihre erkannte:

»Mache ich dir noch immer angst?«

Wie wunderschön sie war, als sie so vor ihm kniete, beide Hände wie zum Gebet ausgestreckt. Angesichts dieses Wesens mit dem Gebaren einer Komödiantin fühlte er sich unbedeutend, unfähig, sich zu rühren oder den ersten Schritt zu tun. Er verharrte regungslos, in einem leidenschaftlichen Taumel gefangen. Ohne zu wissen, was es war, spürte er, daß etwas Bedeutsames geschah.

»Sag nichts«, flüsterte sie. »Ich werde mich jetzt entkleiden, ich will dir meinen Körper und diese Erinnerung zum Geschenk machen, sonst nichts. Und wenn sich dir später Frauen verweigern, wenn die, die du begehrst, dich abweisen, wirst du an jenen Augenblick zurückdenken können, als sich ein jungfräuliches Mädchen ohne Scham deinem Verlangen hingegeben hat. Sprich jetzt nicht, ich habe dir nichts zu sagen ... Sieh her.«

Alcibiade war verblüfft. Dem Gesagten konnten unmöglich Taten folgen. Er kannte sich nur allzugut mit Worten aus, um nicht ihren trügerischen Charakter zu kennen: Versprechungen sollten die Begehrlichkeit anfachen, sie steigern. Doch nur selten wurden sie eingelöst, denn sich dafür Zeit zu nehmen, zeigte schon einen Mangel an Mut. Doch Malvina hatte bereits begonnen, ihr Mieder aufzuschnüren. Sie ließ das Oberteil von den Schultern gleiten. Erhabene, gebieterische Brüste, die einen orientalischen Duft verströmten, reckten sich ihm aus dem Spitzenkorsett entgegen. Während sie sich weiter entkleidete, boten sie sich ihm stolz und triumphierend dar. Ihre Nacktheit wirkte wie ein Dolchstoß, der Alcibiades Geschlecht anschwellen ließ. Sein Gesicht rötete sich, sein Herzschlag schien aussetzen zu wollen. Der vor Erstaunen erstarrte Körper schien wie gelähmt. Malvina ergriff seine Hände und legte sie auf ihre Hüften, ihren Leib und ihre Brüste. Sie war es auch, die jene Körperpartien entblößte, die sie sehen wollte. Sie erschauerte unter der Berührung seiner Hände, die sich ungeschickt über ihre Schultern und ihr Gesicht tasteten. Schüchterne Liebkosungen, dann ein zärtlicher Kuß. Ein köstlicher, lustvoller Schauer durchrieselte sie. Sie spürte die Wärme seiner Lippen auf ihrer Haut. Er küßte sie, nahm ihre Brustwarzen zwischen seine Zähne, leckte sie, ehe er das zarte Fleisch ganz in seinen Mund sog. Seine Zunge spielte, wölbte sich, preßte sich an die Haut, um diese Sinneslust, die nach Honig schmeckte und nach Milch duftete, ganz auszukosten. Ihre beiden Körper schmiegten sich aneinander, verschmolzen wie der einer Mutter mit dem ihres Säuglings. Die Hände, die bis jetzt gezögert hatten, sich zu berühren, verkrallten sich erregt ineinander, die Lippen verbissen sich. Eine Woge bald zärtlicher, bald ungezügelter Leidenschaft trug sie davon. Malvina gab sich ganz dem Genuß dieses köstlichen Kampfes hin. Ihr Becken schnellte vor, die Hüften wiegten sich im geheiligten Rhythmus der Lust. Und dann tat sie etwas völlig Unerwartetes. Sie umschloß Alcibiades Geschlecht mit den Händen, streichelte es mit der Wange, führte es an ihren Mund, schien es ganz verschlingen zu wollen. Von seinen Gefühlen überwältigt, betrachtete der kleinwüchsige Mann sie. Mit halbgesenkten Lidern genoß er die Intensität dieses fleischlichen Genusses, die ihn an den Zusammenprall zweier Kometen erinnerte. Er stieß einen durchdringenden Schrei aus, dann ein glückseliges Stöhnen. Er allein erreichte den Höhepunkt.

Denn Malvinas Geist hatte sich zu früh gelöst. Und jetzt, da seine Männlichkeit zu nichts mehr nütze war, mußte sie sich beherrschen, um nicht vor diesem Mann zu fliehen. Schon die Wärme ihrer beider Körper war ihr unerträglich. Sie erhob sich abrupt. Die Entfernung vermittelte ihr eine unnatürliche Befriedigung. Sie verabscheute ihn, weil er ihr nicht widerstanden, sondern sich ihr so leicht unterworfen hatte. Und welcher Anblick, wie er da saß und vor ihren Augen seine lächerliche gelbe Satinhose zuknöpfte, die von einem Prinzenporträt Van Dycks entlehnt schien. Er hatte nicht einmal den Anstand, sich dabei ihrem Blick zu entziehen. Um so viel Selbstgefälligkeit an den Tag zu legen, bedurfte es einer großen Sicherheit.

Malvina wollte in ihr Zimmer zurückgehen, doch Alcibiade klammerte sich angstvoll an sie.

»Geh nicht einfach so! Laß mich nicht ohne ein Wort zurück. Was soll aus mir werden?« murmelte er. Sein Griff war erstaunlich kräftig.

»Jetzt mußt du auf andere Frauen zugehen. Vergiß nie, daß du deine Auserwählte glücklich machen kannst.«

»Aber ich liebe dich, gestern, heute und für immer«, flüsterte er mit tonloser Stimme. »Ich will nur dich lieben, auch wenn du mein Gefühl nicht erwiderst ...«

Sie lächelte. Ein Lächeln, das aus einer anderen, einer geheimnisvollen und mächtigen Welt zu kommen schien. Alcibiade konnte sie nicht zurückhalten. Die Tür fiel ins Schloß, er blieb allein, ganz seiner Einsamkeit überlassen. Verzweifelt ging er zu seinem Tisch, sank auf den Stuhl und legte den Kopf auf die Arme. Er bezähmte den heftigen Schmerz, aus seinem Traum gerissen zu sein, und schloß die Augen. Unzusammenhängende Bilder und Szenen überstürzten sich, das Aufblitzen einer Zauberformel, und immer wieder war es die letzte Ekstase, die ihn davontrug, während er doch bemüht war, den ersten Augenblick ebenso auszukosten wie den letzten. Doch die starken Empfindungen, die den kostbaren Augenblick des flüchtigen Höhepunkts in seinem Gedächtnis festhielten, ließen seinen Versuch, alles noch einmal zu durchleben, scheitern. Alcibiade klammerte sich bis zur Besessenheit an diese Bilder. Dann atmete er tief ein, um den Duft zu genießen, den jeder Partikel von Malvinas Haut verströmt hatte, ihr berauschend weiches Haar, den glühenden Geschmack ihres Halses, ihrer Wangen. Er versuchte, die Erinnerung an diesen körperlichen Hochgenuß noch einmal heraufzubeschwören, indem er sie schüttelte wie ein duftendes Taschentuch, um so seinen Wohlgeruch besser zur Entfaltung zu bringen. Wenn sie sich nur vorstellen könnte, was er sah, was er fühlte. Das mußte das Glück sein. Selten, weil flüchtig – oder vielleicht auch das Gegenteil. Denn Alcibiade wußte nur zu gut, daß dieser Abend, wenn er auch von nun an unter den Qualen der Hoffnung leiden würde, einmalig bleiben würde. Und nie würde es irgend etwas Schöneres geben. Nichts. Bei dieser Vorstellung begann der kleine Mann zu weinen:

Schluchzer der Dankbarkeit nach unendlicher Einsamkeit.

Wie Alcibiade es vermutet hatte, veränderte der Abend Malvinas Verhalten nicht im geringsten. Vielleicht war ihr Gang etwas sicherer geworden und zeugte – halb unbewußt, halb anmaßend – von einem Anflug von Selbstbewußtsein. Am nächsten Morgen ging sie an ihm vorbei, ohne ihn auch nur wahrzunehmen. Ihr Herz war weit entfernt und unberührt von den Ereignissen der letzten Nacht, während er, der so empfindsam und zartbesaitet war, durch die plötzliche und allmächtige Vereinigung zutiefst aufgewühlt war. Seine Angst, das Geschehene bewußt zu erfassen, stürzte Alcibiade in eine noch tiefere Verzweiflung und trieb ihn zu vollkommener Unterwürfigkeit. Vor allem galt es, die Last der Worte, das Gewicht der Erklärungen zu vermeiden, denn Schweigen würde der feinfühligste Übergang sein. Letztlich war das Nebeneinander von Wollust und Unterwerfung in dieser Beziehung unbedeutend, denn Alcibiade war beglückt über die unverhoffte Möglichkeit, sich mit Leib und Seele einer Frau als Sklave zu verschreiben, die daran gewöhnt war, daß man ihr den gebührenden Tribut zollte. Nie zuvor hatte er solche Gefühle durchlebt. Der Ausbruch dieser strahlenden Kraft machte vergangenen Kummer vergessen und löschte das düstere Bild seines Gebrechens aus.

»Malvina, ich habe bemerkt, daß deine Begeisterung in letzter Zeit ein wenig nachgelassen hat.«

Wie so oft hatte Graf Dandora überraschend die Küche betreten. Er hatte die junge Frau regungslos, den Blick starr in die Ferne gerichtet, vorgefunden.

»Du scheinst abwesend und gedankenverloren«, fuhr er fort. »Bist du deiner Arbeit überdrüssig, oder ist es vielleicht ein persönliches Problem?«

Malvina war für einen Augenblick zutiefst erschrocken. Sie hatte sich mit Alcibiade nicht über das Verhalten dem Meister gegenüber abgesprochen. Sie vermutete, daß er geredet, aus Eitelkeit alles erzählt hatte. Oder handelte es sich um eine List, um ihr eine Vertraulichkeit oder ein Geständnis zu entlocken? Im Zweifelsfall zog sie es vor, die Gleichgültige zu spielen, und nahm ihre Arbeit wieder auf.

»Siehst du, du hörst mir gar nicht zu! Was ist los?«

»Nichts«, antwortete sie, »ich stelle mir Fragen, das ist alles.«

»Willst du mir nicht den Grund für deine Sorgen anvertrauen?«

»Es geht um den Sinn der Arbeit, die ich seit nunmehr fast acht Monaten für Euch verrichte. Warum diese Suche nach dem Geschmack? Mit welchem Ziel? Nie beantwortet Ihr meine Fragen.«

»Ich habe dich zu deinen Entdeckungen hinsichtlich des reinen Geschmacks beglückwünscht. Ich habe dich sogar ermutigt, diesen Weg weiter zu verfolgen.«

»Ohne ein genaues Ziel kann ich nicht arbeiten. Eure Forschungen haben doch sicherlich einen Zweck. Gibt es vielleicht irgendein Geheimnis, von dem Ihr mich ausschließen wollt?«

Diese Reaktion hatte Dandora erwartet; er bat sie, Platz zu nehmen.

»Sei vernünftig«, sagte er. »Sieh mich an, nachdem ich mein ganzes Leben lang studiert habe, behaupte ich noch immer nicht, ein allwissender Gelehrter zu sein.«

Der Humor des alten Mannes erheiterte das Mädchen nicht im geringsten. Sie konnte ihre Ungeduld nicht länger zügeln. Ihre Begeisterung für die Suche nach dem Geschmack, der sie sich Tag und Nacht verschrieben hatte, all ihre Anstrengungen hatten an Bedeutung verloren. Die eigenartige Küche des Abstoßenden fesselte ihre Aufmerksamkeit nicht mehr wie zu Beginn. Ihre schnellen Fortschritte hatten zu Langeweile geführt. Eine Langeweile, die ihrer Begabung und ihrer äußerst raschen Lernfähigkeit entsprang. »Ein Wunder, ein wahres Wunder«, hatte Dandora ausgerufen, als er bemerkt hatte, daß sie sich nicht mehr wie zu Anfang auf die zahlreichen Nachschlagewerke stützte. Denn tatsächlich hatte Malvina die Erwartungen des Apothekers voll und ganz erfüllt und beherrschte es nun meisterhaft, abstoßende Zutaten in schmackhafte Gerichte zu verwandeln. Ja, besser noch! Innerhalb weniger Monate war es ihr gelungen, ein wahres Laboratorium des Geschmacks zu schaffen: Alle vorstellbaren Geschmacksrichtungen waren hier festgehalten und nach Gebieten geordnet. Jeder Geschmacksqualität war ein Ton, eine Note zugedacht: C für alles Saure, D für das Fade, E für Süßes, F für Bitteres, G für Süß-Saures, A für Salziges und schließlich H für alles Scharfe. Doch jetzt mußte sie erfahren, welchem Zweck all dies diente. Als sie schon nicht mehr damit rechnete, bekam sie schließlich die Antwort:

»Ich möchte, daß du ab jetzt dein Wissen in den Dienst der Heilkunde stellst ...«

Malvina sprang auf:

»Ich soll Arzt werden?«

»Nicht so ungestüm, Mademoiselle«, rief der Graf, über ihr naives Verhalten belustigt, aus. »Wie ich sehe, versucht der Schüler den Meister zu übertrumpfen!«

Malvina schämte sich ihrer Begeisterung. Sie verlor nicht gern das Gesicht vor Dandora.

»Ich denke, ich habe mich falsch ausgedrückt ...«, erklärte er. »Weil unter deinen Händen alle Stoffe einen angenehmen Geschmack annehmen, werden wir von nun an die

Welt der Pharmakologie grundlegend verändern. Verstehst du, was ich meine?«

Malvina war sich dessen nicht ganz sicher. Man sah ihr an, daß sie verwirrt war.

»Habt Ihr mich aus diesem Grund seit Monaten angehalten, mit verdorbenen Zutaten zu kochen?«

»Diese Prüfung mußtest du durchlaufen. Wer Hasenfleisch ißt, läuft schnell und erweist sich als Feigling, wer Schildkrötenfleisch ißt, bewegt sich langsam, aber sicher voran. Durch die Schwierigkeit dieser Aufgabe hast du dich selbst übertroffen. Ich kann nicht mit alltäglichen und mittelmäßigen Menschen zusammenarbeiten. Ich suche das Außergewöhnliche, das Seltene. Und auch deine künftige Aufgabe ist außerordentlich.«

»Sagt es mir, sagt mir alles.«

»Du hast den reinen Geschmack gefunden, jetzt sollst du den entdecken, der den Kranken Erleichterung verschafft.«

Malvina lachte laut auf. Noch nie hatte sie etwas so Unsinniges gehört. Den Geschmack dessen, »was Erleichterung verschafft«, konnte man nicht einfangen. Er war vielfältig: Es gab ebenso viele unterschiedliche Persönlichkeiten wie Krankheiten, die man ihnen ersparen wollte.

»Es geht darum, diesen Geschmack jenen Heilmitteln zu verleihen, deren Beschaffenheit zu abstoßend ist, als daß man sie verwenden könnte. Es käme dir nicht in den Sinn, Edelsteine zu essen, da weder ihr Geschmack noch ihre Beschaffenheit sonderlich einladend sind. Dabei weißt du ebensogut wie ich, daß es sich bei den Edelsteinen um wirksame Heilmittel handelt.«

»Alcibiade ist davon überzeugt.«

»Zerstoßene oder zermahlene Metalle und Mineralien sind Bestandteil zahlreicher Arzneitränke«, fuhr er fort. »Alcibiade könnte doppelt soviel Hämatit oder Topas verkaufen, wenn sie, wie der Achat von Marbode, einen sanften, beruhigenden Myrrhenduft verströmen würden.«

»Ich verstehe, Ihr wünscht, daß ich mich mit Geschmacksrichtungen beschäftige, die unserem Gaumen schmeicheln, den Magen kitzeln, unser Gehirn streicheln und darauf vorbereiten, eine Medizin von weniger angenehmem Geschmack verabreicht zu bekommen.«

»Das ist zwar ein wenig vereinfacht dargestellt, aber du bist auf dem richtigen Weg.«

Dandora forderte sie mit einer Handbewegung auf, sitzen zu bleiben.

»Warte ... ich habe ein paar Kostproben für dich vorbereitet.«

Malvinas Blick folgte dem Apotheker. Aus einem Hinterzimmer der Küche brachte er ein Tablett mit mehreren Tellern, deren Inhalt mit feinen Baumwollservietten abgedeckt war, und stellte es vorsichtig auf den Tisch.

»So, alles ist da. Eine letzte Prüfung deiner Kenntnisse, dann zeige ich dir mein Raritätenkabinett. Bist du einverstanden?«

Sie nickte. Der Meister reichte ihr einen Bleistift und ein Blatt Papier. Sie war für die Prüfung bereit. Sie begann mit den einfachsten Übungen, dann steigerte der Graf den Schwierigkeitsgrad. Es ging darum, die Zusammensetzung der Speisen zu erkennen, die der Apotheker – das war das Ungewöhnliche an der Sache – selbst zubereitet hatte.

»Dieses Gericht erkenne ich nicht«, sagte sie. »Doch ... vielleicht, aber die starken Gewürze überdecken das Aroma. Sie lösen es in Nichts auf, lassen es verfliegen.«

»Ja, ja.«

»Wie soll ich die Säure des Nachgeschmacks beschreiben, seine Herbheit«, fuhr sie fort. »Nicht einmal die Beschaffenheit läßt sich erkennen … Ich schwanke zwischen weißem Fleisch und Fisch. Vielleicht Thunfisch!«

Malvina roch und kostete. Sie schlug eine Antwort vor, wandte sich einem anderen Gericht zu, belegte ihre Aussagen eilig mit genauen Begriffen.

Als Dandora den Eindruck hatte, ihr Geist sei nun bereit, stellte er eine Schüssel vor sie hin, deren Inhalt den gemeinen Sinn seiner Bemühungen enthüllen sollte. Sie war mit einer Silberglocke abgedeckt. Mit einer schnellen Bewegung lüftete er sie, und der Inhalt offenbarte sich. Er war unerträglich, abstoßend. Ein ganzes Herz, zu groß, um von einem Fisch oder einem Geflügel zu stammen. Es konnte sich nur um ein Schweineherz handeln … Außer es wäre ein menschliches Herz! Was Dandora ihr bestätigte.

»Nur zu, iß! Du wirst doch so kurz vor dem Ziel nicht aufgeben? Iß …«

Malvina konnte ihren Ekel nicht überwinden. Sie preßte die Hand vor den Mund und verlangte, er möge diese Posse auf der Stelle beenden. Um sich zu beruhigen, stellte sich die junge Frau vor, es handele sich um einen Scherz des Apothekers, dessen Zynismus und Ironie seinen Geist oft zu einem äußerst makabren Humor trieben.

Doch der nächste Satz brachte sie von dieser Vorstellung ab:

»Widert dich das an?«

Vielleicht konnte man diese Nahrung gegen die Natur in einem Augenblick tiefer Verwirrung kaltblütig hinunterwürgen, doch bei klarem Menschenverstand war das undenkbar. Hier wagte Dandora ein gefährliches Spiel, an dem sie nicht teilhaben wollte.

»Ich verlange nicht von dir, daß du es genußvoll verspeist«, sagte er, »sondern vielmehr, daß du deine Vorurteile überwindest.«

Auf diese Worte folgten lange Minuten des Schweigens. Alles stand still, befand sich in der Schwebe. Malvinas Magen krampfte sich zusammen. Bilder wirbelten ihr durch den Kopf, sie wagte es nicht, dem Blick ihres Tischgenossen zu begegnen. Immer wieder wurde ihr Vertrauen enttäuscht. Nach Rougemont offenbarte nun auch Dandora die verborgene, unwürdige Seite seiner Persönlichkeit. Wie hatte sie an ihn glauben, ja erwarten können, daß dieser Mann ihr helfen würde, sich zu wahrer Größe zu erheben?

Malvina wandte sich ab, war verzweifelt:

»Nein, nein … Ich werde es nicht tun! Das ist genauso abartig wie Ihr selbst! Vielleicht seid Ihr am Ende nichts anderes als ein alter Narr mit unannehmbaren, unmoralischen und perversen Gelüsten?«

Angesichts ihres Zorns lächelte der Apotheker:

»Indem sich der Mensch das einverleibt, was er ißt, nimmt er auch gewisse Eigenschaften des Verspeisten in sich auf. Du hast Unrecht, nicht zu probieren, das Herz verleiht Kraft und Großmut … Die Vorstellung, ein Herz zu essen, ist dir unerträglich, doch es ist allein die Darreichungsform, die dich zurückhält, denn die Grundlage aller Gerichte, die du vorhin gegessen hast, war das, was hier vor dir liegt.«

Die junge Frau schwieg. Sie glaubte, nicht recht verstanden zu haben, und bat den Grafen, seine Worte zu wiederholen.

»Die Angst, ekelerregende Stoffe, Absonderungen und Ausscheidungen des Körpers zu sich zu nehmen, entsteht aus der Abscheu. Es handelt sich um einen natürlichen Instinkt, den es zu verändern gilt!«

Die Zeit verstrich. Eine Ewigkeit. Malvina sah sich nach allen Seiten um. Sich erbrechen, das würde alles ungeschehen machen. Sie zwang sich, würgte, doch es kam nichts. Ihr Ekel war nicht groß genug, um sie zu befreien. Also versuchte sie sich zu beruhigen. Vor allem nicht daran zu denken, nicht zurückzublicken.

»Bin ich dir jetzt zuwider?« wollte er wissen.

Malvina faßte sich. Nicht nachgeben. Sie wollte sich nicht vom Schrecken mitreißen lassen.

»Bist du bereit, mehr darüber zu erfahren, oder muß ich einsehen, daß ich mich in dir getäuscht habe?«

Wütend ballte sie die Fäuste. Nicht die Antwort war schwierig, sondern die Folgen, die sie nach sich zog.

»Ich bin Eure Schülerin«, stieß sie schließlich hervor.

Dandora lächelte. Seine Züge entspannten sich, das Gesicht wurde zugänglicher.

»Weißt du«, erklärte er, »das Leben ist ein einziges großes Versuchsgelände, das uns viele unerforschte Möglichkeiten zu bieten hat. Da du über genügend Geistesgröße verfügst, folge mir ... Ich werde dir jetzt mein Raritätenkabinett zeigen.«

Mit festem Griff nahm Dandora Malvina beim Arm. Eine Kerze erhellte die Treppe, die in den Keller führte. Die Stufen erzitterten unter ihren Schritten, und bald erreichten sie den feuchten Lehmboden des unterirdischen Gewölbes. Ein Frösteln durchlief die junge Frau: Seit ihrer Ankunft in der Apotheke war sie nie wieder hier unten gewesen. Zwar hatte sie oft versucht, mehr über den geheimnisvollen Raum zu erfahren, doch dieses Thema löste nervöse Zuckungen bei Alcibiade aus, die schon fast an Hysterie grenzten. Während sie ihrem Meister wie ein Schatten folgte, wurde Malvina sich bewußt, daß sie nun eine unbekannte Seite in dessen Leben kennenlernen würde. Dieser Gedanke beruhigte sie.

Als sie die verbotene Tür erreichten, hatte sie keine Angst mehr. Es gab kein sichtbares Schloß. Sicherlich konnte man sie durch eine geheime Vorrichtung um einhundertachtzig Grad drehen. Wortlos entfernte der Graf einen Stein im

Mauerwerk, hinter dem sich eine kleine Kette verbarg, mit deren Hilfe sich die Tür drehte und ihnen den Raum freigab. Er ließ Malvina den Vortritt. In dem Raum herrschte vollkommene Finsternis.

»Geh nur hinein, du hast nichts zu befürchten.«

»Aber man sieht ja nicht einmal die Hand vor Augen.«

»Gleich wirst du sehen, Malvina, du wirst alles sehen.«

Im ersten Augenblick lähmte sie vor allem der Gestank, der den Raum erfüllte. Schlimmer als der einer verwesenden Ratte oder der einer seit Jahrhunderten verschlossenen Grotte. Was mochte wohl in diesem geheimen, unzugänglichen Dunkel aufbewahrt werden?

Dandora wartete noch eine Weile, ehe er seine Kerze hob und den Lichtschein auf das Deckengewölbe richtete. Malvina hatte Mühe, zu erkennen, was dort hing. Doch schnell wurde ihr klar, daß es sich nicht um irgendwelche Tiertrophäen handelte, sondern offenbar um menschliche Häute. Einige waren nur gegerbt und zeigten noch die Umrisse eines Gesichts, die Augenhöhlen, andere waren mit Teer bestrichen und in Streifen von verschiedener Größe zerschnitten. Die junge Frau war nicht sonderlich überrascht, denn der Apotheker verkaufte, sozusagen als Allheilmittel, Mumien in Form von Puder, Salben, Pflastern und Latwergen. Nein, es war vielmehr die Ausstattung des Raums, die sie überraschte. Man hätte meinen können, hier würden Leichen seziert. In Regalen waren Gläser mit zumeist mißgestalteten Föten aufgereiht. Auf Platten lagen – so kunstvoll angeordnet, daß man sich fast in einer Ausstellung glaubte – unzählige Skeletteile: Schienbeine, Schädel, Schulterblätter und, nach Größe geordnet, Dutzende von unterschiedlichen Organen. Alle Bestandteile des menschlichen Körpers schienen vertreten, bis hin zu den Zähnen, die für die neuen Vorrichtungen, die die Zahnärzte verwendeten, bestimmt waren.

»Der Mensch ist ein Allheilmittel, wenn sein Fleisch nicht ganz von dem der Welt getrennt ist«, vertraute ihr der Graf an.

Malvina hörte nicht zu, sie war überwältigt von dem, was sie sah. Die Neugier überdeckte jetzt alles andere. Dandora, dem das nicht entgangen war, hielt den Zeitpunkt für gekommen, sie das Kabinett entdecken zu lassen. In aller Ruhe. Denn das, was er von ihr verlangen wollte, erforderte Geduld und seelisches Einfühlungsvermögen.

Hier waren beträchtliche Erkenntnisse gesammelt, die es zu verstehen und zu behalten galt. Alles war beeindruckend, verwirrend oder erschreckend, bis hin zu den Wänden, die mit riesigen Fresken und Malereien bedeckt waren. Der Schein der Kerze enthüllte ihren Gegenstand: Skelette, die dabei waren, Leichen in Gräben aufzuschichten, Karren voller Schädel, gevierteilte oder am Galgen hängende Menschen. Über dieser unendlichen Hölle, dieser endlosen Weite von aufgeschürfter, dampfender Erde läutete eine Sterbeglocke.

Als Malvina die Kerze hob, entdeckte sie um sich herum andere grauenvolle Darstellungen: den Fall der Engel mit ihren Kreaturen, die aus dem Himmel hinabstürzten in das düstere Chaos tafelnder Ungeheuer. Selbst die Decke war mit schauerlichen Bildern ausgemalt: eine Kathedrale zum Ruhme des Todes. Alles schien so echt und wirklich, daß Malvina vor Schreck wie gelähmt war. Sie glaubte, dem Wahnsinn zu verfallen. Das unterirdische Gewölbe begann bedrohlich zu schwanken. Sie hatte das Gefühl, den Boden unter den Füßen zu verlieren. Die Hände an die Schläfen gepreßt, senkte sie den Blick, um nicht länger Zeuge all dieser Scheußlichkeiten zu sein.

Nun führte Dandora sie weiter. Der Besuch war nicht zu Ende. Es blieb noch ein Raum, dessen Zugang hinter einem schweren, roten Samtvorhang verborgen war. Diesmal führte der Apotheker seine Schülerin. Hier ging es nicht mehr um Arzneimittelherstellung, hier befand sie sich in einem Anatomieraum. In einer Flucht von Kojen waren Körper ausgestellt, ohne Scham und ohne Herabwürdigung derjenigen, deren Eingeweide man herausgenommen hatte. Sterbliche Hüllen, deren Fleisch noch unversehrt war, lagen in gläsernen Kästen, und in den Nischen standen in schwarze Schleier gehüllte Skelette. In der Mitte des Raums war auf einem großen Zinktisch eine aufgeschnittene Leiche aufgebahrt, so daß man in die Bauchhöhle und den Brustkorb sehen und die einzelnen Muskelstränge erkennen konnte, das Gewirr der Blut- und Lymphgefäße, der Arterien und Nerven, die, um sie besser kenntlich zu machen, rot und blau gefärbt waren.

Dieses Schauspiel verschlug Malvina die Sprache. Ihr Schritt, der immer langsamer wurde, drückte den Zwiespalt, in dem sie sich befand, aus. Diese Toten, die offensichtlich nicht ausgetrocknet und faltenlos waren, wirkten mit ihrer rosigen Haut und den geschmeidigen Gliedern wie wiederauferstanden. Es fehlten ihnen zwar die lebenswichtigen Organe, aber sie sahen aus, als schliefen sie. So als könnten sie sich bewegen, gehen, sprechen, sobald sie erwachten. Nie hätte sie bei dem Grafen ein solches Interesse für die Anatomie vermutet. Sie konnte sich nicht vorstellen, wie er genüßlich einem Nervenstrang folgte, mit dem Skalpell das dicke Gewebe durchtrennte und herausschnitt. Im Körper eines anderen herumzuwühlen, und sei es auch im Namen der Wissenschaft, verlangte einen Pioniergeist, der bei Malvina Bewunderung hervorrief. Wie Leonardo da Vinci oder Ambroise Paré hatte auch Dandora den Ehrgeiz, das Leben und den Tod, das Innere und das Äußere, die Verstümmelung und die Wiederherstellung des Körpers zu verstehen.

»Wie außerordentlich muß es doch sein, sich in seiner Arbeit an Gott zu messen«, bekannte Malvina flüsternd.

»Ich muß dir gestehen ...«

Sie unterbrach ihn.

»Die Vorstellung, daß das, was Ihr tut, einen nicht unberührt läßt, gefällt mir. Welche Selbstbeherrschung, die Gefühle auszuschalten und zu lernen, die widerwärtigsten Anblicke zu ertragen. Wenn ich koche, ist es ähnlich! Ich glaube, den Grund zu erraten, warum Ihr mir erlaubt habt, diesen Raum zu betreten.«

Die junge Frau schien entzückt von ihrer Entdeckung.

»Kennt Ihr in Paris auch Frauen, die sich mit Anatomie beschäftigen?«

»Das Kabinett von Marie-Catherine Bihéron ist berühmt für ihre Wachsmodelle. Sie hat eine Nachbildung geschaffen, an der man die Geheimnisse der Entbindung zeigen kann. Dank der klug durchdachten Umsetzung kann man jetzt Zwischenfälle studieren, die zu Schwierigkeiten bei der Geburt eines Kindes führen. Ihr Kabinett befindet sich in der Rue Saint-Jacques. Wenn du möchtest, führe ich dich hin, aber ...«

Dandora strich über seinen Bart, als könne ihm diese Geste die richtigen Worte eingeben.

»Ich bin nur ein bescheidener Nutznießer unseres Kabinetts«, gestand er schließlich. »Nicht ich bin es, der hier arbeitet.«

»Aber wer dann? Wer?«

»Es ist das Kabinett meines Sohnes.«

»Eures Sohnes?« Sie war überrascht. »Aber darüber habt Ihr ja nie gesprochen ... Ich stelle mir vor, wie er hier an diesen Körpern arbeitet und versucht, das Leben zu verstehen. Vielleicht kann er jemanden erahnen, ehe er ihn kennt?«

»Wie ich dir bereits erklärt habe, ist er seit vielen Jahren nicht mehr hier.«

»Habt Ihr ein Bild von ihm?«

»Wozu Erinnerungen, wenn man zu vergessen sucht ...«

Malvina war verwirrt. Eine Eingebung trieb sie dazu, mehr über diesen Mann erfahren zu wollen, dessen Äußeres sie nicht einmal kannte. Sie war gefesselt von dem, was er in diesem Kabinett geschaffen hatte. Endlich würde ihr jemand die Vorgänge erklären können, die sich in der menschlichen Natur abspielten, wie Haß entstand oder Anziehungskraft oder Widerwille. Nur jemand, der sich mit der Anatomie beschäftigte, würde ihr all diese Fragen beantworten können.

»Kehren wir zu unserem Gespräch zurück«, meinte der Graf, der befürchtete, die Achtung, die ihm seine Schülerin bisher gezollt hatte, zu verlieren. »Wenn du dich seit mehreren Monaten dem Kochen widmest – vor allem der Kunst, aus minderwertigen Zutaten Wunderwerke an Geschmack zu zaubern – dann deshalb, weil ich an eine neue Heilkunde glaube.«

»Ihr wollt, daß ich... Leichen koche?« fragte sie. »Ist es das?«

»Hör lieber zu, anstatt mich andauernd zu unterbrechen«, sagte er streng. »Der Leichnam ist eine bisher nur wenig erforschte Quelle. Durch den Tod entsteht in jedem Körperteil eine doppelte Lebenskraft. Jedes Stück Fleisch ist wertvoll und hervorragend zu Heilzwecken geeignet. Der heilige Charakter des Körpers erhöht die Wirksamkeit der Arznei. Das ist der Ursprung des *homo homini salus*, demzufolge der Mensch das beste Heilmittel für den Menschen ist.«

»Es ist also Euer Plan, den Kranken dazu zu bringen, eben das Organ einer Leiche zu sich zu nehmen, das in seinem eigenen Körper erkrankt ist.«

»Genau das«, gab er zurück. »Die Heilkraft der getrockneten Körperteile, die auf die erkrankten Stellen aufgetragen werden, beruht auf der symbolischen Verwandtschaft. Die Haut zum Beispiel wirkt gegen Krämpfe in Händen und Füßen. Ein am Handgelenk aufgelegter Verband kann sie lindern. Die Substanz, die Tod und Krankheit durchlitten hat, hat eine Gedächtnisfähigkeit, die sie zum Unterpfand für eine bessere Abwehrkraft des Kranken macht.«

»Aber wie soll man seinesgleichen essen, selbst wenn es sich um eine Arznei handelt?«

»Sieh in der *Pharmacopoiea universalis* nach, die im Jahr 1747 in London erschien.«

Dandora nahm das Werk, das unter einem der Arbeitstische lag, und reichte es Malvina.

Sie las die ersten Seiten, vertiefte sich in die Zeilen, die ihre Augen zu blenden schienen. In mehreren Kapiteln wurden dort alle Körperteile beschrieben, ihre Symbolik und ihre Eigenschaften ausgeführt. Auf einem der Bilder war eine nach allen Seiten verrenkte tibetanische Gottheit abgebildet: Mahakala, der stolz einen Gebetskranz aus winzigen Schädeln um den Hals trägt.

»Befremdlich«, murmelte Dandora, »doch vergiß nicht, daß die Perlen des Rosenkranzes, als er noch nichts anderes als eine asiatische Mala war, ihnen glichen …«

Malvina wußte nicht, was sie auf diese Behauptung, deren Grundlage ihr einleuchtete, erwidern sollte.

»Wie du siehst, hat dies alles nichts Verwerfliches.«

»Glaubt Ihr, daß das die Zukunft unserer Heilkunst ist?« fragte Malvina.

Die Vermessenheit der jungen Frau überraschte den Apotheker. Sein Gesicht rötete sich vor Zorn.

»Teilt die Medizinische Akademie Eure Auffassung?« setzte sie hinzu.

Dieser letzte Satz verärgerte ihn vollends. Also erklärte er kurz angebunden:

»Seit der König und der Graf Artois geimpft wurden, haben sie nur noch dieses eine Wort im Mund. Impfen, impfen!«

»Faßt das bitte nicht als Beleidigung auf, aber …«

»Alles Narren, hörst du! Sie haben nichts von dem verstanden, worauf ich mich eingelassen habe. Ich versuche, ein Arzneimittel zu entwickeln, das nicht nur wirksam, sondern auch wohlschmeckend ist. Nichts anderes als die köstlichen ›Gesundheitspastillen‹.«

»Eine medizinische Küche des Todes, die aus menschlichem Fleisch und einem angenehmen Geschmack besteht.«

»Warum so grobe Worte? Sagt dir der Begriff ›Gesundheitspastillen‹ nicht zu?«

»Doch, Meister.«

»Es wird ein triumphaler Erfolg werden. Das Osmazon ist nichts im Vergleich zu dem, was ich dir vorschlage.«

Als er Malvinas verlorenen Blick bemerkte, wurde dem Grafen klar, daß er vielleicht zu weit gegangen war. Er beruhigte sich, fand sein freundliches Lächeln wieder und führte seine Schülerin zurück zur Tür.

»Ich wollte dich nicht beunruhigen! Aber wenn du bereit bist, mir zur Hand zu gehen, muß alles, was du im Verlauf dieser Arbeit tust, unter uns bleiben. Die anderen werden nur eine ungefähre Vorstellung von dem haben, was hier vor sich geht. Du allein wirst über die Formeln verfügen.«

»Ist Alcibiade ausgeschlossen?«

»Alcibiade und du, ihr habt euer Geheimnis, und wir werden das unsere haben. Er wird sich mit dem äußeren Eindruck begnügen müssen.«

Dieser letzte Satz beunruhigte und begeisterte Malvina. Die Gründe für ihre Unruhe waren offenkundig, ihre Beziehung zu dem Zwerg war also aufgedeckt. Was die Begeisterung anging, so war sie auf das Vertrauen zurückzuführen, das ihr der Graf entgegenbrachte. Nachdem sie in seinen Plan eingeweiht war, wurde sie zu seiner Verbündeten. Die Vorstellung, an einer Arbeit beteiligt zu sein, die einer kleinen Gruppe vorbehalten war, schmeichelte ihrem Stolz und befreite sie von der Last des Zweifels.

»Wir werden morgen weiter darüber sprechen«, sagte Dandora, indem er die Tür schloß.

»Erfolg, Ruhm …«, diese Worte hallten in Malvinas Kopf wider, bis sie die Küche erreicht hatte. So viele Enthüllungen, so viele neue Richtungen, die es jetzt zu erforschen galt, sie wurde von ihrer Begeisterung davongetragen. Mit zurückgelegtem Kopf und ausgebreiteten Armen drehte sich ihr Körper in vollständiger Hingabe um sich selbst. Wie schön sie, von diesem plötzlichen Glück belebt, war! Nie zuvor hatte eine Gefühlsregung sie so sehr bewegt. Ein Gefühl der Macht ließ sie über sich selbst hinauswachsen. Ihr früheres Leben würde ausgelöscht, von den neuesten Ereignissen hinweggefegt werden. Die Jahre der Demütigung waren vergessen, Rougemont und seine bösen Orakel gebannt. Eine Frau der Wissenschaft sah man nicht mehr als einfache Köchin an. Vom Gegenstand der Geringschätzung würde sie zum Anlaß der Bewunderung werden. Die Zugehörigkeit zu einer neuen Welt würde sie über jeden Zweifel erhaben machen.

8

MALVINA GENÜGTE DIE NACHT, um sich zu entscheiden, Dandoras Angebot anzunehmen. Diese Zusammenarbeit gab ihr zwar noch Rätsel auf – im Grunde genommen wußte sie nicht, auf was sie sich einließ –, aber in ihrem bisherigen Leben hatten, sich noch nicht allzu viele Gelegenheiten geboten. Wie lange würde sie noch warten müssen, bis sie dem Kreis der Großen dieser Welt angehören würde? Welchen anderen, vielleicht noch anspruchsvolleren Mentor mußte sie zufriedenstellen, um ihrem Leben einen neuen Impuls zu geben? Sie kannte die Grundsätze, die ihre Überlegung leiten sollten: jede sich bietende Gelegenheit beim Schopf ergreifen und entsprechend handeln. So schien sie, als sie dem Grafen ihre Antwort gab, stärker und betörender denn je. Um ihren Worten mehr Nachdruck zu verleihen, hatte sie sich hoheitsvoll vor ihm aufgebaut.

»Ich habe diese Entscheidung getroffen – wohl wissend, daß es vielleicht besser gewesen wäre, länger zu überlegen … aber erst hinterher«, sagte sie, und in ihrer Stimme schwang eine Spur von feinem Spott mit.

Dieser Wagemut belustigte den Apotheker, der ein Zögern heuchelte, bevor er zustimmte. Malvina war erleichtert, aber freuen durfte sie sich noch nicht, hatte sie doch ein zweites Gesuch an ihn: Sie bat ihn, von seinem Sohn zu erzählen.

Der Graf konnte seine Erregung nur mühsam verbergen. Er setzte sich. Mit einer heftigen Bewegung zog er eine eigenartige Perlenschnur aus der Tasche, die er nervös durch die Finger gleiten ließ. Natürlich konnte er ein Bild seines Sohnes zeichnen: extrem, maßlos, von schneller

Auffassungsgabe, ungezügeltem Ehrgeiz und großer Geschicklichkeit bei seinen Geschäften. Bereitwillig erkannte er an, daß der Werdegang seines Sohnes, wenn er auch nichts mit dem eines Anatomen zu tun hatte, doch nicht minder bewunderungswürdig war. Er war nicht nur der wichtigste Großhändler, der Mineralien aus dem Ausland einführte, sondern seine Steine waren auch so hochwertig, daß er sich bei den Hofjuwelieren und Hofgoldschmieden einen Namen gemacht hatte. Auf diesen Erfolg war der Graf stolz. Doch über den Schmerz, der seit Jahren in seinem Herzen begraben lag, konnte er nicht sprechen. Der Grund für ihre Entfremdung lag nicht etwa im Gegensatz der Generationen. Nein, der Grund war eine ernste, tiefe Wunde.

»Nach dem Tod seiner Mutter lebten Matthieu und ich uns immer mehr auseinander.«

»Aber wo wohnt er?«

»Er ist ein Abenteurer, ständig unterwegs zu einem unbekannten Ziel, einem unbestimmten Land. In Frankreich hält er sich nur selten auf … Doch dann versäumt er es nie, mir die Ehre seines Besuches zu erweisen.«

»Ist er verheiratet?« hatte sie den Mut zu fragen.

»Matthieu verheiratet? Nein, guter Gott, die Liebe ist ihm ein Greuel. Er erträgt diese Vorstellung nicht mehr seit …«
Der Graf stockte plötzlich.

»Ich kann nicht weitersprechen, ohne Gefahr zu laufen, dich zu enttäuschen. Bitte dring nicht weiter in mich.«
Malvina hatte verstanden. Also zog sie sich zurück, nicht ohne dem Grafen versichert zu haben, ihn in dieser Angelegenheit nicht mehr zu bedrängen. Sie würde in ihren Träumen an Matthieu denken und vielleicht sogar versuchen, von Alcibiade mehr zu erfahren. Dieser hatte sich zwar auf ihre Fragen hin nicht sehr gesprächig gezeigt, aber sie wür-

de beharrlich bleiben. Mit der Zeit würde die Eifersucht, die der Grund seines Schweigens war, abklingen.

Einstweilen mußte sie sich der großen Aufgabe, die man ihr anvertraut hatte, würdig erweisen und durfte sich nicht ablenken lassen. Wochenlang gab sich Malvina dieser Arbeit hin, Tag und Nacht war sie bemüht, die wertvolle Formel für die »Gesundheitspastillen« zu finden. Schließlich entdeckte sie im botanischen Garten des Königs unter den exotischen Pflanzen eine Beere, eine Wunderpflanze, deren mazeriertes, eingelegtes und gepreßtes Fruchtfleisch ein Öl ergab, das kräftig genug war, den ekelerregenden Geruch der in den Pillen verarbeiteten Kadaver zu überdecken. Seine Wirkung versüßte die abscheuliche Wirklichkeit. Mit seiner leicht zuckrigen Note vertrieb es die Säure, die Herbheit und den ranzigen Geschmack. Der Geschmack dieser Linderung und Beruhigung verschaffenden Mittel war aus einer einfachen, mit Sachverstand zubereiteten Pflanze gewonnen worden. Der Leichnam mußte in ein erstes Bad gelegt werden, um die abstoßendsten Eigenschaften zu beseitigen. Dann zog Malvina das Gehirn mit einer Zange durch die Nasenlöcher heraus und ersetzte es durch Kräuter. Auf dieselbe Art entfernte sie die Eingeweide und stopfte den Leib mit einer würzigen Füllung aus, ähnlich der, die sie für die Zubereitung eines Kalbsrollbratens oder eines gebratenen Huhns verwendete. Vier Stunden lang wurde der Körper dann an den Füßen aufgehängt, mit destilliertem Essig und Branntwein gewaschen und mit ungelöschtem Kalk und Felsalaun besprenkelt, ehe er mit einem Gemisch aus Aloe, Myrrhe, Borstengrasöl, grünem Rosmarin, Zypresse, Moschus und Amber einbalsamiert wurde. Nach dieser Behandlung wurde das Fleisch getrocknet und zu Puder zermahlen. Zerstoßene, pulverisierte Skelette, geriebene Haut, mürbe Eingeweide … Die gesamte

Anatomie wurde in Menschenstaub verwandelt. Nun mußte man dieses Pulver nur noch nach einem geheimen Mi-
schungsverhältnis mit anderen Zutaten vermengen und dafür sorgen, daß die Zubereitung sowohl im Geschmack als
auch im Duft angenehm war.

Wie andere Stickarbeiten oder die Poesie beherrschten, so
beherrschte die junge Frau die Kunst, Körper zu zerlegen.
Gesammelt und fleißig zeigte sie keine andere Gefühlsregung als den Wunsch, ihre Arbeit gut zu verrichten. Für sie
war der Leichnam nichts als eine Hülle, in seiner Toten-
blässe fast ein mineralischer Stoff. Nur beim Destillieren
des Schädelknochenelixiers, das sie noch immer anwiderte,
drehte sie den Kopf zur Seite. Um den Abscheu, der sie
überkam, zu überwinden, sagte sie sich immer wieder, daß
sie nicht zu jenen gehörte, die gewöhnlicher Ekel abstößt.
Die Fähigkeit, unerträgliche Anblicke zu ertragen, erhob
sie über die gewöhnlichen Sterblichen. Sie hatte begriffen,
daß sie, um zu überleben, ein außergewöhnliches Geschöpf
werden mußte. Dabei spielten Mittel und Wege keine Rolle … Jeder mußte sich mit den Karten begnügen, die ihm
seine Kindheit und seine Vergangenheit zugeteilt hatten.
Wenn die junge Frau in ihrem Laboratorium mit dem Tod
Umgang hatte, mit seinem Gestank, seinen ekelerregenden
Ausdünstungen, seiner scheußlichen Fäulnis, so war das
kein Zufall. Es war richtig, in alle Ewigkeit Grauenvolles ertragen zu müssen. Dieser Kampf gegen das Entsetzen erlaubte ihr, sich am Leben zu rächen.

Am Leben und an den Menschen, müßte man ehrlicherweise hinzufügen. Denn über die Befriedigung hinaus, eine
wissenschaftliche Entdeckung gemacht zu haben, bot sich
Malvina auf diese Art immer öfter Gelegenheit, ihre Mitmenschen zu beherrschen. Sie zu täuschen – freilich zu ihrem Besten –, sie ohne Zurückhaltung und Scham zu beein-

flussen. Denn außer dem Apotheker ahnte niemand den wahren Ursprung der »Gesundheitspastillen«, deren Geheimnis einen Teil ihres Erfolgs ausmachte. In der Apotheke wurden dem Kunden winzige, weiße Dragees angeboten, die – glatt wie Sèvre-Porzellan – einander vollständig glichen. Nur die Etiketten auf den Dosen, die der Apotheker in einer erfundenen Sprache beschriftet hatte, zeigten einen Unterschied an. Von der Darreichungsform bis zur Geheimhaltung der Zusammensetzung war alles genau durchdacht, damit der Traum mit dem Verfahren verschmolz, bis hin zu der Geschmacksrichtung, die der Kranke auswählte. Die Palette eines Malers hätte keine reichere Auswahl bieten können. In riesigen Kupferkesseln brodelten Sirups aus Erdbeeren, Bergamotte und Muskataprikosen, kochten Honigsaft, fruchtige Gelees, Schokoladen- und Kaffeemasse. Der »Überzug«, den der Graf höchstpersönlich vornahm, erwies sich als Annehmlichkeit, die allgemeinen Beifall fand. So wurde der Geist bereits von kräftigenden und heilenden Energien durchströmt, noch bevor der Körper behandelt war.

Weder in Paris noch sonst irgendwo in Europa hatte es je eine »anregendere« Arznei gegeben. Katharina II. von Rußland und Maria-Theresia von Österreich schickten ihre Boten, um größere Bestellungen abzuholen, auf die sie bisweilen sogar mehr als einen Monat warten mußten. Versailles stand ihnen in nichts nach. Am Hof pries die Fürstin von Lamballe, die Oberhofmeisterin der Königin, die Vorzüge dieses Heilmittels, das eine beruhigende Wirkung auf ihre Nerven hatte. Sie stopfte sich förmlich mit den Pastillen voll, vor allem seit Panckoucke in seinem *Journal de politique et de littérature* von einer pharmazeutischen Leistung gesprochen hatte, die sich mit Mesmers Magnetismus messen könne.

Innerhalb weniger Monate hatte Malvinas Entdeckung dem Ruf Jean-Baptiste Dandora de Ghalias nie dagewesenen Glanz verliehen. In der Hauptstadt sprach man nur noch von diesem »großen Arzneimittel«, das geeignet war, alle Krankheiten zu heilen. Das Angebot konnte mit der Nachfrage kaum mehr Schritt halten. Daher lud der Graf Malvina zum Essen ein, um ihr seine Absicht, das gemeinsame Geschäft auszuweiten, mitzuteilen.

Als sie das Restaurant betraten, war Malvina von der gedämpften Vornehmheit beeindruckt. Alles war von ausgewählter Erlesenheit. Das Auge konnte sich am Anblick der venezianischen Wandspiegel weiden, denen Hunderte von brennenden Kerzen einen goldenen Schimmer verliehen, oder man konnte den Blick über die Blumengirlanden an den Decken schweifen lassen. Alles wirkte zart, ein geschicktes Spiel des Lichts, eine gelungene Verbindung von Samt und Seide, um zu verzaubern und zu betören … Zwischen den langen, blütenweißen Tischreihen eilten Kellner auf und ab, die auf dem ausgestreckten Arm mit Fleisch-, Fisch- und Fruchtpyramiden beladene Tabletts balancierten.
Die Ankunft des Paares löste bei den Gästen Gemurmel und vielsagende Blicke aus. Der Graf war Stammgast.
»Wie wunderschön es hier ist«, sagte Malvina, während sie Platz nahm.
Wie ein Kind, das seine guten Manieren vergessen hat, sah sie sich nach allen Seiten um, musterte die Leute an den Nachbartischen eindringlich, versuchte, von ihren Lippen anerkennende Worte abzulesen.
Der Apotheker hatte es eilig. Er reichte ihr die Karte: »Festmahl kommt von *festinare*, von sich beeilen, etwas zu tun, deshalb muß man schnell damit beginnen. Bitte such dir etwas aus …«

Er machte eine Pause.

»Eine Suppe à la Condé, würde dir das zusagen?«

»Wenn die Auswahl zu groß ist, fällt einem die Entscheidung schwer. Kann man hier wirklich kleine Pastetchen à la Mazarine, Hecht à la Chambord oder Rinderfilet-Razy essen?«

»Es gibt keinen Grund, wie die Königin die Küche der Bourbonen abzulehnen. Warum nimmst du nicht einfach das, was dir Freude macht?«

Sie überlegte.

»Achte nicht auf den Preis«, bestärkte er sie, »unser Geschäft blüht …«

Diese Worte des Grafen hätte Malvina aufgreifen können, denn außer an ein neues Kleid, das sie trug, und ein bißchen Geld, das sie hatte beiseite legen können, hatte der Apotheker an nichts gedacht, um sie am Erfolg der »Gesundheitspastillen« zu beteiligen. Daher bestellte sie ohne die geringsten Bedenken das Gericht, das in ihren Augen das opulenteste war: gegrillte Lammkoteletts mit einem Ragout von Gänseleberpastete, Trüffeln und Pilzen.

»Deine Wahl erstaunt mich nicht«, bemerkte der Graf, »sie zeigt, daß du eine Frau mit Geschmack bist …«

Er machte eine Pause, ehe er weitersprach:

»Ich habe dich hierher eingeladen, weil ich beschlossen habe, meine Apotheke zu vergrößern. Ich wollte dir als erste meine Absichten mitteilen und die Gelegenheit wahrnehmen, dir einen Vorschlag zu unterbreiten.«

Die junge Frau hatte ihren Stuhl näher herangerückt. Achtsam legte sie die Hände unter ihrem Kinn übereinander.

»Du wirst sicher verstehen, daß es schwierig für mich ist, dich an die Spitze meines Geschäftes zu stellen. Um diese Unstimmigkeit auszugleichen, habe ich vor, dich bei Hofe als ›Geschmacksberaterin‹ einzuführen. Der König hat einen unbezähmbaren Appetit, er hat die ausgeprägte Eßlust seiner Familie geerbt, deine Anmut, deine Begabung werden ihn betören … Aber du mußt auf der Hut sein und darfst keinesfalls die Bestandteile unserer ›Gesundheitspastillen‹ preisgeben. Erst gestern hatte ich größte Schwierigkeiten, mich der ärztlichen Kontrolle zu entziehen. Wenn auch die Beamten des Königs die Wirksamkeit der Mittel nicht anzweifeln, so beginnen sie doch, sich Fragen über ihre Inhaltsstoffe zu stellen … vielleicht versuchen sie gar, sie nachzuahmen.«

»Ein solches Angebot ist äußerst schmeichelhaft. Aber wie wollt Ihr mir einen Namen verschaffen? Man braucht viel Gold, um eine Herkunft wie die meine auszulöschen. Bitte lächelt nicht darüber, Meister, es ist mir unerträglich, Gegenstand der Belustigung zu sein. Mein Stolz mag Euch eigenartig erscheinen. Verzeiht mir, wenn er Euch verärgert, aber ich glaube, daß Ihr mich verspotten wollt!«

Der Graf hörte den heftigen Ausführungen seiner jungen Freundin schweigend zu.

»Habe ich jetzt das Wort?« fragte er, als sie schließlich geendet hatte.

Sie nickte.

»Es ist das Vergnügen an der Unterhaltung, was gebildete Menschen verbindet. Einer Unbekannten, die geistvoll zu plaudern weiß, heiter ist und über Einfallsreichtum verfügt, stehen alle Türen offen. Das Vorrecht der Geburt ist keine unüberwindliche Hürde! Liebreiz, Scharfsinn, Anmut und Schlagfertigkeit, können entscheidender sein als alles andere …«

»Aber woher soll ich wissen, was sie interessiert? Ich habe gehört, daß man sich am Hof von Fontainebleau nur noch über Eselrennen, die unzählige Menschen anziehen, amüsiert!«

»Alcibiade ist der Vertraute dieser Damen. Sie erzählen ihm von ihren Ängsten und Befürchtungen, verlangen oft sogar Pülverchen, über deren Wirkung ich lieber schweigen will … Ein Rezept sagt manchmal mehr aus, als man glaubt.«

Malvina warf ihm einen Blick des geheimen Einvernehmens zu.

»Alcibiade wird dir helfen«, wiederholte der Apotheker. »Es sei denn, du möchtest es nicht?«

Man brauchte kein Hellseher zu sein, um zu bemerken, daß sich die Beziehung zwischen Malvina und dem krummen kleinen Mann verändert hatte. Während der Abendessen, die wenigen Male, wo sie sich noch sahen, herrschte zwischen ihnen hartnäckiges, von Unausgesprochenem erfülltes Schweigen. Sie widmete ihm keinerlei Aufmerksamkeit mehr, und seine Hoffnungen schwanden von Tag zu Tag mehr.

Alcibiade machte Malvina Vorwürfe, daß sie ihm gegenüber so hart und gefühllos war. Sie hatte keine Geste der Zärtlichkeit, nicht einmal ein Wort für ihn, das ihm Hoffnung auf eine Freundschaft gelassen hätte. Wenn sie ihm ein Lächeln schenkte, dann nur, um Erkundigungen über Matthieu einzuholen. Sie schien von diesem Mann regelrecht besessen zu sein. Sie wollte alles über sein Leben in Paris wissen, die Gründe für seine Abreise, die Frauen, die ihn auf seinen Reisen begleiteten … Oft behauptete sie, ohne ihn auch nur zu kennen, ihm ähnlich zu sein.

»Wie Euch sicher nicht entgangen ist, ist Alcibiade im Augenblick nicht sehr gesprächig«, bemerkte sie kurz angebunden. »Aber seine Ratschläge könnten mir von Nutzen sein.«

Dann fügte sie spöttisch hinzu:

»Und wann soll die erste Vorführung stattfinden?«

»Madame de Balendard empfängt am nächsten Dienstag in ihrem Salon. Ich werde dich begleiten. Es ist mir ein Vergnügen, zum erstenmal die Rolle des Tugendwächters zu übernehmen! Man darf nicht vergessen, daß es sich für eine junge Frau nicht ziemt, unverheiratet zu bleiben. Das solltest du bedenken …«

Die Aufmerksamkeiten des Grafen taten Malvina wohl. Doch ihr war bewußt, daß kein Mann von Rang um die Hand eines Waisenkindes ohne Mitgift anhalten würde.

»Ich hege große Zuneigung für dich«, fuhr Dandora fort.

Sie lächelte ihn an und streckte die Hand aus, um sie auf die seine zu legen.

»Ich verspreche Euch, jener Mund zu werden, der Euch das zuträgt, was für Euch von Interesse sein könnte«, säuselte sie.

Gerührt betrachtete der Apotheker die junge Frau. Sein Blick ruhte auf den von blauen Äderchen durchzogenen Lidern, Hals und Schultern ragten makellos weiß, ja fast durchscheinend aus dem gewagten Dekolleté. Sie war so stolz, so unnahbar. Wäre er nicht schon in dem Alter, ihr zu mißfallen, hätte er sicherlich versucht, ihr zu gefallen. Da er seinen Gedanken nur im Traum ausleben konnte, stellte er sich vor, wie er sich ihr näherte. Wie er sie streichelte, sie entkleidete, nicht um sie zu besitzen – denn das war nicht sein Wunsch –, sondern um zu beobachten, wie sie sich befreite, wie sie diese Stärke ablegte, die ihr soviel Selbstsicherheit verlieh. Bei dieser Vorstellung empfand er nicht das geringste Schuldgefühl. War er doch davon überzeugt, daß keine Moral ihm verbieten könnte, ein Fleisch aus der Ferne zu kosten, das seine Seele nährte. Bei diesem Mahl aß und trank er nicht. Der Anblick der jungen Frau, die Essen genoß, das so schmackhaft und ebenso köstlich war wie sie selbst, entzückte ihn und machte ihn glücklich.

Innerhalb von vier Tagen lernte Malvina sich zu bewegen und zu kleiden wie die »Großen«. Wenn sie auch der letzte Schrei der Frisurenmode wie der Helm à la Bellone und das schwere Geschütz der Schminke mangels Natürlichkeit abstießen, versuchte sie sich doch an einem neuen Sortiment von Salben und Düften: »Eau de la Reine de Hongrie«, das Madame de Polignac so sehr liebte, »Eau de Cordoue«, »Parfum de Vénus« … wurden tief eingesogen und voller Entzücken genossen. Sie gab einige Tropfen auf die Lippen, wie andere in die Armbeuge. Warum war die Zunge die Dienerin der edlen Körperteile? Ihr Empfindungsvermögen vermochte mehr zum Ausdruck zu bringen als das der Haut. Außerdem war sie das Herzstück des Geschmackssinns und verdiente es darum auch, daß man ihre Dienste in Anspruch nahm. Es dauerte länger als eine Stunde, bis die junge Frau ihre Wahl getroffen hatte. Es waren die bernsteinfarbenen, süßen und warmen Eigenschaften, die ihre Geschmacksknospen reizten, die einem Duftwasser aus »Tränen der Heliade«, »Öl von Cinamé« und »Puder von Seraphis« den Vorzug gaben … was nichts anderes hieß als Amber, Zimt und Sandelholz.

»Beim Großmogul«, so hieß Mademoiselle Bertins berühmtes Geschäft, kaufte der Graf Malvina einen Mantel, einen Redingote aus Kaschmirtuch mit ziselierten Metallknöpfen, und ein leinenes Unterkleid. Ein schwarzer, mit rosafarbenen Bändern verzierter Hut und Schuhe in derselben Farbe, die als Blickfang eine schwarze Rosette trugen, dazu ein leichter Bambusstock mit goldenem Knauf, vervollständigten ihre Gesellschaftskleidung. So gekleidet erschien sie – nachdem man die notwendigen Bewegungen und Posen für ihren Auftritt in der Gesellschaft wiederholt hatte – am Arm des Grafen bei der Herzogin von Balendard.

Sieben Lakaien in safrangelber Livree mit wallenden Spitzenjabots und Spitzenhandkrausen erwarteten sie auf der Freitreppe. Der Gemahl der Herzogin, der rund zehn Jahre zuvor verstorben war, hatte keine Ausgaben gescheut, um ein herrschaftliches Stadthaus von verschwenderischer Pracht zu errichten, das Zeugnis davon ablegen sollte, was sich ein Generalsteuerpächter leisten konnte. Das Anwesen bestand aus einem Haupthaus mit zwei Seitenflügeln, das sich zwischen Hof und Garten erhob: In dem einen Flügel lagen die Privatgemächer der Hausherrin, in dem anderen die Gesellschaftsräume. Stumm vor Bewunderung durchschritt Malvina die Flucht von Salons, bis sie einen großen runden Raum mit zurückhaltenden Goldverzierungen erreichten, der sich in einem zart schimmernden rosafarbenen Ton darbot. In diesem Überfluß an Schönem, Reichem und Erlesenem hatten sich rund dreißig Personen eingefunden und mindestens halb soviel Diener. Noch nie hatte die junge Frau eine vergleichbare Gesellschaft gesehen. Schillernde Farben trafen sich zum Zusammenspiel, trennten sich im Rascheln, in der leichten Berührung der Seiden und gingen voller Bedauern wieder auseinander. Ein Vermögen an Klöppelspitze aus Gimpen bewegte sich bei jeder Geste, setzte schwere und berauschende Düfte frei. In den Juwelen an den Handgelenken brach sich funkelnd das Licht der Kandelaber. Die Herzogin, die von einer Gruppe zur anderen schwirrte, war nicht zu übersehen.

In ihrem Kleid, das in allen Farben des Regenbogens schillerte, war sie trotz ihrer zweiundvierzig Jahre und ihrer üppigen Rundungen noch schön. Von ihrem entblößten Hals und ihren Armen stürzte sich ein Wasserfall von Diamanten und Perlen hinab. Offenbar hatte sie keinen Kunstgriff ausgelassen, um dem Bild einer Frau zu entsprechen, die ihr reifes Alter voller Stolz zur Schau trägt. Mit steifer Würde kam sie auf ihre neuen Gäste zu.

»Graf Jean-Baptiste Dandora de Ghalia, welche Freude, Euch wiederzusehen. Ihr habt Euch seit unseren letzten vergnüglichen Stunden nicht verändert.«

»Die Zeit erschien mir lang, Madame, doch sagen wir, daß meine Beschäftigungen mir die Langeweile erträglicher machten.«

»Es stimmt, daß man sich um Eure Gesellschaft ebenso reißt wie um Eure Heilmittel …«

»Es ist Euch sicher nicht verborgen geblieben, daß ich Euch trotz all der Jahre noch immer verbunden bin … Habt die Güte, als Zeichen Eurer Vergebung dieses Geschenk anzunehmen. Diese Pillen werden Euch eine solche Kraft spenden, daß Ihr sie von nun an nicht mehr missen möchtet«, sagte er leise.

»Eure Aufmerksamkeit rührt mich mehr, als Ihr Euch vorstellen könnt!«

»Wie könnte man Eurem Charme je widerstehen, Madame …«

Dieses Kompliment entzückte die Hausherrin, die als siegesgewohnte Frau dem jungen Schützling des Grafen einen gebieterischen Blick zuwarf.

»Ich habe Euch Malvina Fournier noch nicht vorgestellt«, sagte er, »aber sicherlich habt Ihr schon von ihr gehört, sie ist eine hervorragende Geschmacksexpertin!«

»Bislang genoß ich das Vorrecht, mit Monsieur Grimond de la Reynière eine der boshaftesten Zungen von ganz Paris bei mir begrüßen zu dürfen, und heute abend habe ich also das Vergnügen, eine der sachkundigsten empfangen zu dürfen. Ich fühle mich geehrt, Mademoiselle …«

Sie bedachte sie mit einem flüchtigen Lächeln, auf das Malvina mit einem tiefen Knicks antwortete.

»Doch nehmt Eure Plätze ein, ich werde das Zeichen geben, mit dem Streitgespräch zu beginnen.«

Sie waren als letzte eingetroffen, der Kreis der Geladenen war nun vollständig. Frauen und Männer saßen getrennt. Das war der Wunsch der Herzogin, die es gern sah, wenn Vertreter beider Geschlechter sich zügellose Wortgefechte lieferten. Doch obgleich diese Auseinandersetzung den Anschein eines Zweikampfes hatte, verlief sie nicht nach seinen Regeln, denn alles war so eingerichtet, daß das männliche Lager den Sieg davontrug. Denn letztendlich war der Herzogin von Balendard der Wettstreit mit ihren Geschlechtsgenossinnen unerträglich, und so wählte sie ohne Zögern unter den Kandidatinnen die dümmsten und schwatzhaftesten aus.

Auch wenn Malvinas Anwesenheit sie ein wenig störte – der Graf hatte ihr seinen Schützling aufgedrängt –, beunruhigte die junge Frau sie nicht sonderlich. Sie würde diesen Neuling beobachten, für den Fall, daß er sich als zu brillant erweisen sollte.

Da es bei dieser Sitzung Brauch war, Themen, die das ganze Land beschäftigten, zu debattieren, drehte sich das Gespräch zunächst um den drohenden Krieg zwischen Frankreich und England. Man sprach über die Ankunft des berühmten Doktor Franklin, der den Ministern der Regierung immer häufiger seine Aufwartung machte, dann nahm man zur Entscheidung des Kronrats Stellung, der darauf setzte, daß sich der Gegner in den Auseinandersetzungen mit seinen Kolonien erschöpfen würde.

»Die Engländer glauben noch immer, die Amerikaner beherrschen zu können«, rief die Herzogin. »Welche Einfältigkeit!«

»Aber man darf nicht länger warten«, unterbrach sie der Herzog von Jazamet. »Es ist höchste Zeit, den beleidigenden Hochmut der Engländer zu bestrafen. Die beiden Mächte belauern sich in einem Zustand beunruhigender

Passivität. Unsere Politiker sollten sich lieber ein Beispiel an Euch nehmen und zum Angriff übergehen!«

Und in der Tat trug die Herzogin eine Frisur zu Ehren der »Aufständischen« in Nordamerika, ein Meisterwerk von vier Fuß Höhe, auf dem England sich als Schlange wand.

»Wie Ihr wißt, ist es nicht meine Art, mit meinen Ansichten hinter dem Berg zu halten«, entgegnete die Herzogin mit einem koketten Augenaufschlag.

»Aber Eure Ansichten kleiden Euch ganz ausgezeichnet, Madame!«

Für einen Moment herrschte Schweigen, dann wurde das Gespräch wieder aufgenommen.

Malvina lauschte aufmerksam. Von Politik verstand sie nichts. Sie hätte sich mit der Rolle der Beobachterin begnügt, hätte ihr der Graf nicht kurz vor ihrer Ankunft eine Lektion erteilt, die sie jetzt in Angst versetzte: »Wer schweigt, ist ein Dummkopf, und ein Dummkopf ist ein Nichts, vergiß das nie!« Wie ein Kehrreim ging ihr dieser Satz im Kopf herum. Und die Minuten verstrichen, ohne daß sie einen Weg gefunden hätte, das Wort zu ergreifen. Wie war das zu bewerkstelligen? Welches Thema sollte sie zur Sprache bringen? Dandora, dem die angespannte Blässe seines Schützlings aufgefallen war, versuchte eilig, sie mit einem unauffälligen Handzeichen zu beruhigen. Häufig konnte man während einer derartigen Schau grausamen Tötungen beiwohnen. Ein falsches Wort, eine unpassende Haltung reichten aus, um ihren Urheber lächerlich zu machen, eine nicht wiedergutzumachende Beleidigung, von der er sich nicht mehr erholen konnte. Also mußte man Geduld beweisen. Strategie und Geschick mußten sich vereinen, wollte man die Eintrittskarte für diesen Kreis gewinnen.

Schließlich gab die Herzogin von Balendard selbst das Zei-

chen. Zum zweitenmal hatte sie die Augen gen Himmel verdreht. Ununterbrochene Beredsamkeit langweilt …
Der Apotheker hatte sie beobachtet und nutzte die Gelegenheit, um den Auftritt seiner jungen Freundin vorzubereiten:

»Das sind wirklich schwerverdauliche Themen. Die Neuigkeiten treiben uns in den Trübsinn, und solche Reden sind dazu angetan, seine Gefräßigkeit zu schüren! Möchtet Ihr nicht lieber leichtere und süßere Gespräche genießen?«

»Süße?« wiederholte die Hausherrin. »Aber da begeben wir uns auf das Feld der Sünde!«

»Der Todsünde, wie Ihr wißt!«

»Schluß mit der Geheimniskrämerei, sprecht, wir verzehren uns vor Neugier.«

»Verzehren ist das richtige Wort«, erklärte er, »denn eben um den Geschmack geht es …«

»Ich sehe, worauf Ihr hinauswollt«, rief die Herzogin, und ihr Blick wandte sich Malvina zu.

Die Würfel waren gefallen.

Die junge Frau erhob sich, trat in die Mitte und versank erneut in einem tiefen Knicks.

»Es ist mir eine Ehre, Madame!«

»Genug der Höflichkeiten, wir hören Euch zu, Mademoiselle.«

Ehe sie begann, lächelte Malvina einem jeden zu:

»Der Mund ist mein bevorzugter Gegenstand. Ich schlage Euch also vor, sofern es Eure Zustimmung findet, daß wir uns über sein Geheimnis, seine Macht und seine Magie unterhalten …«

»Der Mund hat kaum Überraschungen zu bieten«, unterbrach sie die Herzogin.

»Alle Welt weiß«, warf der Graf Boisrenard ein, »daß die Frauen die Männer weder über den Kopf noch über das

Herz für sich einnehmen, sondern mit ihren Fähigkeiten, unseren Magen zu betören.«

Der Mann lachte über seinen gelungenen Scherz, ehe er eine lange Nadel, an deren Ende ein winziger Finger saß, in seine Perücke bohrte. Mit weißer, roter und schwarzer Farbe aufgeputzt wie ein Harlekin, wirkte sein Gesicht so starr, daß man befürchten mußte, es könne jeden Augenblick wie Gips auseinanderbrechen.

»Ihr denkt sicherlich an Madame de Maintenon«, fuhr Malvina fort. »Ihr ist es dank den berühmten Enten des Père Douillet gelungen, die Gunst Ludwigs des Sechzehnten zu erlangen. Ihr müßt zugeben, daß das eine Macht ist, die nur wenige Menschen über einen König haben!«

Sie sprach mit einem Ernst und meisterlicher Würde, als gelte es, wichtige theologische Fragen zu erörtern.

»Wir sind nicht der Rede wert, meine Herren, aber wie angenehm ist es doch, sich von einer Frau zähmen zu lassen«, fügte Graf Dandora hinzu.

Diese Bemerkung belustigte die Gäste, die nun einer nach dem anderen stolz ihre Erfahrungen beisteuerten. Dann kam, ohne daß Malvina hätte eingreifen müssen, das Gespräch wieder auf den Mund.

»Drückt der Mund wirklich das aus, was Herz und Geist empfinden?« fragte Herzog von Jazamet.

»Er enthüllt, sowohl im entspannten Zustand als auch in seiner unendlichen Vielfalt an Bewegungen, die verschiedensten Seiten des Wesens. Habt Ihr nie daran gedacht, wenn Ihr jemandem begegnet, den Blick eher auf seinem Mund als auf seinen Augen verweilen zu lassen?«

Die Gäste musterten einander belustigt. Unter den Anwesenden gab es genießerische, aber zu stark geschminkte Münder, solche mit Schneckenlippen, andere, die sinnlich und rot wie eine Frucht waren, Münder, die an das gierige

Maul eines Tieres erinnerten, und auch verkniffene, die alles über den Menschen aussagten …

Die Herzogin von Balendard sprach von den lustvollen Mündern, die so viele, ja alle Gefühle ausdrückten, der Graf zog den Mund vor, der dazu genutzt wurde, Wissen zu vermitteln.

Malvina stand in der Mitte des Raums und jubilierte innerlich, denn dank der Worte und ihrer Kraft vermochte ihr Mund zu fesseln, die Aufmerksamkeit zu wecken, zu leiten. Wie die der Pythia, verkündeten auch ihre Lippen das Orakel. »Eine volle Oberlippe deutet auf Güte hin, eine leicht vorstehende Unterlippe auf Biederkeit. Aber wenn sie zu schmal ist, verweist sie auf Geiz, Härte und ein niederträchtiges Wesen …« Nun verlangte ein jeder, daß die junge Frau seinen Mund genauer betrachtete. Über eine Stunde lang ging sie zwischen den Reihen hin und her. Ohne ihrem Gegenüber zu schmeicheln, hob sie auf jedem Gesicht das Beste, die Licht- und nicht die Schattenseiten hervor. Zum Abschluß flüsterte sie einem jeden eine vertrauliche Erkenntnis zu, die sich auf das Wesen und nicht auf die Äußerlichkeiten bezog.

Die Anmaßung und Originalität, mit welcher Malvina über den Mund sprach, wie sie jedem, ohne Boshaftigkeiten von sich zu geben, seine Wahrheit sagte, bezauberte die Anwesenden. In allzu vielen Salons kam es zu Auseinandersetzungen von furchtbarer Härte. Und so hatte die Herzogin von Balendard, als sie den Grafen und seinen Schützling zu ihrem Wagen begleitete, nur ein Wort: »Wundervoll! Ganz einfach wundervoll.« Sie hatte es eilig, die beiden wieder einzuladen. Und zwar so bald wie möglich.

Der Erfolg ihres ersten Auftritts schenkte Malvina neues Selbstvertrauen. Ihre Zurückhaltung und Schweigsamkeit fielen von ihr ab, sobald sie sich in Gesellschaft befand, sie war unbeschwert und gesprächig. Sie war bald bei Madame de Genlis ebenso gefragt wie bei der Fürstin Chimay … Madame Hélvetius, der die Natürlichkeit und Spontaneität gefiel, die sie im Gespräch an den Tag legte, stellte Malvina Bergasse und Chamfort vor. Ob man über Literatur, Musik oder Philosophie sprach, nichts vermochte sie aus dem Gleichgewicht zu bringen. Sie spielte mit Ideen und Worten, streifte die heikelsten Themen. Wußte sie zu einem Gegenstand nichts zu sagen? Nun, dann hörte sie zu und lernte. Sie besaß die Fähigkeit, den Geist der anderen zu erspüren und sich von ihm zu nähren. Kam das Gespräch auf die Kunst des Geschmacks, so waren ihre Ausführungen nie zu anspruchsvoll für ihre Zuhörer. Das Maß, die Sicherheit erlaubten ihr, eine wirkliche Verbundenheit mit ihrem Gegenüber herzustellen. Wenn zum Beispiel eifersüchtige Ehefrauen sie mit ihren bitteren Bemerkungen zu verletzen versuchten – »Sicherlich hat sie irgendein Elixier benutzt, um den armen Dandora de Ghalia zu betören« –, lächelte Malvina und versprach, ihnen gleich am nächsten Tag ein äußerst wirksames Aphrodisiakum zukommen zu lassen. Wie versessen würden sie auf die Mumientinktur sein, die den Leib entflammte; auf den getrockneten Hirsch, der, mit Wein vermischt, das Verlangen weckte; oder auf Dachs, der, mit Honig genossen, die Empfängnis unterstützte …

War es der Liebeszauber oder, was wahrscheinlicher schien, die Macht ihrer Weiblichkeit? Auf jeden Fall hatte sich innerhalb weniger Monate ein Kreis von Verehrern um Malvina geschart. Da sie nichts für Halbheiten übrig hatte, ließen ihre Reize mit einem Schlag mehr Verwundete zurück als alle Angriffe der Engländer. Namen folgten auf Namen, reihten sich zu einer eindrucksvollen

Galerie aneinander. Der Komödiant Vincent Bailly fiel als erster. Als Mitglied des Théâtre Français setzte er sich bei den Abendessen gern in Pose und erprobte sowohl seine schauspielerischen Fähigkeiten als auch seine Verführungskünste. Auf einer Abendgesellschaft, die einer der Freunde des Grafen gab, geschah es, daß er Figaro deklamierend seine Leidenschaft für die junge Frau öffentlich bekannte: »Meine Blicke sagen Euch seit Eurer Ankunft, was ich für Euch empfinde, doch da Ihr, Madame, auf meine Avancen antworten sollt, muß ich mich Euch offenbaren und Euch versichern, daß Ihr, wie auch immer Eure Haltung sein mag, meiner Liebe ein Leben lang sicher sein könnt.« Wenn sie dieser glühenden Erklärung auch nur wenig Bedeutung beimaß, war sie doch – und sei es auch nur, um ihre eigene Wirkung zu überprüfen – bereit, sich von diesem beharrlichen Schmeichler den Hof machen zu lassen.

Kaum hatte sie Armand de Lavaille kennengelernt, folgte dieser auch schon auf den ersten oder vielleicht gar zur selben Zeit, denn es war üblich, daß mehrere Galane ein und derselben Beute nachstellten und daß, sofern man sie zur Strecke brachte, jeder seinen Anteil bekam. Dieser betörte Malvina mit dem Spiel der – wahren oder vorgetäuschten – Leidenschaft. Glühende Liebeserklärungen, Gefühlsaufwallungen, Verzückung … Nichts fehlte. All das wurde so beredt vorgebracht, daß die Herausforderung interessant wurde. Die junge Frau war stolz darauf, daß ein Aristokrat um sie warb, um dessen Gunst sich die Damen der Gesellschaft rissen. Sie widmete ihm ihre freien Stunden. Sie verbrachten einige Abende in den Tuilerien, aber nur bis zu dem Tag, als Mademoiselle de la Mayelle verkündete, es sei nicht eben schicklich, daß ihr Verlobter sich in Abenteuer verstricke, die ihre Ehre angriffen.

Da eine körperliche Liebesbeziehung im eigentlichen Sinne für Malvina nur eine primitive Rückentwicklung bedeutete, bemühte sie sich nun, ein Opfer zu finden, das nichts anderes verlangte als Freundschaft. Graf Peyssac, der schon im fortgeschrittenen Alter und verheiratet war, konnte ihr nur das geben, was sie suchte, das heißt wenig, so konnte sie ihre Freiheit behalten. Ihre Beziehung bestand in einer regelmäßigen Korrespondenz. Da der Graf sich für einen Poeten hielt, schrieb er ihr seitenlange Briefe über Liebe, Freundschaft und Glauben. *Das Leben wäre nicht mehr als lebenswert zu bezeichnen, meine Holde, würdet Ihr aufhören, an jene Werte zu glauben, um die es sich bis zum Tod mit aller Kraft zu kämpfen ziemt.* Seine Briefe rührten sie unendlich. Eine aufrichtige Zuneigung verband sie mit diesem Mann, dessen Bildung und Wohlwollen sie schätzte. Graf Peyssac hatte ein Brustleiden. Er verstarb Anfang Mai 1777 und ließ die junge Frau in tiefer Verzweiflung zurück.

Der Eroberungen, die darauf folgten, war Malvina rasch überdrüssig. Auf eine jede folgte Langeweile, und immer ging dem Bruch eine Verachtung voraus, die sie an den Tag legte, sobald sie ihre Freiheit bedroht sah. Die anfängliche Erregung war durch Schwermut ersetzt. Sie verließ ihr Laboratorium nur noch, um in die Apotheke zu gehen. Die Einladungen zu Abendgesellschaften, die ihr überbracht wurden, ließ sie zurückschicken. Das sprach sich unter den Herren herum. Ihre Liebe, ihre Angebetete mit dem strahlenden Lächeln und der bissigen Schlagfertigkeit, hatte keine Freunde mehr. Sie lebte zurückgezogen. Und ihre Tür blieb allen Bitten verschlossen.

Alcibiade, der sich besser als sonst jemand auf die Wissenschaft des Herzens verstand, hatte begriffen, welche Verwirrung seine Freundin durchlebte. Während ihres vorherigen

Treibens hatte er sich von ihr ferngehalten. Wohl hatte er versucht, sie vor den anderen und vor sich selbst zu schützen, aber vergeblich. Ohnmächtig hatte er mit ansehen müssen, wie sie sich mit Männern umgab, denen sie keinerlei Liebe entgegenbrachte. Er war weiterhin davon überzeugt, daß ihr die Liebe fremd war. Seine Vermutung bestätigte sich, als die junge Frau schließlich dazu bereit war, sich ihm anzuvertrauen:

»Ich habe dich in letzter Zeit sehr vernachlässigt«, sagte sie.

»Ich weiß es, und ich bitte dich deswegen um Verzeihung ...«

»Wir sehen uns nicht einmal mehr beim Abendessen ... Versuchst du vielleicht, mir aus dem Weg zu gehen?«

»Ich mußte mich von dir fernhalten.«

»War es nötig, dazu unsere Beziehung zu zerstören? Ohne die leiseste Erklärung, ohne die geringste Umsicht ...?«

»Verachtest du mich jetzt?«

»Ich will dir die Gefühle, die du in mir weckst, nicht verschweigen: Liebe, Haß, Achtung, Verachtung ... Doch das ist unbedeutend!«

»Ich hatte nicht die Absicht, dich zu kränken«, wiederholte sie. »Ich glaubte, dich zu schonen, indem ich mich von dir abwendete.«

»Bist du wenigstens glücklich?«

Malvina schwieg. Sie hatte mit allen möglichen Antworten ihres Gefährten gerechnet – außer mit dieser einfachen, direkten Frage.

»Diese Eroberungen, mit denen du deine Zeit vertan hast ...«

»Du bist nur eifersüchtig!«

»Auf das Nichts kann man nicht eifersüchtig sein«, rief er lachend.

»Wie meinst du das?«

»Das weißt du besser als ich. Nur das Unerreichbare zieht dich an ... Der Sohn des Meisters hat dich in seinen Bann gezogen. Man hat mir zugetragen, daß du in ganz Paris herauszufinden suchst, wo er sich aufhält.«

Malvinas Gesicht verschloß sich. Alcibiade hatte sie getroffen.

»Der Wille kann die Liebe nicht ersetzen«, fuhr er fort. »Man beschließt nicht einfach, geliebt zu werden, vor allem nicht von jemandem, den man nie zuvor gesehen hat!«

»Er wird mich lieben, er wird mich lieben, du wirst es sehen! Ich fühle mich zu ihm hingezogen, ohne daß ich mir erklären könnte, warum!«

»Ist es der Vater oder der Sohn, der dich interessiert?« gab er angriffslustig zurück. »Und von welcher Liebe sprichst du überhaupt? Von der, die man sich erträumt, ohne sie je zu erleben? Du zweifelst viel zu sehr an dir selbst, als daß du dich in Wirklichkeit vorwagen würdest ... Du zweifelst ...«

»... daß man mich lieben könnte? Ich weiß es.«

»Vergiß die Absicht, Matthieu zu erobern.«

»Ich finde es recht anmaßend, mit einer solchen Sicherheit zu urteilen.«

»Du bist geheimnisvoll, bezaubernd, ungewöhnlich ... Du wirst ihn mit Eigenschaften anziehen, die er dir später als Fehler vorwerfen wird.«

Früher hätte Malvina ihm voller Bewunderung zugehört, denn als er ihr damals die Liebe beschrieb, hatte er ihr neue Kraft gegeben, aber jetzt empörte sie die Moralpredigt ihres Gefährten. Er verschwendete so viele Worte, wo doch ein einziges genügt hätte, um alles zu sagen.

»Ich muß ihn treffen«, beharrte sie.

»Wenn es mir gelingt, dir zu beweisen, daß du den falschen Weg einschlägst, bist du dann bereit, diesen Wahnsinn aufzugeben?«

»Wie könntest du das?«

»Stella wird es dir sagen.«

»Stella? Ich glaube nicht, daß ich sie kenne!«

»Diese Frau hat den Schlüssel zu den Träumen.«

»Lebt sie in Paris?« fragte Malvina neugierig. »Ich habe
Geld, ich werde bezahlen, was sie verlangt … Wann gehen
wir zu ihr?«

Alcibiade war nicht ganz von seinem Einfall überzeugt,
hielt aber dennoch Wort.

Am nächsten Tag nahmen sie bei Einbruch der Dunkelheit
eine Pferdekutsche, die sie zum Faubourg Saint-Antoine
brachte.

Die ganze Fahrt über hielt Malvina das Gesicht zum Fenster gewandt und sprach kein Wort. Selbst angesichts der
Aufregung, die dieser Besuch sicherlich bei ihr hervorrief,
verriet ihr Blick keine Gefühlsregung. Nicht die leiseste
Ungeduld, nicht die geringste Unruhe. Nur das blaue
Tuch in ihrem Schoß, das sie fest an sich drückte, verriet
ihren inneren Aufruhr. Die weißen Fingerknöchel bildeten einen krassen Gegensatz zu ihrem ausdruckslosen Gesicht.

Sie erreichten eine Sackgasse, die zu Recht den Namen
Basse-du-Rempart trug, denn sie lag niedriger als der Fahr-
damm der Straße und bildete eine schlecht beleuchtete
Aushöhlung. In diese Art von Kloake, wo es keine Straßen-
laternen gab – und wo, so behauptete man, der Teufel zu
Hause war –, bogen Alcibiade und Malvina vorsichtig ein.
Die fensterlosen Häuser ragten dunkel in die Nacht. Das
Haus, vor dem sie anhielten, war äußerst baufällig. Der Sal-
peter hatte die von Moos zerfressenen Mauern überzogen,
der Verputz war größtenteils abgefallen und lag am Boden.
Auf dem vom durchsickernden Wasser abgeblätterten
Kranzgesims erahnte man runde und spitze Formen. Mal-
vina ballte die Fäuste, mußte sich beherrschen, um nicht

zurückzuweichen, als sich ein Guckloch im Halbdunkel öffnete.

»Wer da?« fragte eine Stimme.

»Alcibiade ... Ich bin in Begleitung.«

Der Riegel wurde zurückgeschoben, und ein schwarzhaariger, bleicher Mann musterte die Besucher, um ihnen zu sagen, daß er seine Mutter fragen müsse, ob sie sie empfangen könne. Die Tür schloß sich wieder. Der Zwerg machte seiner Freundin ein Zeichen, sich nicht zu beunruhigen. Es galt eine Zeremonie einzuhalten, unterwarf man sich ihr nicht, konnte dies das ganze Vorhaben gefährden. Schließlich öffnete sich die Tür weit. Eine dicke, schwarzgekleidete Frau mit einem Turban empfing sie.

»Bei allen Heiligen«, rief sie vorwurfsvoll. »Seit wieviel Jahren habe ich dich nicht mehr gesehen? Ich glaubte dich tot, dachte, die Natur hätte dich besiegt.«

Alcibiade erging sich in einer Flut von Entschuldigungen.

»Verzeiht mir, ich habe keine Zeit gefunden, Euch einen Besuch abzustatten.«

»Willst du bis zu meiner Todesstunde warten, um dein Versprechen einzulösen?«

»Aber nein! Ihr wißt genau, liebe Stella, wie sehr ich Euch verbunden bin.«

Die alte Frau sah ihn zweifelnd an. All ihre Beschwörungen, all ihre Arzneitränke hatten es nicht vermocht, dem kleinwüchsigen Mann zur Größe eines Erwachsenen zu verhelfen. Sicherlich warf er ihr das noch immer vor.

»Ich bin mit einer Freundin gekommen«, erklärte Alcibiade, noch ehe sie ihm Fragen stellen konnte.

»Eine schöne Frau! Zu schön, um die Männer nicht um den Verstand zu bringen«, erwiderte sie. »Es geht um die Liebe, nicht wahr?«

Malvina richtete den Blick auf ihre Schuhspitzen.

»Ich verstehe … Folgt mir, wir wollen die Geister befragen.«

Sie betraten einen kleinen Raum, fast eine Kammer, in dem ein kleiner runder Tisch und zwei Stühle standen. Der Kamin verströmte einen so starken Geruch nach Fett und verbrannten Wurzeln, daß die junge Frau sich von ihm fernhielt. Man forderte sie auf, abzulegen und sich zu setzen. Der Mann, der die Tür geöffnet hatte, brachte ein Blatt Papier, Feder und Tinte. Auf dem mit einem malvenfarbenen Samttuch bedeckten Tisch standen schon eine Kerze und ein mit Wasser gefülltes Gefäß. Malvina wagte weder zu sprechen noch sich zu rühren. Diese Gegenstände und die Atmosphäre beeindruckten sie.

»Du bist ein wenig aufgeregt, nicht wahr, aber das ist normal! Fürchte dich nicht, entspanne dich … Atme, ja, so … Möchtest du, daß ich dich in Schlaf versetze oder willst du lieber wach bleiben?«

»Mich in Schlaf versetzen?«

»Einige Bewegungen reichen aus, und du fällst in einen tiefen Schlaf … Dabei geschieht dir nichts.«

»Das möchte ich nicht. Sagt mir lieber, was Ihr seht.«

Die Wahrsagerin räusperte sich und begann:

»›Die Gleichungen des Glücks‹ werden uns enthüllen, wer du bist. Sag mir deinen Vor- und Nachnamen.«

»Malvina Fournier.«

Stella nahm das Blatt und zeichnete mit einer einzigen Bewegung sechzehn ungleiche Linien von Punkten darauf.

»Malvina Fournier«, wiederholte sie.

»M.A.L.V.I.N.A.F.O.U.R.N.I.E.R.« Dann ordnete sie diese Linien in Vierergruppen, indem sie von der rechten Seite ausgehend vier Punkte abteilte, »die Mütter«, wie sie erklärte. Mit einer so schnellen Bewegung, daß Malvina sie unmöglich nachvollziehen konnte, stellte sie etwa ein Dutzend Figuren derselben Art zusammen, die sie als »die Töchter«, »die Nichten«, »die Zeugen« und »den Richter« bezeichnete. »Die Form der Figuren bestimmt über die gute oder die schlechte Bedeutung des Ganzen. Hier, diese fünf Punkte in Y-Form symbolisieren den Kopf des Drachen. Dort sehe ich das Unbeständige, das heißt, daß du verliebt bist ... Stimmt das?«

»Sprecht, ich bitte Euch, sprecht!«

»Ich sehe eine andere Person, die sich vor dich schiebt ... eine Frau, die deinen Vornamen trägt und die dir wie eine Schwester gleicht ...«

Stella zündete die Kerze an und reichte sie Malvina.

»Schau in die Flamme!« befahl sie. »Was siehst du?«

»Nichts.«

»Sieh noch einmal hin, dann schließ die Augen.«

»Farbige Blitze, ich sehe leuchtende Formen ... Flüchtig und heftig ...«

»Kein Gesicht?«

»Nein.«

»Halt nun die Kerze über das Gefäß.«

Einige Wachstropfen fielen ins Wasser, das Schauspiel der milchigen Flüssigkeit, die sich verfestigte, verhieß neue Enthüllungen:

»Das Ereignis, das du erwartest, wird eintreten ...«

Malvina dachte an ihr Zusammentreffen mit Matthieu de Ghalia. Sie lächelte.

»Er wird in Paris sein«, fuhr Stella fort. »Im Oktober dieses Jahres ...«

»Wird das Schicksal uns vereinen?«

Die alte Frau sah Malvina aus ihren von der Anspannung geröteten Augen an. Dann fuhr sie fort:

»Sieh, dort sind drei ringförmige Tropfen ... Du wirst ihn während eines Abendessens treffen ...«

»Wird er mich lieben?« fragte Malvina mit erstickter Stimme.

Stella neigte die Kerze wieder über das Wasser. Diesmal zischten die Tropfen auf der Oberfläche und sanken dann bleischwer auf den Grund, wobei sie eine hochrote Färbung annahmen.

»Das ist der Tod! … Ich sehe einen gewaltsamen Tod …«
Sie stieß das Gefäß zurück.

»Ich kann nicht weitermachen. Das ist genug!«

Ihr Sohn, der sich ein wenig abseits gehalten hatte, lief herbei. Er blies die Kerze aus, beugte sich über das Gefäß und erbleichte ebenfalls.

»Es ist vorbei«, sagte er. »Geht jetzt …«

»Aber erklärt mir doch … Sagt es mir …«

»Der Tod!« gab er zurück. »Habt Ihr nicht verstanden: Ihr tragt das Zeichen des Todes.«

Malvina preßte die Hand vor den Mund. Es gab keinen Zweifel, diese alte Irre hatte aufgrund irgendeiner übernatürlichen Macht ihre wahre Abstammung erfahren.

»Ihr seid wahnsinnig …«, rief sie, »Ihr könnt es nicht wissen!«

»Geht, Mademoiselle, geht …«

»In dir brennt das Feuer, mein Kind …«, murmelte Stella.

»Es wird nicht lange dauern … Nicht lange, bis die andere Frau Euch nimmt, dich und ihn …«

Malvina ergriff ihren Umhang und verließ den Raum. Im anderen Zimmer wartete Alcibiade auf sie. Er hatte keine Zeit, sich zu verabschieden, denn schon befanden sie sich auf der Straße.

»Was hat sie dir prophezeit?« fragte er.

Sie wandte sich zu ihm um, schien nicht zu verstehen, was er sagte.

»Du bist bleich … Fühlst du dich nicht wohl?«

»Ich verabscheue dich«, sagte sie.

Alcibiade betrachtete sie beunruhigt. Stella sollte sie nur warnen. Nur eine Warnung, nicht mehr. Nie war es darum gegangen, sie zu erschrecken. Er zögerte kurz, ob er nicht zurückgehen sollte, doch Malvina war schon in die Kutsche gestiegen. Sie drückte sich mit starrem Blick in eine Ecke, die Knie hatte sie ans Kinn gezogen. Es war unmöglich, ihre Empfindungen zu erraten, die ungeheure Leere, die sie erfüllte. Eine eisige Kälte ließ sie erzittern, während in ihrem Innern ein glühendes Feuer loderte. Markerschütternde, schrille Schreie hallten in ihrem Kopf wider, schrien ihre Vergangenheit heraus. Nur die Verdammten starben immer wieder und blieben dennoch lebendig. Wie sie verzehrte Malvina sich in einem nicht enden wollenden Todeskampf.

Mit einer langsamen Bewegung führte sie die Hand zur Brust. Ihre Finger suchten das dumpfe Klopfen ihres Herzens zu erspüren. Regelmäßige Schläge … Das Leben pulsierte. Das brachte die junge Frau zum Weinen. Ihr Mund verzog sich in schmerzlichen Krämpfen, in ihren Augen schimmerten Tränen. Da Alcibiade nicht wußte, wie er ihr helfen sollte, zog er das blaue Tuch aus der Tasche, das sie bei ihrem überstürzten Aufbruch hatte fallen lassen. Er reichte es ihr und bat sie um Verzeihung. Sie biß sich mit ihren weißen Zähnen auf die Unterlippe und sah ihn an.

»Ich trage das Zeichen des Todes«, gestand sie schließlich flüsternd.

»Was erzählst du da! Aber wer hat dir denn einen solchen Unsinn in den Kopf gesetzt?«

»Das kannst du nicht verstehen. Dein Herz ist rein …«

»Du willst sagen, ich sei lieb?« stieß er verärgert hervor.

»Ich bin lieb wie die Schwachen und die Dummen … Glaubst du, daß das Liebsein die Tugend derer ist, die weder weitblickend noch zynisch sind?«

»Ich kann und will es dir nicht erklären.«

Dann fügte sie in einem Ton, der bestimmt klingen sollte, hinzu:

»Laß hier anhalten, ich steige aus.«

»Ich kann dich in diesem Zustand nicht allein lassen!«

»Mach dir keine Sorgen, ich muß nur etwas laufen.«

Alcibiade überlegte. Sie waren nur wenige Straßen von der Rue Saint-Honoré entfernt. Also befahl er dem Kutscher anzuhalten.

Malvina stieg aus, sie wußte, wohin sie ihr Schritt führen würde. Seit ihre Mutter unter den Toten war, seit sie selbst in ihrem Laboratorium mit dem Tod in Berührung kam, fühlte sie sich von Friedhöfen angezogen. Es beruhigte sie, zwischen den Gräbern umherzugehen. Plötzlich blieb sie vor einer der letzten Ruhestätten stehen, die bereit schien, ihren Körper aufzunehmen. Sie streckte sich auf ihr aus, das Gesicht auf den Boden gepreßt, die Arme seitlich ausgestreckt. Angezogen von einer anderen, mit Gerüchen, Essenzen und Dämpfen erfüllten Welt, schloß sie die Augen, überließ sich dieser Unendlichkeit, die sie rief. Sie spürte, wie ihr Fleisch sich auflöste, ihre Glieder zerfielen. Schon verschmolz sie mit den Geschöpfen des Schattens, die die wahren Herren über die Welt sind. »Nehmt mich«, schrie sie ihnen entgegen. »Nehmt mich mit, ehe ich nicht wiedergutzumachendes Unheil anrichte.« Mit gebeugtem Oberkörper und schweren, mechanischen Schritten tauchten sie aus dem Nichts auf. Einige waren nur noch ein weißes, fleischloses Skelett aus ausgehöhlten Knochen, die von Muskelfetzen zusammengehalten wurden, andere hatten noch nicht das Stadium der Verwesung erreicht. Zu Hunderten und Tausenden umschlichen sie sie. Doch keiner wollte der jungen Frau das Leben nehmen. Sie weinte, ihr Körper wurde von heftigem Schluchzen geschüttelt. Die bittere Erinnerung an eine unglückliche Kindheit, der Kummer eines verlassenen Herzens, alles nährte ihren Schmerz. Sie hatte nicht begriffen, daß der Tod sich ihr verweigerte, weil sie noch nicht zwischen Gut und Böse gewählt hatte.

9

MALVINA WURDE KRANK. Sie sprach auf keine Behandlung an, all ihre Sinne schienen geschwunden zu sein. Niemand konnte sich erklären, wie es dazu gekommen war oder noch was diesen Zustand der Abwesenheit plötzlich ausgelöst hatte. Sie war ohne vorherige Anzeichen aus heiterem Himmel zusammengebrochen und hatte sich seitdem hinter einer Mauer absoluten Schweigens und völliger Unbeteiligtheit verschanzt.

»Du mußt unsere Arzneien einnehmen«, ordnete der Apotheker an. »Trink wenigstens etwas Schlüsselblumentee.«

Sie schob die Tasse beiseite, die er ihr reichte.

»Alcibiade kann dich im Laboratorium nicht ersetzen … Die Kundschaft verlangt nach unseren ›Gesundheitspastillen‹. Und allmählich gehen unsere Vorräte zur Neige!«

Die junge Frau schlug die Augen nieder. Wie konnte er in diesem Augenblick nur an sich denken, während der verfluchte Teil ihres Selbst, der sich in den Winkeln ihrer Seele versteckt hielt, während dieser andere Teil sie quälte? Mit jedem Atemzug hatte sie das Gefühl, allmählich die Kontrolle über sich selbst zu verlieren. Ersticken, sich auflehnen, sie wußte nicht mehr, was sie tun sollte. All diese widersprüchlichen Energien machten sie wahnsinnig. Also begann sie zu phantasieren, sagte immer wieder, der Tod müsse sie holen. Hindere man ihn, würde ein großes Unglück geschehen.

Jede Nacht wachte Alcibiade an ihrem Bett und versuchte, sie zu beruhigen. Noch nie hatte er erlebt, daß eine Krankheit einen Menschen derart verwirrte. Mehr als ihr Körper schien jedoch der Geist betroffen zu sein. Sie hatte Alpträume im Wachzustand. In ihren aschgrauen Augen flackerte hin und wieder ein Lebensfunke auf; ihr Mund formte heftige Worte, die ein tiefverwurzeltes Leid hinausschrien. Sie sah Kreaturen, die sie verhöhnten, sie spürte, wie ihre verflüssigten Stimmen in ihre leeren Gedanken sickerten. Der ganze Raum hallte von Rufen wider, die an Vogelgetschilpe erinnerten. Überall saßen diese »Höllenvögel«, auf den Bettpfosten, der Fensterbank … Der bucklige, kleine Mann redete beruhigend auf sie ein, war aber sehr besorgt. Die Begegnung mit Stella konnte nicht der Grund für einen solchen Anfall von Wahnsinn sein. Er machte sich Vorwürfe, daß er, der so verliebt und weichherzig war, nicht erkannt hatte, wie zerbrechlich seine Freundin eigentlich war. Es war, als hätte er jemanden in die Tiefe gestoßen, der schon am Abgrund stand.

Alcibiade vermutete – was seine Gewissensbisse nicht verringerte –, daß seinen Meister ähnliche Schuldgefühle plagten wie ihn selbst. Und da hatte er recht.

Denn je mehr Zeit Dandora an Malvinas Krankenbett verbrachte, desto mehr wurde ihm bewußt, daß er in ihr lediglich die gewissenhafte und begabte Schülerin, die verführerische und aufregende Frau gesehen hatte. Die Selbstsicherheit seines Schützlings, die Willenskraft hatten ihn derart fasziniert, daß er ihre Schwachheit nicht wahrgenommen hatte, sich von der Blässe ihres Gesichts nicht hatte rühren lassen, in dem sich die Äderchen wie kleine Risse unter der Haut abzeichneten.

Er ergriff Malvinas Hände und hob sie an seine Lippen. Er streichelte sie, rieb sie sanft, so daß sich seine Körperwärme auf die Kranke übertrug. Sie mußte ihm vergeben, durfte ihn nicht verlassen. Er würde die Aufgaben, die sie so sehr belasteten, einschränken, ja er schwor sogar, einen neuen Lehrling einzustellen, der das Präparieren der Leichen übernehmen sollte. Während er sprach, hatte die junge

Frau die Augen geöffnet. Sie hatte diese Anstrengung auf sich genommen, um zu sehen, zu welchen Veränderungen ein Mensch fähig war.

»Ich werde die besten Spezialisten kommen lassen«, versicherte er. »Mesmer, wenn es nötig ist!«

Am nächsten Tag erschienen mehrere Ärzte und horchten Malvina ab, ohne jedoch auch nur das geringste Anzeichen für eine ihnen bekannte Krankheit zu entdecken. Sie ließen sie zur Ader und kamen schließlich zu dem Schluß, daß es sich wohl um einen rätselhaften Lebensüberdruß handeln müsse. Ihr Atem ging regelmäßig, ihre Organe waren unversehrt. Die Schwächung ihres Körpers, sofern man davon sprechen konnte, war nicht auf eine Störung in der »Mechanik« zurückzuführen, sondern sicherlich eher im Bereich des Bewußtseins, das heißt der Seele, zu finden. Auf jeden Fall handelte es sich um Qualen, die die Wissenschaft nur schwer zu deuten wußte, da sie ihren Ursprung nicht aufzudecken vermochte. Ein fortschreitender Verfall versetzte die junge Frau in einen jeden Tag länger währenden Zustand der Abwesenheit, eine Art Koma. Die Zeit verstrich, ohne daß sie wieder in den vollen Besitz ihres Verstandes gelangte. Die Lage blieb bis Anfang Oktober unverändert, bis zu dem Tag, an dem Graf Dandora ihr vorschlug, sie an Kindes Statt anzunehmen.

»Was dir fehlt, ist Liebe, mein Kind, nimm meinen Vorschlag an. Meine Nachkommenschaft ist gesichert; zwischen uns geht es nur um Gefühl.«

Malvina hörte zu, ihr Atem ging schneller. Das war die Aufregung.

»Ich habe erst recht spät begriffen, daß es ein größeres Glück ist, zu geben anstatt zu nehmen. Nimm diese Hand, die sich dir entgegenstreckt und die nicht mehr von dir verlangt als ein wenig liebevolle Fürsorge.«

Die junge Frau hatte sich aufgerichtet. Mit kaum hörbarer Stimme flüsterte sie:

»Glaubt Ihr wirklich, daß Ihr mich liebt?«

»Ich nehme dich so, wie du bist. Matthieu hat mir seinen Besuch für Ende des Monats angekündigt, wir werden ihm die Neuigkeit gleich bei seiner Rückkehr verkünden.«

»Er wird mich niemals annehmen!«

»Dich nicht annehmen? Er brennt darauf, dich kennenzulernen. In unseren letzten Briefen war sehr häufig von dir die Rede. Er ist glücklich darüber, daß ich wieder für jemanden Zuneigung hege ...«

Malvina hatte auf einmal beruhigt die Augen geschlossen.

»Er wird dich beschützen, auf dich achtgeben wollen; besser, als es ein leiblicher Bruder tun würde, er wird dich lieben!«

»Und wir werden ihm zu Ehren ein Bankett geben?« fragte sie.

Ihr Vorschlag schien sie zu neuem Leben zu erwecken.

»Ich möchte diesen Empfang allein vorbereiten. Alcibiade wird mir gemeinsam mit einem Trupp von Köchen zur Seite stehen. Seid unbesorgt, ich habe schon eine Idee ... Es wird eine Überraschung werden, die selbst Ihr Euch bei all Eurem Einfallsreichtum nicht vorstellen könnt.«

»Gut ... gut«, rief Dandora und strich sich über das Kinn. »Aber bist du dafür nicht viel zu schwach?«

»Ich habe hier auf Erden eine Aufgabe zu erfüllen. Ich muß um jeden Preis lieben, davon hängt mein Überleben ab ...«

Der Graf sah sie durchdringend an. Der Sinn dieses Satzes erschloß sich ihm nicht. Er wollte etwas erwidern, doch in dem Augenblick richtete Malvina sich auf und umarmte ihn. Es war das erste Mal, daß sie sich ganz plötzlich zu einer solch zärtlichen Geste hinreißen ließ. Sie war selbst von ihrem Verhalten überrascht. Der, dem sie zugedacht war, nicht minder, doch zeigte er seine Verwunderung nicht.

Die folgenden Wochen standen ganz im Zeichen der Vorbereitungen für die Abendgesellschaft. Als erstes wurden die Einladungen verschickt. Sie hatten ein recht ungewöhnliches Format – fünfundvierzig auf dreißig Zentimeter – und auf ihnen war in goldenen Lettern der Name des Grafen »Jean-Baptiste Dandora de Ghalia« und darunter »Großes Bankett der Illusionen« zu lesen. Gewißheiten ins Wanken bringen, Traum und Wirklichkeit vermischen: Es empfahl sich, die sorgfältig ausgewählten Gäste so früh wie möglich von einem so ungewöhnlichen Motto in Kenntnis zu setzen. Bei den Griechen hatte es die Trinkgelage, die dionysischen Feste, gegeben, bei den Römern die Bacchanale, die orgiastischen Feste … Malvina wollte eine völlig neue Zerstreuung bieten: die Komödie der Sinne, aller Sinne, ohne Rangordnung oder Auslese.
Die Verzauberung des Auges und des Tastsinns hatte man Jean de Beauvoir, dem Innenausstatter des Fürsten von Condé, anvertraut. Der Graf hatte seine musischen Vorlieben, die eindeutig italienischer Natur waren, zur Auflage gemacht, während Malvina sich die Inszenierung des Essens vorbehielt. Sie hatte die ausgefallene Idee, zwischen jedem einzelnen Gang Tauben aufsteigen zu lassen, die Essenzen verströmten, die eine Vorstellung von dem nächsten Gericht hervorriefen. Um die Sinne besonders stark anzuregen, erwies es sich als unerläßlich, auf zwei Ebenen, auf der Geruchs- und der Geschmacksebene, zu operieren. Veilchen, deren Farbe den Müßiggang verkörperte und deren Duft an mit Kristallzucker getränkten Samt erinnerte, waren wie geschaffen für die weichen und cremigen Zukkerwaren. Für Wild und Geflügel bevorzugte sie schwere,

berauschendere Düfte: die rote Sekretion aus dem drüsigen Beutel des Hirschs, die wachsartige Ausscheidung aus dem Darm des Pottwals und Bibergeil aus den Drüsensäcken des russischen Bibers. Malvina liebte diese Moschusdüfte vor allem, weil man damit sowohl Gott betören als auch den Teufel in den Bann ziehen konnte. Ein kleinster Irrtum bei der Dosierung, und der kräftige Geruch des Zibet verursachte Übelkeit, doch sparsam verwendet, konnte man mit ihm eine Speise in ein sehr wirksames Aphrodisiakum verwandeln.

Dem Geschmackssinn, dem letzten in der Rangfolge der Sinne, gerecht zu werden, erwies sich als der heikelste Part. Am Vorabend des Banketts wußte im übrigen niemand, was in der Küche vorbereitet wurde.

»Wozu diese ganze Geheimniskrämerei?« erkundigte sich Dandora, dem es gelungen war, in die verbotene Zone vorzudringen. »Schon seit einer Woche herrscht in meinem Haus ein unbeschreibliches Durcheinander, und du untersagst mir, die Küche zu betreten.«

Die fahrigen Gesten des Grafen verrieten seine Besorgnis. Auf der Suche nach einem Anhaltspunkt lief er nervös hin und her, hob hier und da einen Topfdeckel. Nichts, was er da köcheln oder brutzeln sah, war allerdings dazu angetan, ihn zu beruhigen. Ganz im Gegenteil. Verblüfft entdeckte er in den Kasserollen eingekochte Eingeweide von Barben, fettes, dickflüssiges Hirn von zahmen Drosseln, Meeräsche-Rogen … Außerdem Papageienköpfe, Forellenvulven, gekochte Hälse aus Vierzon und Nachtigallenzungen am Spieß …

»Sind unsere Gäste etwa zu einem Leichenschmaus geladen?«

»Der Körper in seiner verwirrendsten und anschaulichsten Form«, entgegnete sie, während sie mit den Händen in einem schmierigen Brei wühlte, den der Graf ohne Schwierigkeiten erkannte. Der ekelerregende Gestank von Kaldaunen war ihm dermaßen zuwider, daß er sich fragte, wie es überhaupt jemand über sich brachte, eine solch widerliche Masse zu verarbeiten. Sicher, er war es gewesen, der nun schon seit mehreren Jahren Malvina zu dieser schmutzigen Arbeit anhielt, aber der Anblick, den sie ihm in diesem Augenblick bot, beeindruckte ihn doch zutiefst: Das Mädchen hatte tatsächlich Spaß daran, in den Eingeweiden der Tiere zu wühlen, ihre Innereien genauestens zu untersuchen. Sie schnitt die Körper auf, nahm sie mit einer Selbstverständlichkeit aus, als würde sie Eier für ein Omelett aufschlagen. Dieses Blut an ihren Armen, dieses Leben, das entwich – all das schien ihr nichts auszumachen. Ohne eine Miene zu verziehen, ohne Abscheu und ohne den Blick abzuwenden, machte sie ungerührt weiter … Sie ging so kaltblütig vor, als gelte es, ein notwendiges Sakrileg zu vollziehen.

Dandora, der sich vorsichtshalber die Nase mit einem mit Rosenwasser parfümierten Taschentuch zuhielt, kam näher:

»Das ist ja die reinste anatomische Sektion, die du da vornimmst …«

»Ihr scheint wohl vergessen zu haben, daß mich niedere Arbeiten nicht schrecken!«

»Sprechen wir lieber von unserem Souper. Ich mache mir allmählich doch Sorgen, wenn ich sehe, was du vorbereitest. Leber, Zunge, Herz, Lunge, Pansen … Nur Geschlinge, nichts als Geschlinge! Hast du nichts anderes vorgesehen als diese Abfälle?«

»Seid Ihr auf einmal wählerisch? Vergeßt nicht, daß Eure Mahlzeiten häufig aus angefaulten Zutaten, gegorenen Lebensmitteln und aasigem Fleisch bestehen.«

»Willst du mir auf diese Weise die abscheuliche Natur des menschlichen Körpers offenbaren?«

»Es ist Eure genauso wie meine, und Ihr könnt sie nicht leugnen.«

»Mir fehlt die Zeit, dieses Thema mit dir ausführlich zu erörtern«, wetterte er. »Unsere Gäste verdienen es, mit den erlesensten Speisen bewirtet zu werden, nicht mit Abfällen und anderen unappetitlichen Dingen.«

»Die Kräfte verbergen sich unter dem Fleisch, in den Eingeweiden. Jedes Organ hat ein Geheimnis … Das habt Ihr selbst mich gelehrt. Die Fette des Gehirns sind für das Denken förderlich, die Thymusdrüse und die Nieren enthalten viel Purin, die Leber spendet Energie und Lebenskraft … Ganz zu schweigen von dem Herzen, für das, ich erinnere mich, das Eure schlägt!«

»Aber durch deine Hirngespinste wird womöglich noch alles fehlschlagen, Malvina!«

»Allein solche Speisen vermögen heftige Empfindungen auszulösen und eine ungeahnte Energie zu übertragen. Ich will mit Hilfe der Täuschung die illustren und freisinnigen Geister Eurer Gäste dazu bewegen, Fleisch zu essen, dessen Genuß ihnen ohne meine Kochkünste ihr Verstand verbieten würde.«

Die junge Frau hatte sich über alle moralischen Grundsätze hinweggesetzt und Rezepte erdacht, mit denen sie ungefällige Zutaten so veränderte, daß man weder ihren eigentlichen Geschmack noch ihre ursprüngliche Form erkennen konnte. Die Gewürze der Ekstase wie Ingwer, Zimt, Kardamom, Mohn, mit Safran gewürztes Kompott, Paradieskörner würden den Gaumen betören, während die ungewöhnlichsten und die phantasievollsten Darreichungsformen darum wetteifern würden, das ursprüngliche Erscheinungsbild der Zutaten abzuwandeln. Mit einer amberfarbenen

Glasur überzogene Hoden, mit Eingeweiden gefüllte Gemüseartischocken – ein Gericht, das eine anregende Wirkung hatte – oder besser noch, mit Sumpfvogelfleisch gefüllte Trüffeln ... Die Umhüllung sollte dem Inhalt gerecht werden, nichts war für diese gekonnte Täuschung gut genug.

So war es Alcibiade für teures Geld gelungen, im Hôtel de Provence ein Dutzend schwarze Trüffeln aus Lot zu erstehen. Niemals zuvor hatte er eine ähnliche Scheußlichkeit zu Gesicht bekommen: Parasit, Geschwulst, Brandblase, schwarzes Sperma, Exkrement ... die schlimmsten Wörter waren ihm bei diesem Anblick durch den Kopf geschossen. Welche Eigenschaften konnte dieser widerliche, warzige Pilz schon haben, daß man sich seinetwegen in solche Unkosten stürzte? Das war ihm ein Rätsel. Doch als er die Trüffeln auf den Küchentisch legte, hatte sich das Gesicht seiner Freundin wie durch ein inneres Licht erhellt. Als er ihr dabei zusah, wie sie sie sorgfältig abbürstete und lange an ihnen roch, sagte er sich, daß sie für sie einzigartig waren. Malvina schien entzückt.

In Wahrheit hatte dieser Duft ihre Vergangenheit heraufbeschworen. Laute, Farben, unbescholtene, reine Menschen wurden durch jene verklärende Erinnerung, die man Kindheitserinnerung nennt, zum Leben erweckt. Diesen schweren, herben, moschusähnlichen, schwefelartigen Duft der Trüffeln hatte sie schon von Geburt an jedes Jahr zwischen Januar und März gerochen. Ihre Mutter bereitete Trüffeln für die wohlhabenden Reisenden zu, reiche Kaufleute aus der Region, die es danach gelüstete, sich diese schwarze Extravaganz zu gönnen, die mit ihren abgeschrägten Kanten an die Spitze eines ungeschliffenen Diamanten erinnerte. Es war eine der wenigen Gelegenheiten, wo Gabert seiner Frau gestattete, den großen Gastraum der Herberge zu betreten, um die Trüffeln unter den bewundernden Blicken der Gäste in der Asche zu garen. Marie saß dann auf einem Schemel vor dem Kamin und tauchte die Trüffeln in etwas Wein, bevor sie sie in die Asche legte. Nie versäumte die Kleine diesen magischen Augenblick, denn wie stolz war sie, wenn sie bemerkte, wie sich alle Blicke auf ihre Mutter richteten, die so schön, so teuflisch schön war. Wie wundervoll es doch war, in solchen Augenblicken vergangenen Glücks zu schwelgen! Malvina hätte sich gewünscht, daß ihre Mutter sie morgen sehen könnte, wenn sie als würdige Erbin diese Tradition fortsetzen würde. Doch Malvinas Auftritt würde nicht in einem Wirtshaus vor den Augen irgendeines x-beliebigen Kaufmanns stattfinden, sondern in einem der schönsten Salons von Paris. Und vor einer ganzen Reihe berühmter Persönlichkeiten.

Doch Dandora hatte anderes im Kopf als Malvina und stellte weitere Überlegungen an:

»Unser Vorhaben wird mißlingen, mißlingen, hörst du mich!« rief er aufgebracht. »Bist du so verrückt geworden, daß du dich für Tantalus hältst?«

Malvina kannte die Sage und wußte, daß Tantalus den Göttern des Olymps das zarte Fleisch des Sohnes seiner Gemahlin Eurynassa vorgesetzt hatte. Zur Strafe war er von Zeus dazu verdammt worden, an den Ästen eines Obstbaums aufgehängt über einem Wildbach zu schweben. So litt der König von Lydien Höllenqualen, denn, von Durst und Hunger geplagt, konnte er weder die Früchte essen, die vor seinen Lippen hingen, noch von dem Wasser trinken, an das er nicht heranreichte.

»Besser als jede Rede«, erwiderte sie, »vermittelt dieses Mahl eine Botschaft. Keiner unserer Gäste wird imstande sein, zu erkennen, was er da verspeist. Glasuren, Veredelungen, Füllungen, all diese Verwandlungen werden sie blenden. Ihre Schmeicheleien werden diesen Abend krönen. Sie werden wissen wollen, was sie derart in Verzückung versetzt hat, aber Ihr werdet dieses Geheimnis für Euch behalten, denn an keinem Platz wird eine Karte mit der Speisenfolge liegen. Diese werden sie erst am darauffolgenden Tag mit einem entsprechenden Brief bekommen. Gefällt Euch die Idee nun?«

Das mußte Dandora zugeben. Auch wenn dieses Vorhaben nach wie vor gewagt schien, fand er es dennoch interessant.

»In diesem Plan erkenne ich dich wieder«, sagte er. »Du bist wirklich eine eigenartige Frau!«

Malvina lächelte. Mit raschem Griff hatte sie einen der Vögel, die auf dem Hauklotz lagen, gepackt. Die Trappe war ein besonderer Vogel, sie hatte sieben, in Farbe und Beschaffenheit unterschiedliche Sorten Fleisch. An manchen Stellen ähnelte es dem der Poularde, dann wiederum war es fast so dunkel wie beim Hasen oder Hammel. Nachdem sie die Beine abgehackt und den Vogel gerupft hatte, legte sie den Brustkorb frei und öffnete mit einem geübten Schnitt den Bauch. Sie beherrschte diese Technik so meisterlich, daß der Apotheker ihr Tun nur noch stumm verfolgte. Sie packte die Lungen, suchte sich in dem Durcheinander der Organe und Gefäße einen Halt und zog, ohne jede Kraftanstrengung, alle Organe auf einmal heraus.

»Vergeßt niemals«, sagte sie und sah Dandora durchdringend an, »daß große Werke Anmaßungen und Gefahren bergen!«

Die langersehnte Nacht sollte berauschend werden, dem schönsten Märchen gleich. Für einige Stunden wurden die Magie und die Sinnenfreuden des Festes eins. Die Türen des großen orientalischen Salons öffneten sich und gaben den Blick auf ein noch nie dagewesenes Schauspiel frei. Die

Tafel triumphierte, glich einem lodernden Scheiterhaufen, wurde von einer Unzahl von Kandelabern, Bouquets von Lichtern und kostbaren Steinen in strahlendes Licht getaucht. Alles glitzerte, alles funkelte. Riesige Wandspiegel aus Venedig warfen die irisierenden Facetten der Kristallkelche aus Baccarat ins Unendliche zurück, das vergoldete Silber der Gedecke, der Schliff des Kristallgeschirrs aus Saint-Louis, die Jaspisschalen, das Porzellan aus Sachsen und China, das feine Silberbesteck … Ein Prunk, der sich von der Strenge der mit schwarzem Samt verhängten Wände ebenso abhob wie von dem grauen Marmor der eindrucksvollen Säulen, die treppenförmig in den Raum ragten.

Zwischen jedem Pfeiler stand eine mechanische Puppe in der purpurfarbenen Livree eines Lakaien mit einer schwarzen Rose in der Hand. Ihre ungelenke Verbeugung eröffnete das Bankett. Mit einem Schlag tauchten funkelnde Schnüre die Ornamentik in glühendes Rot. Irgendwo im Dunkeln stiegen Fontänen auf, Statuen warfen phosphoreszierende Blicke. Ein Mechanismus ließ einen gewaltigen, hohen Lüster von der Decke herab, Bronzearme fuhren aus den Wänden, in deren Händen sich Nester verbargen, aus denen Tauben aufflatterten, die appetitliche Düfte und den Geruch nach knusprig Gebratenem und Sommer verströmten. Sie waren die Vorboten der Köstlichkeiten, die auf vier Serviertischen aufgebaut waren, die gleichzeitig aus dem Boden kamen. Auf jedem stand eine Art Einhorn, in dem sich Myriaden kulinarischer Raritäten verbargen. Ein Wunderwerk für die Sinne, das die Neugier der Gesellschaft weckte und zur Entdeckung dieser Köstlichkeiten einlud.

Außer einigen leicht erkennbaren Speisen wirkte alles andere verkleidet, ja sogar verzaubert. Namen und Ursprung waren zugunsten einer über alle Maßen extravaganten Inszenierung beiseite gelassen worden. Durch die Bearbeitung mit dem Messer hatten unbekannte Fleischsorten die Form von Anubis, Zerberus, Hekate, Hermes angenommen. Angerichtet waren sie auf Maronen und verschiedenen Pürees aus Erbsen, Oliven, Artischocken, Zucchini und Auberginen. Die Pürees waren kalt, die Verzierung – Blätter, Blumen und Kräuter – aus rohen Zutaten gefertigt.

Auf diesen Augenschmaus folgte die Anregung der Geschmacksknospen. Graf Dandora bat seine Freunde, an der Tafel Platz zu nehmen. Er geleitete die Herzogin von Balendard und ihre Schwester, die Herzogin von Burgeade, zu Tisch. Monsieur Ancelot und Monsieur Leblanc, zwei bedeutende Mitglieder der Gesellschaft der Wissenschaften, Monsieur de Fayet, der Bankier des Apothekers, und sein Sohn folgten ihnen. Matthieu, der an diesem Morgen aus Konstantinopel eingetroffen war, hatte genug von dem neuen Schützling seines Vaters gehört, um neugierig zu werden, aber noch nicht genug, daß sein Wissensdrang gestillt gewesen wäre. Ungeduldig verlangte er deshalb, daß Malvina sich zu ihnen geselle.

»Ich bin gekommen, um meine zukünftige Schwester kennenzulernen!« rief er. »Es erstaunt mich zu sehen, daß für sie kein Platz an der Tafel vorgesehen ist.«

»Eure Schwester?« erkundigte sich die Herzogin von Balendard verwundert.

»Nun, in der Tat, ich beabsichtige, Malvina zu adoptieren«, erläuterte der Graf und strich leicht über die Hand seiner Tischnachbarin.

Dann, ohne ihr Zeit zu lassen, darauf etwas zu entgegnen, fügte er hinzu:

»Im übrigen wollte Malvina dieses Essen eigenhändig vorbereiten. Ich lade Euch also ein, den Speisen, die man auftragen wird, fleißig zuzusprechen.«

Im gleichen Augenblick öffnete sich die Tafel, ein Tablett mit acht Silberglocken, die wie Helme glänzten, stieg auf. Dieser Einfall belustigte, und man schaute sofort nach, was sich auf den Tellern befand. Es handelte sich um feine Schokoladencroissants, die auf Zuckerbrot angerichtet waren, das die Form eines Schwans besaß. Peinlich berührt, als ersten Gang ein solches Naschwerk serviert zu bekommen, sahen sich die Gäste an. Sie waren hin- und hergerissen, doch dann ließen sie sich schließlich von dem süßen Aroma des Kakaos, der mit Jasmin, Vanille und Zimt gewürzt war, verführen. Im Handumdrehen war die ganze Gesellschaft vom ausgefallenen Geschmack dieses neuen Mannas so begeistert, daß ein jeder gleich noch einmal nahm. Die Verwendung von Schokolade versetzte zwar niemanden mehr in Erstaunen, doch ihre Kombination mit dem Fleisch, das sie umhüllte, überraschte die Gäste.

»Man könnte sich allein schon von dem Duft ernähren.«

»Das würde sogar Marcus Gavius Apicius, den Römer, vor Neid blaß werden lassen …«

Die Unterhaltung wurde immer angeregter, ja geradezu ausgelassen. Jeder mußte zugeben, daß es ihm nicht möglich war, die Zusammensetzung dieser Vorspeise zu erkennen. Ein Urteil lautete: mit Schokolade überzogene Schweinefleischfarce. Man wagte sich noch weiter vor: verschiedene, raffiniert gewürzte Innereien.

Matthieu, der die genaue Zusammensetzung dieser phantasievollen Speise zu ergründen suchte, drehte und wendete die Mischung. Es gab keine Unze an der Farce, an der er nicht versuchte, dem Geheimnis auf die Spur zu kommen, allerdings ohne Erfolg. Er verlangte genauere Angaben über das, was man ihnen servierte, doch der Graf hüllte sich lächelnd in Schweigen. Das Gelingen des Abends beruhte mehr auf neuen Geschmacksempfindungen als auf der Erinnerung an bereits bekannte Genüsse.

Der Überraschungseffekt mußte erhalten bleiben. Und er blieb es. Der zweite Gang löste eine Woge der Begeisterung aus. Die »Felsen von Parnaß« tauchten aus dem Boden auf. Das Wasser, das an ihnen herunterrauschte, kühlte riesige, silbern eingefaßte Muscheln aus azurblauem Kristall, in denen in einer ultramarinblauen Sauce Steinbutt, Forellen und Seesaibling angerichtet waren … Mit zerstoßenen Perlen und Goldpuder bestäubte Orchideen-, Lotos- und Kalykanthusblüten schwammen auf der Oberfläche. Hier gab es keine Vorspiegelung falscher Tatsachen, hier konnte man einfach alles bestaunen. Die schillernden Pastellfarben standen für die Mannigfaltigkeit der Geschmacksnuancen, die einen erwartete. Filets aus knorpeligen Fischflossen mit einem erlesenen, nussigen Geschmack, sämige Korallencreme … Ganz zu schweigen von den zahllosen kleinen, durchscheinenden Eiern, die unter den Zähnen knirschten und im Mund ein Bouquet von jodhaltigen »Düften« freisetzten.

Auch dieser Gang löste die Zungen, und man lobte die Speisen. Die Unterhaltung, die sich bisher auf einfache Worttiraden beschränkt hatte, in denen man beredt die Vorzüglichkeit der Speisen rühmte, begann sich nun aufzusplittern und zu verzweigen. In diesem vielstimmigen Konzert waren keine einzelnen Stimmen herauszuhören. Der Graf seufzte erleichtert auf. Das Ergebnis war da, war offensichtlich. Der erhabene Ritus des Festmahls hatte ein unvergleichliches Wohlbefinden zur Folge: Körper und Geist waren berauscht, hatten Verhaltensmaßregeln und Höflichkeitsformen abgelegt. Der Apotheker freute sich zu sehen, daß sein Sohn sich über die gegensätzlichen kulinarischen Geschmäcke von Voltaire und Rousseau amüsierte oder das

Gespräch mit kleinen Sticheleien, Histörchen und Scharaden würzte. Die Gäste spielten und ergötzten sich an allem. Die »Wissenschaftler« hatten ihren Ernst abgelegt, um Themen zu erörtern, die der Anstand gewöhnlich zu den Schlafzimmergeheimnissen zählte. Der Dom Pérignon, den man trank, hatte diese Metamorphose sicher beschleunigt, denn sie verlieh diesem Essen ein Gepräge seltener Hochstimmung.

Diesen Augenblick nutzte Dandora, um den dritten Gang anzukündigen: Schwarze Trüffeln in Champagner und silberner Asche. Ein Tamburin wurde geschlagen, in dessen Klang sich die zarte Melodie einer Bambusflöte mischte. Dann stimmten Saiteninstrumente mit ein, die den Rhythmus des Tamburins unterstrichen. Die lauter werdenden Klänge zogen die Gäste in ihren Bann, ja versetzten sie in Spannung. Dann ertönten drei Schläge. Ein schwerer Samtvorhang hob sich und gab den Blick frei auf einen Kamin, in dem ein Feuer loderte. Alle Blicke waren auf dieses Tableau gerichtet. Malvina saß im Profil vor dem Kamin, stolz und gebieterisch. Die Hitze hatte ihre Wangen gerötet, Schweißtröpfchen befeuchteten ihren Körper, ließen das Kleid aus rotem Taft an ihrem Leib kleben. Ihre Formen zeichneten sich ab, wurden durch den flackernden Schein der Flammen überlebensgroß und erschreckend sinnlich an die Wand geworfen. Die kleinste Geste enthüllte ihre unvergleichliche Schönheit. Sie hob und senkte den Kopf wie die Vögel ihre Schwingen. Die Feinheit ihres Nackens, die Zierlichkeit der Taille, die Festigkeit der Brüste entgingen niemandem. Als sie sich erhob und auf die Tafel zuschritt, begleitete eine verzückte Stille jede ihre Bewegungen. Einer übersinnlichen Erscheinung hätten sie nicht mehr Erstaunen entgegenbringen können. Die Lockenpracht, feucht und schwer, senkte sich über die Schultern, der pur-

purfarbene Stein, den sie auf der Stirn trug, und die vor Aufregung glühenden Wangen, die ein Dreieck aus Rubinen zu formen schienen, unterstrichen diesen Eindruck noch. Und als sie die Trüffeln servierte, betrachteten sie alle unverhohlen. Im Gegenzug musterte Malvina sie selbstsicher. Denn nun bot sich ihr aufgrund der einfältigen Bewunderung, die man ihr entgegenbrachte, die Gelegenheit, sich Genugtuung zu verschaffen. Eine Frau, der es gelungen war, die Gaumen zu betören, strahlte eine derartige Überlegenheit aus, daß kein Gast, egal, wie reich und angesehen er auch sein mochte, ihr diesen Platz streitig machen konnte.

Jedoch, auf der Höhe des letzten Tischgastes, änderte sich Malvinas Haltung. Der Mann, der Dandora gegenübersaß, musterte sie mit jenem eindringlichen Blick, mit dem sie selbst zuvor die geladene Gesellschaft betrachtet hatte. Ein jadegrünes Augenpaar, das durch die dunklen Brauen noch betont wurde, ruhte unverwandt auf ihr. Die Augen änderten die Farbe, die marineblauen Reflexe wurden, je nach Einfall des Kerzenlichts, heller oder dunkler. Die Nase war kurz und schmal, der wohlgeformte Mund zeigte ein unaufdringliches Lächeln.

Dieser Mann war der Inbegriff der klassischen männlichen Schönheit, die lediglich ein Grübchen am Kinn zu mindern suchte. Sein dichtes, glänzendes Haar, in das sich ein paar Silberfäden verirrt hatten, wurde im Nacken von einer grünen Samtschleife zusammengehalten, die wunderbar zu seinem Anzug paßte, einem sehr kurzen, taillierten Rock aus champagnerfarbenem Tuch, verziert mit goldenen Posamenten.

Dank eines Porträts, das sie von ihm gesehen hatte, erkannte Malvina Matthieu de Ghalia wieder. Er hatte sich nur wenig verändert. Er war so, wie sie ihn sich vorgestellt hatte: selbstsicher, fast hochmütig, aber unglaublich anziehend.

»Setzt Euch zu uns«, rief er ihr zu, während er sich erhob.
Malvina errötete. Sie war so verwirrt, daß sie nur noch den
Wunsch verspürte, allein zu sein, ihre Gäste sich selbst zu
überlassen, auch wenn dies gegen die Regeln des Anstands
verstieß.

»Ich kann mich nicht setzen«, sagte sie nur. »Doch kostet
von der ›schwarzen Teufelin‹, sie vereint in sich den betö-
rendsten und den zartesten Geschmack …«

»Ein außergewöhnlich eindringlicher Geschmack«, be-
kannte die Herzogin, die einen ersten Bissen probiert hatte.
Der Graf drängte Malvina, an seiner Seite Platz zu nehmen.
Sie lehnte ab.

»Wollt Ihr mich verärgern? Bleibt, ich bitte Euch«, forderte
Matthieu sie erneut auf. Doch diesmal klang seine Stimme
herrisch.

Sie drehte sich um. War erstarrt ob seiner Aufforderung.

»Wollt Ihr denn nicht unsere Eindrücke ernten? Würde es
Euch nicht erheitern, zu erfahren, welche Wirkung Eure
Art der Zubereitung auslöst? Ihr behauptet doch von Euch,
›Geschmacksexpertin‹ zu sein, nicht wahr?«

Der Ton, in dem er das sagte, war anmaßend. Er versuchte,
sie lächerlich zu machen.

»Das bin ich, Monsieur.«

»Sicher entspricht Eure Begabung Eurem Ruf, aber könntet Ihr mir erklären, welchen Nutzen dieses Wissen haben
soll, wenn Ihr ihm – wie es den Anschein hat – kaum Beachtung beimeßt?«

Malvina war näher getreten.

»Meine Kenntnisse haben es Eurem Vater ermöglicht, neue
Arzneien zu entwickeln«, sagte sie.

»Seine vielzitierte wissenschaftliche Forschung!« Er lächelte. »Die Menschen können sich einfach nicht mit dem
Gedanken abfinden, daß sie sterben müssen … Die Angst

macht sie einfältig und dumm. Ich hätte es gern gesehen, daß diese Anschuldigungen nicht wahr wären, daß Giuseppe Balsamo nicht die Leichtgläubigkeit seiner Kranken mißbraucht und ihnen einfach gezuckertes Öl verkauft hätte! Wenn Ihr wollt, kann ich Euch das Rezept gerne geben: Zwei hartgekochte Eier und etwas Kandiszucker reichen!«

Matthieus Auftritt hatte die Gemüter in Aufruhr versetzt. Alle sahen sich an, als würden sie jeden Augenblick Zeugen eines wichtigen Ereignisses werden.

»Mesdames, Messieurs«, fuhr der Sohn des Grafen fort, »Ihr habt Euch vom äußeren Schein blenden lassen, Eure Gaumen ebenfalls …«

»Was wollt Ihr damit sagen?« erkundigte sich beunruhigt die Herzogin von Balendard.

»Wißt Ihr denn, was Ihr gerade verspeist habt? Ich möchte das bezweifeln, denn wenn Ihr es gewußt hättet, hättet Ihr es nie im Leben angerührt.«

Alle Blicke richteten sich auf die Köchin.

»War das Essen denn nicht köstlich?« entgegnete Malvina, deren Kinn zu zittern begann.

Ehrlicherweise mußten sie alle zugeben, daß es ihnen hervorragend gemundet hatte.

»Seht Ihr«, fuhr sie fort, »was unecht ist, ist nicht immer schlecht! Aber vor allem habt keine Angst, ich will Euch nicht vergiften …«

Ein Schauer durchlief die Festgesellschaft. Der Apotheker spürte, daß sich ein Unbehagen breitmachte, das eine Erklärung verlangte. So erhob er sich und begann mit lauter Stimme zu sprechen:

»Wir haben heute abend dem Vergnügen gefrönt, das man uns geboten hat. Es ist wahr, wir wissen weder, was wir gegessen haben, noch woraus es bestand, und dennoch hat sich jeder, so glaube ich sagen zu dürfen, an diesen Neuheiten gütlich getan. Dieses Schauspiel der Sinne hat uns dazu gebracht, unsere Vorurteile zu überwinden, Verbote zu übertreten ... Und da unser Jahrhundert das Jahrhundert der Neuerungen ist, freue ich mich, meine Freunde, daß ich Euch eine solche habe bieten können!«

Alle, außer Matthieu, applaudierten. Feinheiten und Kunstgriffe, die Fähigkeit, Illusionen zu schaffen, waren ebenso bewunderungswürdig wie jede technische Erfindung.

»Ihr habt uns beeindruckt«, versicherte die Herzogin von Balendard und hob ihr Glas in Malvinas Richtung. »Ihr seid eine Virtuosin, eine wahre Künstlerin, Mademoiselle.«

»Ich danke Euch«, sagte Malvina. Da sich ihr Zorn auf Matthieu noch nicht gelegt hatte, wollte sie die Angelegenheit nicht auf sich beruhen lassen und fügte hinzu:

»Sicherlich wollte Monsieur de Ghalia mich verärgern. Doch ich muß ihn enttäuschen, denn ich stehe zu seiner Verfügung, um, bei anderer Gelegenheit, mit ihm über Geschmacksfragen zu debattieren, eine Wissenschaft, so scheint es, deren Berechtigung und Macht er unterschätzt.«

»Ich schätze es«, entgegnete er, »wenn man in einer Beziehung die Oberflächlichkeit zugunsten eines tieferen Austausches aufgeben kann. Wir werden uns wiedersehen, seid unbesorgt, liebe Schwester. Ich werde gleich bei Tagesanbruch nach Konstantinopel aufbrechen und muß vorher noch ein paar Dinge mit meinem Vater regeln, aber ich verspreche hier und vor Zeugen, mich mit Euch, sobald ich wieder zurück bin, über diese neue Wissenschaft des Geschmacks – so nennt Ihr sie doch, nicht wahr? – zu unterhalten.«

Malvina lächelte ihm zu, dann verschwand sie, um die

Gesellschaft wieder den Freuden des Festes zu überlassen. Datteln aus dem Morgenland, Feigen aus Marseille und Prinzeßmandeln wurden mit großem Appetit verspeist. Im Musiksalon wurde ein Konzert angekündigt. Das Fest dauerte noch bis tief in die Nacht. Es war bereits drei Uhr morgens, als die Gäste ihre Kutschen vorfahren ließen.

Die junge Frau saß in der Küche und starrte in das Feuer, das im Kamin prasselte. Gebannt blickte sie in die Flammen und hörte nur mit halbem Ohr, was Alcibiade ihr erzählte.

»Du warst großartig ... Ich habe sie gesehen, sie waren wie Blinde, die plötzlich wieder sehen konnten ... Sie haben dich mit ihren Blicken verschlungen! Ich muß zugeben, ich war eifersüchtig. Das darf ich dir doch gestehen, oder?«

»Oh! Was für eine Enttäuschung! Was für ein entsetzlicher Mißerfolg!«

»Du meinst Matthieu, nicht wahr?«

Sie drehte sich zu ihrem Freund um. Wie ein Kind, das etwas angestellt hat, bat sie ihn, ihr zu helfen.

»Was soll ich nur dem Grafen sagen? Wichtige Mitglieder der Akademie der Wissenschaften waren zugegen ... Sie werden die vorgebrachten Anschuldigungen glauben, und unser schönes Geschäft wird zunichte gemacht werden.«

»Der Sohn des Grafen kann sich nicht mit dem Titel eines Apothekers schmücken ... Er verkauft bloß Steine! Hör zu«, sagte er und ergriff ihre Hände, »dieser Mann gehört zu jenen Menschen, die immer Streit heraufbeschwören müssen. Mit seiner Abreise werden auch die Gerüchte verstummen!«

»Wie eine dumme Gans bin ich in seine Falle getappt. Ich wollte ihn nicht durch Schmeicheleien verführen, wie es die Dummen machen, sondern auf meine Art. War dieses

Schauspiel der Sinne denn nicht ein originelles Mittel, um ihm die Gefahren des äußeren Scheins aufzuzeigen?«

»Zu schwierig, viel zu schwierig und verwickelt«, ereiferte sich Alcibiade. »Du setzt dir etwas in den Kopf, du wendest Kniffe an, das gibt dir das Gefühl, Herrin der Lage zu sein, aber diesmal hast du dich geirrt! Die Person, auf die du ein Auge geworfen hast, setzt die gleichen Waffen ein wie du … Es gibt nicht mehrere Arten zu kämpfen, es gibt nur eine: siegreich zu kämpfen!«

»Deshalb mußte er ja auch einwilligen, mich wiederzusehen.«

»Ich bin mir sicher, daß er die Person kennenlernen will, mit der er sich das Erbe seines Vaters teilen wird.«

Mit diesen Worten erhob sich Alcibiade und sah sich in der Küche um. Der Anblick war niederschmetternd. Schmutzige Kasserollen, Töpfe, angebrannte und fettige Pfannen, bergeweise schmutziges Geschirr …

»Sollen wir anfangen sauberzumachen?« fragte er.

»Es ist gut, du kannst schlafen gehen … Ich bin erschöpft, morgen werde ich den Grafen sehen! Ich wage nicht, ihm unter die Augen zu treten.«

»Sei unbesorgt, er wird dir deine Tollkühnheit verzeihen!«

Die junge Frau lächelte, doch sie wirkte niedergeschlagen. Letztlich hatte sie die Wirklichkeit aus den Augen verloren. Dieser Abend schien ihr ein Alptraum zu sein, der sich auch im Wachzustand noch fortsetzte. Sie brauchte nur die Augen zu schließen, um Matthieu so klar und deutlich vor sich zu sehen, als stünde er neben ihr. Noch nie hatte sie beim Anblick eines Mannes ein solch sonderbares Gefühl, eine solche Entschlossenheit verspürt. Obwohl er sich ihr gegenüber sehr unfreundlich gezeigt hatte, konnte sie ihm nicht böse sein. Er war derjenige, auf den sie gewartet hatte; nun mußte sie mit dem

Unerwarteten fertig werden! Bis zum heutigen Tag war ihr nie in den Sinn gekommen, daß ein Mißerfolg ihre Pläne durchkreuzen könnte. Bildlich gesprochen – und zwar im Sinne des Festmahls, das sie für den heutigen Abend vorbereitet hatte – war die Essenz einer großen Liebe nichts anderes als Ungewißheit.

10

AM FOLGENDEN TAG war das Bankett, das Jean-Baptiste Dandora und sein Schützling gegeben hatten, in aller Munde. »Ein wahrhaft ›schwefliges‹ Souper!« erzählte man sich bei Hofe. »Warum gebt Ihr nicht öfter solche Vorstellungen, um unsere Gaumen zu unterhalten?« bat Madame de la Ferté-Imbault, als sie den Apotheker einlud, ihren aufklärerischen Salon zu besuchen. Dann brachten Madame de Polignac und Madame de Genlis dasselbe Anliegen vor. Es war Matthieu nicht gelungen, einen Skandal zu verursachen. Keiner der geladenen Gäste hatte es gewagt, den Nutzen der »Gesundheitspastillen« in Frage zu stellen, vielmehr hatten alle dieses Festmahl gelobt, dem eine hochbegabte Köchin einen so eigenartigen Zauber verliehen hatte. Zutiefst von den Wundertaten der jungen Frau beeindruckt, hatte die Herzogin von Balendard sie sofort zu ihrer Beraterin ernannt. Jedes ihrer Feste trug ab jetzt Malvinas Handschrift.

Im Frühling hatte das »blumige Souper« ungeheuren Erfolg. Wie unterhaltsam, auf einem mit Rosenblättern bedeckten Boden zu speisen und wie Schwarzwurzeln zubereitete Margeritenwurzeln zu kosten, Borretschsuppe mit Austerngeschmack, einen fein mit Pfeffer abgeschmeckten Kapuzinerkressekuchen, zart mit Eiweiß bestrichenen und mit Kristallzucker bestäubten Klatschmohn. Jedes Bankett bestand aus vier Gängen oder, wie im Fall des »barocken Soupers« sogar mehr. Nichts als verwesendes Fleisch, Gelees mit Amber- und Moschusgeschmack, mit Salpeterglasur überzogene Kapaune in einem Teig aus vergorenem Wein, mit den klebrigen Eingeweiden abgestochener Tiere gefüllte Würste. Die Gerichte hatten alle den unangenehmen, aasigen Nachgeschmack des Todes. Eigentlich hätten die Gäste schockiert sein müssen. Aber vor allem die Libertinisten waren – ganz im Gegenteil – die ersten, die diese Eigenwilligkeit belustigte, der in gewisser Weise eine ihren anstößigen Praktiken ähnliche Aura anhaftete.

Für die Anhänger des Marquis de Sade entdeckte Malvina Nahrungsmittel, die das Gehirn anregten, das Verlangen schürten und die Sinnlichkeit entfachten. Bei diesem Abendessen gab es keine Regeln, und es galten nur die Grenzen, die jeder für sich selbst setzte, was bedeutete, daß es oft gar keine gab. Im erotischen Wahn schien alles erlaubt. Gutes und reichliches Essen. Nicht zu vergessen die köstlichen Weine aus dem Burgund, der Champagne und aus fernen Ländern. Zu heftigen Ausschweifungen kam es erst spät in der Nacht, nach wüsten Gelagen, wenn sich die Gäste zu Spielen von seltener Gewalttätigkeit hinreißen ließen. Nie würde Malvina den Blick jener Gräfin vergessen, deren völlig entkleideter Körper als Tablett für kochendheiße Schüsseln gedient hatte, die ihre Freunde anschließend über ihr ausgeleert und dann den Inhalt zu sich genommen hatten, wobei sie ihr Opfer mit heftigen Gabelstichen noch mehr verletzten. »Der Kannibalismus erregt mich so«, hatte der Graf Pressac geschrien, während sein Mund sich zu einer abartigen Grimasse verzog.

War Gott denn taub und blind, daß er solche Abscheulichkeiten gleichgültig mit ansah? An solchen Orten der Wollust triumphierte der Teufel, hier war er ganz in seinem Element. Frevel dieser Art führten in die Sünde, die Reden waren ebenso Aufruf zum Laster als auch zum Verbrechen. Unter dem Vorwand, ihre Vorurteile überwinden zu wollen, stellten die Libertinisten die wahnwitzigsten Thesen auf. Ihrer Lehre zufolge war der Mensch nichts anderes als ein zum Verzehr und Genuß bestimmter Stoff, ganz so wie jedes andere Lebensmittel auch. Also konnte der Tod ihm nicht wirklich etwas anhaben – zumindest nicht den Molekülen –, denn Töten und Gebären waren körperlich gesehen ähnliche Vorgänge, Teil desselben Entstehungsprozesses.

Malvina lauschte diesen Reden tief beeindruckt, und wenn sie sie auch nicht zu überzeugen vermochten, bestätigten sie sie doch in ihren Ansichten. Welchen Unterschied gab es zwischen diesen überspannten Geistern mit ihren zügellosen Sitten und einem gewöhnlichen Folterknecht? Welche Moral konnte den Sittenverfall unter dem Vorwand entschuldigen, es handele sich um den Ausdruck persönlicher Freiheit? Je länger sich die junge Frau in dieser dekadenten Gesellschaft bewegte, desto mehr sprach sie ihr das Recht ab, über sie, Malvina Reynal, zu richten. Und das kam ihrem Wunsch, ganz nach eigenem Gutdünken zu handeln, entgegen, denn nun fürchtete sie weder das Gesetz der Menschen noch den Richterspruch Gottes. Ihre Vorliebe für die Anatomie und das Sezieren hätte sie zur Fleischeslust führen können, doch sie gab dem guten Essen den Vorzug. Sie widmete sich den verschiedensten Versuchen, bereitete Speisefolgen zu, die ihr vorher nie in den Sinn gekommen wären. Denn wie hätte man sich vorstellen können, daß es Menschen gab, die sich an Speichel, Erbrochenem, Dreck und Exkrementen als Nahrungsmittel oder Getränk berauschen konnten? Da die Libertinisten davon überzeugt waren, daß diese widerwärtige Kost die geschlechtlichen Triebe wecken würde, gab es für sie kein Tabu mehr.

Einige Monate in diesem schwefligen Geschäft genügten Malvina, um sich ein Vermögen zu schaffen. Der Erfolg der »Gesundheitspastillen« hatte ihr keinen Reichtum beschert, bei den Verhandlungen bezüglich ihrer neuen Geschäfte erwies sie sich nun als äußerst geschickt. Sie verdiente nicht nur genügend Geld, um unabhängig zu werden, sondern konnte sich auch den Luxus leisten, einen Lehrling auszubilden, der bei der Herstellung der Arzneimittel ihre Arbeit übernehmen sollte. Der Apotheker nahm all ihre Wünsche hin. Ja, er schenkte ihr sogar eine Wohnung im Herzen des Palais Royal. Den Beweis, daß er sie wirklich wie seine eigene Tochter behandelte, bekam Malvina, als sie zum erstenmal die Wohnung betrat, die er ihr eingerichtet hatte.

Den vornehmen Teil des Hauses bewohnte Graf Durange, doch das erste Stockwerk war noch frei. Es war eine sehr hübsche Wohnung, die aus einem hellen Salon mit vier riesigen Fenstern, einem geräumigen Schlafgemach und einer Küche bestand. Von allen Zimmern aus hatte man Blick auf einen wundervollen Garten, in dem es eine Allee von hundertjährigen Bäumen gab, darunter auch jenen berühmten Maronenbaum, den man als den »Lügenbaum« bezeichnete, seit die Novellisten dort regelmäßig zusammenkamen, um sich ihre Lügenmärchen und ihre Prahlereien zu erzählen. Da es Malvina lange am Notwendigsten gemangelt hatte, wußte sie jetzt den Wert der Dinge besonders zu schätzen. So freute sie sich über die beiden Kamine aus weißem Marmor, über die dem Zeitgeschmack entsprechend aus Mahagoni- oder Zitronenholz gefertigte Einrichtung … Sie war entzückt, eine Badewanne ganz für sich allein zu haben, in die aus bronzenen Maskaronen kaltes und heißes Wasser floß. Dieselbe Erlesenheit im Schlafgemach: Die Ausstattung verlieh ihm den Anschein eines luxuriösen Liebesnestes. Die geschwungenen Möbelstücke wie das geschnitzte Bett waren mit Faltenwürfen geschmückt. Die beruhigenden Farben reichten vom Strohgelb der Wandbespannung bis zum Safran der seidenen Vorhänge.

»Haltet Ihr mich für würdig, solche Gemächer zu bewohnen?«

Die Hände an die Stirn gepreßt, als müsse sie gegen ein Schwindelgefühl ankämpfen, durchschritt sie die Räume.

»Warum tut Ihr das alles für mich?« fragte sie.

»Du wagst es, mich das zu fragen?«

»Wird das Euren Sohn nicht verärgern? Vielleicht hat er es mir noch nicht verziehen, daß ich sein Vertrauen mißbraucht habe? Ich fürchte, daß er den Sinn des Soupers, das wir ihm zu Ehren gegeben haben, falsch gedeutet hat. Er ist mir gegenüber so heftig geworden!«

»Er ist ein aufrührerischer Geist!«

Malvina lächelte. Als sie zum erstenmal von Matthieu gehört hatte, war es gerade die Beschreibung seines eigensinnigen Wesens, seiner entschlossenen Persönlichkeit gewesen, die sie in ihren Bann gezogen hatte … Daher beglückwünschte sie den Grafen eilig zu der Erziehung, die er seinem Sohn hatte angedeihen lassen.

»Ihr könnt stolz darauf sein, ihm die Möglichkeit gegeben zu haben, ein ›Mensch mit eigenem Willen‹ zu sein. Viel zu viele Kinder leiden unter der schlechten Behandlung durch ihre Eltern, werden durch eine Autorität zerstört, die auch vor Zwang und Gewalt nicht zurückschreckt …«

»Was möchtest du mit deinen Schmeicheleien eigentlich bei mir erreichen?« fragte Dandora, nicht so sehr aus Einfalt, sondern eher, um ihr Gelegenheit zu geben, sich ihm anzuvertrauen.

»Meister«, gestand sie, »ich weiß zwar, daß man, wenn man sich einem Mann an den Hals wirft, jegliche Möglichkeit verliert, ihm zu gefallen, aber ich kann Euch die Gefühle, die ich für Matthieu hege, nicht länger verbergen.« Sie hatte ihn beim Vornamen genannt, als handele es sich um einen alten Bekannten.

Das belustigte den Apotheker zwar, doch es bereitete ihm keine Freude.

»Alcibiade hat mir von deinem Vorhaben berichtet, aber dieser Erfolg scheint mir äußerst unvernünftig. Mein Sohn kann dich nicht glücklich machen, er liebt nicht, er begehrt, er wünscht nicht, er befiehlt … Wie soll ich dir nur erklären, daß es zum Teil meine Schuld ist?«

»Das kann ich kaum glauben. Sicher, Ihr seid anspruchsvoll, aber dennoch, Euch als herrischen Menschen darzustellen …«

»Er hat zu sehr unter diesem dünkelhaften Vater gelitten, der sich rühmte, in allen Dingen der Beste zu sein. Es war für mich lebenswichtig, mir einen Namen in der Medizin zu machen, ich wurde von einem so wahnsinnigen Ehrgeiz getrieben, daß ich darüber die, die mir nahestanden, vergaß. Nur der Erfolg, die Anerkennung zählten! Gefühle haben mir immer angst gemacht. Es ist so einfach, sich an seiner Aufgabe zu berauschen, ohne Unterlaß zu arbeiten, um sich nicht der eigenen Selbstsüchtigkeit bewußt zu werden. O ja! Ich habe die Gräfin vernachlässigt und im Stich gelassen, um mich ganz meinen Forschungen zu widmen. Ich hätte sie beschützen müssen, bemerken müssen, wie verzweifelt sie war und daß sie den Verstand verlor, aber …«

Malvina unterbrach ihn:

»Was habt Ihr denn Matthieu über den Tod seiner Mutter gesagt?«

»Er hat lange an eine Krankheit geglaubt …«

»Hat er Euch das nicht übelgenommen?«

»Er liebte seine Mutter und bewunderte seinen Vater. Bis zu jenem Tag, als er plötzlich sein Anatomiestudium abbrach und mir mitteilte, er werde nach England gehen … Da wußte ich, daß er begriffen hatte … Er wies mir keine Schuld zu, aber er wollte nicht meinen Weg einschlagen.

Heute weiß ich, daß er gern über das Geschehene gesprochen hätte.«

»Vielleicht ist es noch nicht zu spät?«

»Bei jedem Treffen verstecke ich mich hinter der Maske des Vergessens. Die Folgen meiner Feigheit vor Augen zu haben ist eine Art Strafe, die ich mir nachträglich auferlege ...«

»Warum wollt Ihr weiterhin mit Euren Gewissensqualen leben? Helft mir, Matthieu glücklich zu machen!«

Das war eine flehentliche Bitte.

Dandora ergriff gerührt ihre Hände und bat sie, sich diese Vorstellung aus dem Kopf zu schlagen.

»Ich beschwöre dich, vergiß ihn! Es ist nicht gut, all seine Aufmerksamkeit auf einen Menschen zu lenken, der einen nur durch sein Äußeres betört hat. Verzeih mir, denn meine Erzählungen haben ungewollt dazu beigetragen, daß du dich in einen Mann verliebt hast, von dem du so gut wie nichts weißt. Ich habe mich von meinen Gedanken hinreißen lassen, sie haben die Wirklichkeit verfälscht ...«

»Aber Ihr liebt ihn doch, nicht wahr?«

»Er ist das einzige, was mir bleibt.«

»... und das einzige, was ich erhoffe ...«

Der Graf überlegte. Die Frauen waren den Männern insofern überlegen, als sie nicht eher ruhten, bis sie ihren Auserwählten erobert hatten. Und Hartnäckigkeit war eine Eigenschaft, die er schätzte. So war er Malvinas Bitte wohlgesinnt.

»In sechs Monaten kommt er nach Paris zurück«, vertraute er ihr an. »Du sollst wissen, daß ich nichts tun werde, um meinen Sohn daran zu hindern, dich zu sehen. Er hat mir erst vor kurzem noch einmal bekräftigt, daß er einverstanden ist, wenn ich dich an Kindes Statt annehmen würde. Jetzt liegt die Entscheidung bei dir. Du mußt es dir schnell überlegen. Denn wie Montaigne schon sagte, ›hinterläßt das Alter mehr Falten im Geist als im Gesicht‹, und ich muß dem Notar bald die Testamentsänderung mitteilen, die vorzunehmen ist, wenn du dich dafür entscheidest, meine Tochter zu werden.«

Diese Worte hatten einen bittersüßen Geschmack für die junge Frau. Wenn sie auch der Vorschlag des Grafen rührte, war sie sich doch im klaren darüber, welche Folgen ihre Zustimmung haben würde.

»Erlaubt mir, noch einmal darüber nachzudenken«, sagte sie. »Bedarf die Zuneigung, die wir füreinander hegen, wirklich einer schriftlichen Bestätigung?«

Dandora räusperte sich und meinte:

»Wie auch immer du dich entscheiden magst, ich werde dir zur Seite stehen und dir helfen.«

Diesmal schien es Malvina ein Vergnügen zu sein, auf Matthieu zu warten, da sie sich alle möglichen Wege ausmalen könnte, auf denen sie sich ihm nähern konnte. Es empfahl sich zunächst, ihm zuzuhören, um ihn besser kennenzulernen. Dann würde sie ihn durch geschickte Fragen dazu bewegen, ihr sein Herz zu öffnen, denn das war der erste Schritt, um ihn zu erobern. Und sie hatte den Vorsatz, den Geist ihres Liebhabers zu beherrschen, ihn bis in den letzten Winkel zu erforschen, kurz gesagt: ihn zu besitzen. Durch die Liebe natürlich. Im Laufe der Zeit beherrschte der Sohn des Grafen mehr und mehr ihre Gedanken. Erst kürzlich hatte sie geglaubt, ihn auf dem Boulevard zu erkennen. Eine heftige, unsinnige Hoffnung keimte in ihr. Als der Mann auf ihrer Höhe angekommen war, hatte sie ihn gemustert und ihm dann enttäuscht nachgesehen. Seine Haltung hatte sie getäuscht, der feste Schritt, die Art, wie er den Kopf vorstreckte, sich seiner anziehenden Wirkung bewußt schien … So verfolgte sie Matthieus Bild überall. Tag und Nacht dachte sie an ihn. Es verging kein Abend, an dem sie nicht auf der Suche nach einem Zeichen durch ihr Schlafzimmer wandelte. In der Maserung des Parketts entdeckte sie sein Profil, in der verschlungenen Äderung der Bettpfosten aus Eichenholz seine Gestalt. Immer war es dasselbe, immer wieder fand sie Linien, deren Verlauf oder Farbe sie an ein körperliches Detail dieses Mannes erinnerte, das sie nicht aus ihrem Gedächtnis zu löschen vermochte.

Nachdem Matthieu mehrere Monate in Konstantinopel verbracht hatte, kündigte er seine Rückkunft nach Paris an. Er war nicht nur von der Wissenschaftlichen Akademie eingeladen worden, einen Vortrag über seine letzten mineralogischen Arbeiten zu halten, sondern auch die großen Hofjuweliere erwarteten seinen Besuch bereits voller Ungeduld, um möglichst bald ihre Bestellungen aufgeben zu können. Da die Königin verrückt nach Diamanten war, wollten sich auch die Hofdamen stolz mit Geschmeiden und mit Juwelen schmücken, und es war allgemein bekannt, daß der junge Graf Ghalia die schönsten Steine hatte, die es gab. Um seine Ankunft in der Hauptstadt zu feiern, lud Matthieu Malvina ein, ihn zu der Herzogin von Bragnac zu begleiten. Diese hatte ihm versprochen, sie zu einem geheimen Ritual mitzunehmen. Normalerweise hätte man sich eher ein trauliches Wiedersehen vorgestellt, doch es amüsierte ihn, den jungen Schützling seines Vaters mit einem Schauspiel zu beeindrucken, das sie so bald nicht vergessen würde.

Malvina saß vor ihrer Spiegelkommode und betrachtete sich. Ihr einfaches weißes, sehr weit ausgeschnittenes Leinenmieder war mit Spitze aus Chantilly besetzt und mit einem Band gerafft, die gebauschten Ärmel reichten bis zum

Ellenbogen. Ein Fischbeinkorsett schnürte ihre Taille zusammen und hob ihre Brüste. Es erschwerte ihr zwar ein wenig das Atmen, erschien ihr aber zugleich als solcher Luxus, daß sie dafür auch eine weitere Beeinträchtigung ihres Wohlbefindens gern hingenommen hätte. Der geraffte Unterrock erlaubte einen Blick auf die übereinandergeschlagenen Beine: Sie steckten in weißen Seidenstrümpfen, wurden von bestickten und mit Schleifen verzierten Strumpfbändern gehalten, alles in der Farbe, die man »Schenkel einer ergriffenen Nymphe« nannte! Doch dieses Detail konnte der Friseur von seiner Position aus nicht sehen. Dazu hätte er auch gar keine Zeit gehabt, da er seine ganze Aufmerksamkeit der Arbeit widmete.

»Ah! Madame«, rief er voller Stolz über sein Meisterwerk aus. »Das entspricht ganz der Mode und steht Euch hervorragend.«

Die junge Frau beobachtete gebannt, wie er geschwind mit Bürsten, Öl und Kämmen hantierte. Es war ihm gelungen, ihrem Haar einen seidigen Schimmer zu verleihen. In der Mitte war es gescheitelt und fiel in einer Flut von Locken, von unsichtbaren Nadeln gehalten, über die Schultern. Den Spiegel in der Hand wandte Malvina den Kopf nach allen Seiten.

»Schön«, sagte sie, »sehr schön. Jetzt brauche ich nur noch mein scheußliches Aussehen zu verdecken, dann ist alles perfekt. Bleibt bei mir, mir liegt viel an Eurer Meinung.«

Der Mode gehorchend, die nun auf Natürlichkeit ausgerichtet war, begnügte sie sich damit, ihre Brauen nachzudunkeln, die Lider mit violetter Asche zu pudern und den Wangen mit einem Schminkläppchen einen Hauch von Rot zu verleihen. Dann ergriff sie einen langen, dünnen Pinsel, tauchte ihn in eine bläuliche Paste und zeichnete in einem sicheren Strich die Adern an Hals und Dekolleté nach. Am

Ansatz der rechten Brust tupfte sie eine kleine »unwiderstehliche Fliege« auf, die sich bei jedem tiefen Atemzug wollüstig hob. Ihr sicherer Geschmack und ihre Geschicklichkeit begeisterten den Friseur, und die Veränderung, der er soeben beigewohnt hatte, ließ ihn ins Schwärmen geraten.

»Gefällt es Euch?«

»Mir fehlen die Worte, um Eure Schönheit zu beschreiben.«

»Fällt Euch etwas auf, das ich vergessen habe?«

»Vielleicht fehlt ein kleines Schönheitspflästerchen im Augenwinkel, ein wenig mehr Farbe auf den Wangen … Oder nein! Genau, das ist es, Euer Lippenrot könnte einen Ton kräftiger sein.«

Malvina beugte sich zum Spiegel vor. Mit dem Finger zog sie die Umrisse ihres Mundes nach, unter dem leichten Druck spürte sie das weiche Fleisch. Die Unterlippe war üppiger, während die Oberlippe schmaler, ja fast streng war. Wenn die Form etwas über das Wesen aussagte, hätte man hier vielleicht auf eine doppelte Persönlichkeit schließen können – und die eine schien den Sieg über die andere davongetragen zu haben. Mit einer für sie typischen Geste biß sie sich auf die Unterlippe, sog sie ganz ein. Sie wußte nicht, woher diese Angewohnheit rührte, sicherlich war es Aufregung, aber das spielte auch keine Rolle, denn das Ergebnis verschönerte ihren Mund und verlieh ihm den leuchtenden Farbton einer Frucht.

»Mein Gott!« rief der Friseur in selbstgefälliger Zufriedenheit aus. »So hervorgehoben ist Euer Mund noch anziehender als Euer Blick, Madame … und das ist gar nicht einfach!«

Malvina lächelte über diese Schmeichelei. Sie überprüfte ein letztes Mal ihre Frisur, gab einen Tropfen Zitrone in die Au-

gen, um dem Blick mehr Glanz zu verleihen, und parfümierte sich. Nachdem sie den Friseur für seine Dienste ent-
lohnt hatte, begleitete sie ihn zur Tür und versprach, bei ihm
vorbeizuschauen, um ihm in allen Einzelheiten über die Wirkung zu berichten, die sie bei ihrem Opfer erzielt hatte.
»Braucht Ihr mich nicht mehr zum Ankleiden?« fragte er
beunruhigt, ehe er sich verabschiedete.
Die junge Frau beruhigte ihn, bedankte sich und ging in ihr
Schlafgemach, wo sie eine große, goldene Holzschachtel erwartete. Feierlich hob sie den Deckel und ergriff mit ausgestreckten Armen das Kleid, um es besser bewundern zu
können. Nie zuvor hatte sie ein so hübsches Kleid gekauft.
Auf dem taubenblauen, glänzenden Taft waren Blumen in
den gleichen Tönen gestickt. Die Raffinesse der Pagoden-
ärmel unterstrich die fragile, nahezu kostbare Note der Gar-
derobe. Schwarze Satinschuhe und ein Spitzenfächer vervollständigten das Ensemble.
Innerhalb von zehn Minuten hatte sich Malvina in eine
Dame von Welt verwandelt. Der Taft raschelte, als sie durch
den Raum schritt, hier und da ein Fältchen glättete, die Ärmel zurechtzupfte. In dem großen Standspiegel musterte
sie zum letztenmal kritisch ihre Erscheinung, trat dann einige Schritte zurück, um den Gesamteindruck zu überprüfen.
Sie nahm einige Posen ein, die ihre Vorzüge unterstrichen,
übte ein strahlendes Lächeln, sagte ein paar Worte.
»Nein, es wird mir nicht gelingen«, fürchtete sie. Eine
schreckliche Angst stieg in ihr auf und schnürte ihr die Kehle zu. Wenn sie auch äußerlich frisch und hübsch wirkte,
klopfte ihr Herz doch zum Zerspringen, und ihre Hände
waren feucht geworden.
Und wenn sie ihm nun nicht gefiel? Die einzige Erinnerung, die er an sie haben konnte, war die an eine rote Teufelin im Schein der Flammen, deren verführerische Wirkung

durch die Szenerie und die unwirkliche Stimmung des fest-
lichen Augenblicks verstärkt worden war. Die Angst vor einem Mißerfolg ließ sie an sich zweifeln. Was verbarg sich
hinter diesem geheimnisvollen Treffen? Sie wußte es nicht.
Doch vor allem durfte sie sich nicht von solchen Gedanken
beherrschen lassen. Diese Unruhe, die an ihr nagte, würde
ihre Schönheit beeinträchtigen, die Angst würde ihre be-
gehrenswertesten Vorzüge verdecken.

In der Kutsche band Malvina sich das blaue Tuch ihrer Mutter um das Handgelenk. Der Stoff fühlte sich weich auf ihrer Haut an. Das nahm ihr die letzten Ängste. Was auch immer geschehen mochte, sie würde Matthieu alles verzeihen.
Allein die Tatsache, daß es ihn gab, bereitete ihr eine unbe-
schreibliche Freude. Selbst wenn er ihr Gleichgültigkeit
entgegenbrächte, könnte das nicht die Faszination, die sie
für ihn empfand, zunichte machen. Diese Haltung war sicherlich unvernünftig, doch das war der jungen Frau gleichgültig. Ein solch ungeheures Vergnügen war derart selten,
daß es durchaus einige Opfer wert war. All ihre Vorsicht war
geschwunden. Sie verspürte nur noch den Wunsch, sich
ganz hinzugeben, sich verliebt zu zeigen. Es war ein leichtes, unbeschwertes Gefühl, dem sie sich mit einer Naivität
überließ, die sie noch glücklicher machte.

Als die livrierten Türwächter ihr die schweren Türen zum
Palais des Herzogs von Bragnac öffneten, schwebte sie auf
Wolken. Sie ging mechanisch vorwärts und betrachtete alles
mit großen Augen, um sich nichts von der Pracht des Anwe-
sens entgehen zu lassen. Im kleinen, nach französischer
Mode eingerichteten Salon, in dem der Diener sie zu warten bat, überprüfte sie ein letztes Mal ihre Frisur und pu-
derte sich. Als sie sich noch im Spiegel bewunderte, traten
auch schon die Herzogin und Matthieu ein. In seinem
Frack aus grünem Tuch, der bestickten Weste mit den glän-

zenden Knöpfen, den Handkrausen und dem Jabot aus ein-
farbigem Batist war der Sohn des Grafen von einer derartigen Eleganz, daß Malvina in ihrer Haltung erstarrte. Als er
auf sie zukam, geriet sie vollends in Verwirrung. Auf einmal
kam sie sich linkisch vor, war auch ein wenig zornig darüber,
daß sie so aus dem Gleichgewicht zu bringen war. Den Worten, die sie an ihn richtete, so erschien es ihr, mangelte es an
Zusammenhang und Ausdruckskraft. Dabei hatte sie sich in
der letzten Nacht vor dem Einschlafen vorgestellt, wie sie
unbefangen mit ihm plauderte. Da er die Schwierigkeit, in
die er sie unbeabsichtigt gebracht hatte, erkannte, ergriff
der junge Graf als erster das Wort:
»Ich bin glücklich, Euch wiederzusehen, meine Liebe. Ich
darf Euch eine alte Freundin, die Herzogin von Bragnac,
vorstellen.«
Malvina richtete ihre Aufmerksamkeit auf die Dame, die
jetzt auf sie zutrat. Eine hochgewachsene, geschmackvoll
gekleidete Frau lächelte ihr zu. Sie war offenbar fremdlän-
discher Abstammung: Mit ihrem aparten Gesicht, den Reh-
augen, die von schwarzen, vollendeten Brauen betont wurden, der langen, geraden Nase, den roten, vollen Lippen
und dem dunklen Teint glich sie keiner der Damen am Hof.
Man konnte sogar sagen, daß ein geheimnisvoller Duft von
ihr ausging.
»Ich habe schon viel von Euch gehört, Mademoiselle! Meine Freundinnen erbetteln und neiden einander Eure
Gunst. Die geschmackvollen Soupers, die Ihr ausrichtet,
haben, so höre ich, großen Erfolg.«
»Ich stehe zu Euren Diensten, wann immer Ihr es wünscht!«
»Es gibt keine Küche, die sie abschreckt«, gab Matthieu
von sich, wobei er Malvina musterte. »Ich denke, daß unsere Abendunterhaltung ihr gefallen wird … Aber ist es nicht
noch ein wenig früh?«

»Unseren Auftritt dürfen wir auf keinen Fall verderben«, gab die Herzogin zurück, »In der Tat, es ist besser, noch ein wenig zu warten!«

Malvina suchte im Blick der Herzogin nach dem Anflug einer Erklärung. Doch all ihre Fragen versanken in dem tiefen Blau dieser Augen.

»Sollen wir uns in den Salon begeben?«

Matthieu gab zurück, daß er einen Besuch des Laboratoriums vorziehe.

»Bei unserer Gastgeberin gibt es tausend Geheimnisse zu entdecken«, flüsterte er Malvina zu. »Ihr ganzes Interesse gilt der Chemie und Alchimie.«

»Der Stein der Weisen war meine erste Leidenschaft«, gestand die Herzogin, »Mein Gemahl hat mich die Grundlagen gelehrt.« Sie hielt kurz inne und fuhr dann fort: »Der Arme ist im letzten Jahr von uns gegangen.«

Als Malvina arglos fragte, ob sie denn den Stein der Weisen kenne, unterdrückte die Herzogin nur aus Höflichkeit ein schallendes Gelächter und versicherte ihr mit einem anmutigen Lächeln, sie besitze ihn schon. Stolz, ihre Behauptung belegen zu können, lud sie sie ein, ihr Laboratorium zu besichtigen, wo sie sich seit fünfzehn Jahren der Verwandlung aller möglichen Metalle in Gold widmete. Kohle, die durch eine Röhre eingeschüttet wurde, heizte den Ofen, der stets die gleiche Temperatur halten mußte. Die Asche fiel in eine kleine Rinne unterhalb des Ofens.

»Das Kalzinieren des Quecksilbers ist ein Kinderspiel!« versicherte sie ihnen. »Dieses Geheimnis ist mir ebenso bekannt wie das des Baumes der Diana. Alle behaupten, Telliamed sei im Jahre 1748 in Marseille gestorben, ich kann Euch hingegen versichern, daß er mir regelmäßig schreibt …«

Der Geruch nach verbranntem Holz und modrigem, feuchtem Papier drang in Malvinas Mund, setzte sich in ihrem Speichel fest. Doppeldeutig, durchdringlich und störend: der Geruch des Eigenartigen. Was hatte dieser Mummenschanz zu bedeuten? Warum hatte Matthieu sich nicht dafür entschieden, sie in einer vertraulicheren Umgebung zu sehen? So als spüre sie ihre Verwirrung, gab die Herzogin die Erklärung:

»Wie ich höre, seid Ihr am Verkochen von Leichen interessiert?« fragte sie, während sie die Tür des Laboratoriums schloß.

»Die Wissenschaft des Geschmacks interessiert mich in der Tat. Ich bin zutiefst davon überzeugt, daß die Feinheit der Sinne die Feinheit der Seele widerspiegelt.«

»Matthieu, Ihr habt mir nicht zuviel versprochen, Eure Freundin ist wirklich reizend. Ich denke, sie wird unsere Messe unterhaltsam finden.«

Nach einem Blick auf die Wanduhr fügte sie hinzu:

»Wenn es Euch recht ist, wollen wir jetzt aufbrechen. Mein Wagen wartet …«

In welche Richtung fuhren sie längs der Kais und Flußufer, die nur schwach vom schwankenden Schein der Laternen, die sich hierher verirrt hatten, erhellt wurden? Malvina wußte es nicht. Sie sah, wie sich die imposante Silhouette von Notre-Dame immer weiter entfernte und sich schließlich am anderen Seine-Ufer vor dem dunklen Himmel abzeichnete, dann ließen sie die Stadtmauern hinter sich, ohne daß irgend jemand nach ihrem Ziel gefragt hätte. Die Kutsche fuhr schnell. Bald tauchten die ersten Bäume auf, die zu dieser Jahreszeit kahl in die Luft ragten wie ausgestreckte Krallen, die beim ersten Windstoß auf sie niedersausen könnten. Eine unerklärliche Furcht, die durch das drückende Schweigen verstärkt wurde, überfiel die junge Frau. In der Kutsche hörte man nur das Rattern der Räder, die über das Holzpflaster rumpelten. Malvina wollte gerade etwas sagen, als der Sohn des Grafen, der neben ihr saß, seine Hand auf die ihre legte. Die Kraft dieser Geste vermittelte ihr Sicherheit.

»Fürchtet Euch nicht«, murmelte er, »ich will Euch nicht erschrecken, sondern überraschen ...«

Sie musterte ihn einen Augenblick, dann wandte sie ihre Aufmerksamkeit der Herzogin zu.

»Ihr könnt gehen, wann immer Ihr wollt«, sagte diese beruhigend. »Matthieu hat mir schon gesagt, daß Ihr nicht lange bleiben könnt. Und wenn ich Euch ansehe, verstehe ich sehr gut seine Ungeduld, allein mit Euch zu sein.«

Dieser Satz war das Ende der Unterhaltung. Die Kutsche hatte angehalten.

»Wir sind da«, sagte die Herzogin. »Ihr dürft mit niemandem sprechen. Kein Wort, und vor allem antwortet nicht ... Sie würden bemerken, daß Ihr nicht zu ihnen gehört.«

Sie reichte den beiden eine schwarze Halbmaske aus Samt und bat sie, sie aufzusetzen.

Das Gebäude, das sie betraten, glich einer leerstehenden Kirche. Die Fenster waren zugemauert, in den Seitenschiffen hingen vom Deckengewölbe schmiedeeiserne Lüster herab, die ein helles Licht auf mit Lebensmitteln überladene Tische warfen. Die Gäste, die alle maskiert waren, schlenderten von einer Tafel zur nächsten, bis zum Altar, wo Likör und Wein in Kelchen bereitstanden. Ein Diener in Livree kam ihnen entgegen, als wolle er ihnen den Weg verstellen. Als er bei ihnen angelangt war, zog die Herzogin einen winzigen Stein aus ihrem Beutel, einen Selenit, den der Mann im Schein der Kerzen zwischen den Fingern drehte. Der silbrige Schimmer der Oberfläche war offenbar eine Art »Sesam, öffne dich«, denn der Mann lud sie ein, sich zu den anderen Gästen zu gesellen.

»Folgt mir«, murmelte die Herzogin, »Schwester Eléonore schickt sich an, die Messe vorzubereiten.«

Es wäre treffender gewesen, von Schwarzer Magie zu sprechen, denn wenn es auch den Anschein hatte, daß die liturgischen Regeln des Meßopfers beachtet wurden, waren doch der Kelch durch eine Phiole, die Hostien durch Eier ersetzt.

»Die Eier«, erklärte die Herzogin, »sind mit Brot und Wein vermischt, nur das dreizehnte wird halbiert, zerdrückt und mit einem Schoppen Essig vermengt.«

»Welche Bedeutung hat dieses Ritual?«

»Es geht um Judas, das dreizehnte Ei ist das Symbol für den Abschaum der Welt. Alle Gläubigen müssen von dieser Opfergabe essen.«

Matthieu, der sich ein wenig im Hintergrund gehalten hatte, trat zu ihnen.

»Ich wußte, daß die Küche der Konvulsionäre Eure Neugier erregen würde«, bemerkte er und ergriff Malvina beim Arm. »Diese Schwester, von der die Herzogin gesprochen hat, zelebriert häufig Messen und war früher selbst eine Gläubige, ehe sie Hohepriesterin wurde.«

Die junge Frau sah ihn verwundert an.

»Ich kann Euch, wenn Ihr es wünscht, von Vorgängen berichten, die ich hier miterlebt habe. Zum Beispiel von diesem armen Mädchen, das auf den Altarstufen sitzt, seine Geschichte ist äußerst beeindruckend«, erklärte er.

Malvinas Aufmerksamkeit richtete sich auf das junge Mädchen, von dem er gesprochen hatte. Sie war mit einem einfachen weißen Leinenhemd bekleidet und hielt ein Glas in der Hand, in das sie eine milchige Flüssigkeit von sich gab.

»Mademoiselle Lepaige«, erklärte er, »hat sich sechs Monate lang nur von Exkrementen und reinem Urin ernährt. Diese furchtbare Mischung ergab einen Schoppen, manchmal sogar eine ganze Pinte. Die Herzogin könnte Euch bestätigen, daß das junge Mädchen nach diesen düsteren Festmahlen versicherte, keinerlei Ekel empfunden zu haben. Es war, als hätte sie Tee oder Milch getrunken. Darum konnte Mademoiselle Lepaige fortan, wenn sie Exkremente gegessen hatte, bis zu einer halben Tasse Milch von sich geben.«

»Das kann ich Euch kaum glauben«, entschuldigte sich Malvina. »Versucht Ihr nicht vielleicht, Euch auf diese Weise für ein Essen zu rächen, das Euch schockiert haben könnte?«

In diesem Augenblick bat sie die Herzogin um etwas mehr Ruhe. Man würde die »tödlichen Fürbitten« zelebrieren.

»Gehen wir«, sagte Matthieu und sah Malvina fest an.

»Laßt mich noch fünf Minuten hierbleiben. Ich habe noch nie ein so faszinierendes Schauspiel gesehen.«

»Gefällt es Euch, diese Männer und Frauen dabei zu beobachten, wie sie das Blutopfer der Märtyrer nachspielen?«

»Das habt Ihr ja selbst schon getan!«

»Reine Neugier ist nicht vergleichbar mit dem krankhaften Vergnügen, das Ihr plötzlich empfindet.«

Wie hatte sie nur so dumm sein können? Er wollte sie in eine Falle locken. Würde sie zeigen, welche Anziehungskraft das Morbide auf sie ausübte, wäre alles verloren. Denn da der makabre Charakter der Anatomie ihn letztendlich abgestoßen hatte, konnte sich Matthieu nur von einer Frau angezogen fühlen, die Licht und Leben verkörperte.

»Ich folge Euch!« sagte sie.

Sie verständigten sich durch einen Blick mit der Herzogin, und kurz darauf traten sie in die kühle Nachtluft hinaus.

»Ich kann dieses Schauspiel nicht länger ertragen«, sagte er, während er ihr in die Kutsche half. »Wißt Ihr, wie die Messe zu Ende geht?«

Malvina verneinte.

»Unterwerfen die Konvulsionisten ihre Körper nicht der schlimmsten Marter, verzehren sie genußvoll die Fäulnis dieser Welt. Auf diese Weise wollen sie François de Pâris nachfolgen, der Diakon der Gemeinde Saint-Médard war und nach einem Leben, das der Frömmigkeit, Nächstenliebe und Einfachheit gewidmet war, 1727 verstarb ... Sie verzehren den ekelerregenden Auswurf anderer und glauben, so ihren kleinen Kreis von Auserwählten retten zu können ...«

Malvina wußte nicht, was sie darauf sagen sollte. Denn nun lächelte Matthieu.

»Seit Monaten«, sagte er, »verfolgt mich Euer Lächeln. Ihr macht mich neugierig.«

»Darf ich daraus schließen, daß meine Kochkünste Eure Aufmerksamkeit erregt haben?«

»Die Art, wie Ihr Eure Künste ausübt«, erklärte er und lehnte sich zurück, so daß sein Gesicht im Schatten verschwand.

»Mit dem Kochen verdiene ich meinen Lebensunterhalt. Genügt Euch das?«

»Woher kommt dann dieser Ernst in Eurem Blick? Ihr scheint in einem beständigen Kampf mit Euch selbst zu liegen. Ich erinnere mich an den Abend, als wir uns zum erstenmal gesehen haben. Ihr habt jeden Gast genauestens beobachtet, jeden Bissen in unsere Mägen verfolgt, als würdet Ihr auf die Wirkungen Eurer Kochkunst lauern. Wie ein Henker, der sich an den Gefühlsregungen auf dem Gesicht seines Opfers erfreut.«

Ein tiefer Atemzug hob Malvinas Brust, das Blut pulsierte bis in ihre Fingerspitzen, ihre eiskalten Arme begannen plötzlich zu glühen. Matthieus Worte hätten sie verärgern können, doch ganz im Gegenteil, es gefiel ihr, so durchschaut zu werden. Auf wunde Stellen zu zeigen, wie andere körperliche Schönheit priesen, zeugte von einer starken Persönlichkeit.

»Verzeiht meine Härte, aber Ihr unterscheidet Euch von anderen Frauen«, sagte er und ergriff ihre Hand.

Diese schmeichelhaften Worte zauberten ein Lächeln auf Malvinas Lippen.

»Ich bin der Kochkunst viel mehr zugetan, als Ihr meint!« sagte er. »Ist es nicht ein Zauberwerk, Dutzende von Schinken und Hammelkeulen in einem Fläschchen einzufangen, das nicht größer ist als mein Daumen? Ich möchte den Extrakt ebenso einfangen wie die göttliche Essenz aller Wesen und aller Dinge ...«

Malvina heuchelte Verwirrung, ehe sie hinzufügte:

»Ich teile mit Euch die Ansicht, daß es keine bessere Verkürzung gibt als das Wesentliche.«

Den Rest der Fahrt über wagte keiner der beiden mehr zu sprechen. Ihre Gefühle schwankten zwischen Furcht und Begehren. Die Hände blieben brav, um dem Kommenden nichts von seinem Reiz zu nehmen. Die Blicke, die sie tauschten, sagten alles. Matthieu strahlte angesichts seines Sieges, er wirkte leidenschaftlich und zärtlich, zu allem bereit, um sie zufriedenzustellen. Sie war ungeduldig und beunruhigt, zum erstenmal schien ihr Scharfblick sie im Stich gelassen zu haben. Er hätte Unmögliches von ihr verlangen können, sie hätte ihm gehorcht.

Ein erhellter Torbogen, der Glockenschlag einer Uhr, Treppenstufen, dann erreichten sie Matthieus Wohnung, die im dritten Stock lag. Er nahm Malvina das Cape ab und zündete Kerzen an, um im Salon eine gedämpfte Atmosphäre zu schaffen. Dann ergriff er ohne weitere Vorrede die Hände der jungen Frau und drehte die Innenflächen nach oben.

Seine Finger glitten über die weiche, aber auch kalte Haut, die den Ton einer Rose hatte. So als wolle er diese Blütenblätter zum Leben erwecken, folgte sein Daumen den Venen über das Handgelenk hinauf, hinauf unter dem Kleid bis zur Armbeuge. Malvina erschauerte unter der Berührung dieser Hände, die sich langsam vorwagten, doch als er sie zurückziehen wollte, hielt sie sie mit aller Kraft fest.

»Seit Monaten schon«, sagte sie, »begehre ich Euch mit aller Leidenschaft, zu der ich fähig bin.«

Matthieu genoß den sehnsuchtsvollen Ton, die rührende Aufrichtigkeit einer Frau, die begehrt. Dieser Mund, dieser Körper, die ihm so beredt zuriefen: »Komm!« Nie zuvor hatte er eine solche Mischung aus Achtung und glühender Wollust verspürt. Langsam schob er seine Hände in die ihren. Ohne ein Wort umschlang er sie, klammerte sie sich an ihn … Die Formen ihres Körpers zeichneten sich so klar unter dem Stoff ab, daß sie in ihrem Kleid nackt schien. Der leichte Musselinschal, der ihre Schultern umhüllte, glitt über ihren Rücken. Er schob ihn weiter hinunter, zog sie mit einem Arm an sich, schnürte mit der freien Hand ihr Mieder auf. Die Berührung ihrer warmen Brust löste einen köstlichen Schauder der Lust in ihm aus. Er umarmte sie ungestüm. Zuerst berührten sich ihre Zähne, ihre Nasen, dann verschmolzen die Lippen. Die junge Frau schloß die Augen, um das heftige Verlangen, das in ihr aufstieg, stärker genießen zu können. Bereitwillig gab sie sich dem lang- und heißersehnten Glück hin. Doch zugleich erschreckte es sie so sehr, daß sie sich nicht mehr zu rühren wagte … Dieses Verhalten eines ängstlichen Tieres überraschte Matthieu. Also machte er sich daran, sie mit Sanftheit zu erobern. Er küßte ihren Hals, bis sie ein Zittern durchlief, entfachte mit tausend Liebkosungen ihre Erregung. Dieselbe sinnliche Aufwallung verband sie. Von den Seufzern seiner Geliebten geleitet, drang er zunächst mit heftigen, kurzen, dann mit langen tiefen Stößen in sie ein. Malvina hatte keine Angst mehr, sich hinzugeben. Ihr ganzer Körper vibrierte, schien schwerelos zu werden, so daß ihr Bewußtsein in den Wolken schwebte, als ihr der Höhepunkt schließlich einen Schrei entriß.

Im Morgengrauen lagen sie eng umschlungen nebeneinander. Da Matthieu noch schlief, hatte Malvina Gelegenheit, ihren Geliebten ungeniert zu betrachten. Sie sog tief den Ambraduft ein, den die Liebe zurückgelassen hatte, näherte sich ihm mit ihren Lippen, um ihn besser in ihren Mund aufzunehmen. Sie genoß die Berührung dieser weichen, zarten und so empfindsamen Haut. Diesmal fühlte sie sich nicht abgestoßen, hatte nicht das Bedürfnis zu fliehen. Im Gegenteil, sie legte ihren Kopf an seine Schulter, suchte die Berührung mit seiner Haut. So blieben sie lange Zeit regungslos, dicht aneinander geschmiegt liegen. Draußen erwachte die Stadt, hallte von dem Rumpeln der Wagenräder auf dem Pflaster wider. Ein Sonnenstrahl erhellte den Raum mit seinem blaßgoldenen Licht. Die Wärme tauchte die Liebenden in einen friedvollen Schein. Man ahnte ihren Atem, sah, wie sich die Brust ruhig und gleichmäßig hob. Kein Muskel zuckte, ihre glatten und reglosen Gesichter schienen aus Wachs, hingegeben. Sie schliefen nicht, sie träumten, wie nur von einer leidenschaftlichen Liebe beseelte Wesen träumen können.

11

VON DIESEM TAG AN besuchte Malvina – wenn sie nicht damit beschäftigt war, galante Feste auszurichten – ihren Geliebten in seiner Wohnung. Da sie beide vollkommen im Bann der reinen Leidenschaft standen, zogen sie den Liebesschwüren die sinnliche Herausforderung vor. Ihre Triebe führten sie zu allen nur erdenklichen Vergnügungen. Wenn es darum ging, unbekannte Neigungen zu entdecken, übertrafen sie einander an Kühnheit … Jede Andeutung verborgener Gelüste fachte ihr Verlangen an, nährte ihre Phantasie. Verkleidungen, Masken und Erfindungsreichtum – alle Mittel waren recht, um ihre zügellose Lust zu fördern. Eine zunehmende Selbstsicherheit erlaubte Malvina bald ein neues Spiel mit den Körpern, ständig wechselnde Inszenierungen und Variationen, damit ihre Umarmungen niemals langweilig wurden. Wieso nicht der eigenen Tollheit nachgeben, wenn sie doch zu allem bereit war, um zu lieben? Die Kunst, jemanden in ihren Bann zu ziehen, war für sie schließlich etwas ganz Natürliches. Ihre Gesten, ihre Liebkosungen waren nicht bedächtig oder zögernd. Stets gab sie sich leidenschaftlich und eroberungslustig! Man hätte meinen können, die furchtbare Macht der Herrschaft der Sinne hätte sie zu neuem Leben erweckt.

Matthieu war sich des Einflusses bewußt, den seine Geliebte durch die Sinnenfreuden auf ihn gewann. Wenn ihn auch sein Stolz dazu verleitete, seine Fügsamkeit nicht einzugestehen, freute er sich insgeheim darüber, einer Frau begegnet zu sein, die ihm die Vielfalt ihrer Reize enthüllte. Ihr rätselhaftes Wesen zog ihn an, ihre außerordentliche Empfindsamkeit rührte ihn. Er liebte diesen Blick, der im Moment des Höhepunkts von einem so maßlosen Glück erfüllt war, daß diesem nur Schreie und Tränen Ausdruck zu verleihen vermochten. Mehr als alle seine früheren Geliebten verstand es Malvina, ihn mit ihren Waffen zu besiegen. Ob körperliche Freuden oder geistige Raffinesse – es gab keine Faser seines Wesens, die sie nicht zu erforschen suchte.

Gaben sie sich nicht den sinnlichen Genüssen hin, machten sie einen Spaziergang zu den Schachspielern hinüber, um schließlich das Café de Foy aufzusuchen. Die junge Frau liebte diesen Ort vor allem wegen der Marmorkonsolen, auf denen blitzende, mit Torten, Gebäck und Pralinés beladene Tabletts lockten. Sie setzte sich stets an den gleichen Tisch, da sie von diesem Platz aus – das war Matthieu nicht entgangen – unauffällig die Menschen um sich herum beobachten konnte. Ein Wandspiegel verriet ihr, wie ihr Geliebter andere Frauen anschaute. Durch die Anwesenheit Malvinas ermuntert, zögerte er nicht, die Limonadenverkäuferin zu necken, die, von soviel Aufmerksamkeit geschmeichelt, ihm ein betörendes Lächeln schenkte. Doch niemals gab er seiner Geliebten Anlaß zur Eifersucht, war er doch darauf bedacht, dieses heimliche Einverständnis, das sie verband, nicht zu gefährden.

»Erzähl mir von dir«, bat sie ihn ungestüm. »Ich möchte dich besser kennenlernen.«

Sie verbrachte Stunden damit, ihn auszufragen, ihm zuzuhören, ihn anzusehen. Nicht die kleinste Regung seines Gesichts entging ihr, sie sah in seinen Augen die Rührung, die ihn ergriff, wenn er sich an einen Fund erinnerte, hing an seinen Lippen, wenn er mit unwiderstehlicher Leidenschaft von seinen Abenteuern berichtete. Seit Matthieu von der Akademie der Wissenschaften mit einer besonderen Genehmigung ausgestattet war, führten ihn seine Forschungsreisen in alle Winkel der Welt. Die Engstirnigkeit des Louvre und die ständigen Dispute mit dem Intendanten des botanischen Gartens veranlaßten Matthieu, möglichst entlegene Ziele zu wählen, die ihn mindestens ein Jahr lang von der Hauptstadt wegführten. Obwohl sie befürchtete, daß er schon bald zu einer neuen Reise aufbrechen würde, setzte Malvina alles daran, die geheimnisvolle Welt der Mineralogie zu begreifen. Es war vor allem ihre Eifersucht, die sie dazu trieb, nicht von jenen Dingen ausgeschlossen sein zu wollen, mit denen sich ihr Geliebter beschäftigte. Da man Edelsteine auch in der Pharmazie verwendete, kannte sie zwar deren Eigenschaften, wußte jedoch nichts über ihren Ursprung. »Erzähl mir doch, wie sich diese Edelsteine bilden und wie sie gewonnen werden«, bat sie ihn. Um ihr das zu erklären, bediente sich Matthieu einer bilderreichen Sprache, damit sie, für die diese Materie neu war, seiner Darstellung folgen konnte. So zögerte er nicht, Vergleiche zur Anatomie zu ziehen, einer Wissenschaft, für die sich die junge Frau, wie er wußte, begeisterte.

»Die Erde ist nichts anderes als ein riesiger Körper. Auf der Erdoberfläche gibt es, wie auf unserer Haut, erkennbare Anzeichen eines verborgenen Lebens … Eine gelbe Ader mit starkem rötlichen Einschlag deutet auf ein Kupfervorkommen hin, in Schichtgesteinen, wie zum Beispiel Schiefer, können Opale oder Türkise eingeschlossen sein … Dann beginnt man mit der Sektion wie in der Anatomie. Nur mit Schaufel oder Stecken ausgerüstet, gräbt man, durchdringt die Schichten, um in das unendliche Netz der Gänge vorzudringen, bis man eine winzig kleine Ader freilegt.«

Eines Tages, als er ihr von einem Smaragdvorkommen erzählte, das die Engländer in Indien entdeckt hatten, wagte es Malvina, ihn nach der Beziehung seiner Familie zu diesen Steinen zu fragen. Matthieu, ob dieser Frage überrascht, hatte sich zunächst sehr zurückhaltend gezeigt, bevor er sich Malvina doch offenbarte. Er vermutete, daß sie mehr wußte, als sie zu erkennen gab. Man konnte nicht mit Dandora arbeiten, ohne daß er sich einem nicht hin und wieder anvertraute.

»Die Gräfin«, sagte er, »liebte die Smaragde und das Geheimnis, das sie umgibt. Als ich klein war, verging kein Abend, an dem sie sich nicht die Zeit nahm, mir darüber eine Geschichte zu erzählen. Jeder Stein aus den ägyptischen Minen – die zu den ältesten gehören, die man kennt – besaß eine Kraft. Die schönsten, die wie ein Skarabäus geschnitten waren, waren den Pharaonen vorbehalten … Bevor ein verstorbener Pharao mumifiziert wurde, ersetzte man sein Herz durch einen dieser Edelsteine … Zum Zeichen seiner Unsterblichkeit!«

»Der Smaragd ist grün wie die Pflanzen, wie das Wiederaufblühen der Natur, das Leben, die Jugend und die Hoffnung …«

»… und wie der Gral, vergiß das nicht! Das Gefäß, das das Blut des fleischgewordenen Gottes enthält, Sinnbild der Liebe und des Opfers, ist eine Schale aus Smaragd oder grünem Kristall.«

Malvina erinnerte sich, was Dandora ihr anvertraut hatte: den wahren Grund, der die Gräfin in den Selbstmord getrieben hatte. Als das Wort »Opfer« fiel, war es ihr wieder eingefallen.

»Die Liebe kann ein Vorwand für alle möglichen Handlungen sein«, erklärte sie. »Aber glaubst du, daß man aus Liebe sterben kann?«

Matthieu begriff sofort, daß sie damit auf seine Mutter anspielte. Von der Frau, die ihm das Leben geschenkt hatte, war ihm die Erinnerung an Verlassenheit und Liebe geblieben. Zunächst durch ihre Abwesenheit – sie schloß sich tagelang in ihr Schlafgemach ein –, dann durch ihren Verrat, als sie sich schließlich das Leben nahm. Um an ihrem Tod nicht zu verzweifeln, war er ins Ausland geflohen. So konnte er diese Frau verklären und das Wunschbild der vollkommenen Mutter aufrechterhalten.

»Meiner Ansicht nach«, sagte er, »muß das Leben dem Tod, diesem kalten Ungeheuer, ein leichtes, vergnügliches Dasein entgegensetzen. Das Jenseits zieht mich nicht an, ich hasse den Schmerz und möchte ihn weder jemandem antun noch selbst durchleben.«

Malvina warf Matthieu einen beschützenden Blick zu. Dann bemerkte sie den Smaragd, der an seiner weißseidenen Krawatte steckte.

»Dieser Stein«, sagte er, »gleicht dem Bild meiner Mutter. Wie sie ist er schön, unerreichbar und märchenhaft …«

»Wie von einem übernatürlichen Licht erfüllt, erhellt dieser Stein die Nacht«, fügte sie hinzu.

Von diesen Worten, die seine Gefühle so gut wiedergaben, betroffen, ergriff Matthieu ihre Hände.

»Würdest du diese Nadel tragen?« fragte er sie auf einmal.

Die Augen der jungen Frau leuchteten auf.

»Ein so kostbares Geschenk kann ich nicht annehmen!«

»Soll das heißen, daß du mir diese Gunst nicht erweisen willst?«

Während er das sagte, hatte er den Stein schon in der Hand …

»Tu mir den Gefallen …«

Als er auf seinem Handteller lag, schimmerte der Smaragd mit einemmal zartgrün. Er funkelte und strahlte so intensiv, daß er im Schein des flackernden Kerzenlichts wie mit Leben erfüllt schien.

»Selbst wenn man ihn schleift oder in Säure taucht, verliert dieser Edelstein nicht seine Anziehungskraft. Meine Mutter war davon überzeugt, daß dieser Smaragd in der Seele dessen, der nicht zu lieben weiß, eine tiefe Unruhe auslöst. Nimm ihn«, sagte er mit einem leicht spöttischen Unterton, »auf diese Weise wirst du mehr über deine wahren Gefühle erfahren …«

Er ergriff Malvinas Hand, legte den Stein hinein und schloß sie wieder. Die junge Frau saß stumm da. Wie sollte sie ein Geschenk zurückweisen, das, über seine Schönheit hinaus, vor allem der Beweis für eine Zuneigung war, die sie zutiefst aufwühlte?

»Beunruhigt dich seine Macht?« fragte er sie lachend.

»Nein, es ist die Macht meiner Gefühle, die mich ängstigt!«

Auf dieses Bekenntnis wußte Matthieu nichts zu erwidern. Sich auf das Terrain der Geständnisse vorzuwagen würde in ihrer Beziehung allzu gewöhnliche Gefühle aufleben lassen. Das Einzigartige, das Unvergleichliche sollte sie über das Alltägliche erheben. Keine Versprechungen und auch nichts Gekünsteltes … Ihre Beziehung kam ohne all jene Worte aus, die ohnehin nie genug aussagten. Vielmehr sollte der Wettstreit all ihre Vorhaben bestimmen. Es war zwischen ihnen nicht die Rede von Heirat oder von Kindern, sondern von einem vollständigen Miteinanderverschmelzen, das durch keinen zusätzlichen Ballast beschwert werden durfte, nicht einmal von ergreifenden Liebesbeweisen.

An jenem Abend konnte Malvina keinen Schlaf finden. Eine Vielzahl eindringlicher Gedanken und Bilder gingen ihr durch den Kopf. Sie vermochte noch nicht, ihr Glück zu fassen, doch sie spürte, wie es sich warm in ihrem Leib, ihrer Brust ausbreitete. Außer es wäre Angst, die ihr Herz so wild schlagen ließ. Furcht überkam sie. War dem Mann, der neben ihr schlief, eigentlich bewußt, welches Fieber er in ihr entzündet hatte? Dieses unerwartete Licht in einem Leben voller Finsternis. Die irrwitzige Hoffnung, die Vergangenheit für immer zu vergessen. Wie gern hätte sie sich ihm anvertraut, doch die junge Frau zögerte. Die Wahrheit würde Matthieu erschrecken, sie würde ihn zwingen, darüber nachzudenken, wie weit er sich auf diese Beziehung einlassen wollte … Sie sollte es besser dabei bewenden lassen, diese Hand, dieses seidenweiche, warme Fleisch zu halten, das sie eilig an ihren Mund preßte, um es stärker zu spüren.

Mit ihrem ganzen Wesen wollte sie diese feuchte Hitze spüren, die zarte Innenfläche entdecken. Sie konnte nicht widerstehen. Eine ursprüngliche Lust überkam ihre Sinne. Wieso sollte sie sich nicht vom köstlichen Geschmack eines Liebsten verlocken lassen, dessen leichtes Erschauern von erwachendem Verlangen zeugte? Sie mußte auf diesem Körper eine Spur hinterlassen, die nur für sie erkennbar war. So zeichnete sie mit ihrer Zungenspitze kleine, feuchte Streifen. Am Hals, auf der Brust, den Handgelenken, dem Bauch, ein feuchter Film, den sie zärtlich mit sanften und gierigen Küssen auftrug. Hier innehalten; an anderer Stelle fortfahren; das unwiderstehliche Gefühl einer auf einen Punkt konzentrierten Kraft erleben. Matthieu versuchte, in sie einzudringen, doch sie hielt ihn zurück, wollte sich lieber auf ihm ausstrecken. Was sie sich wünschte, ging über die körperliche Vereinigung hinaus, ihre Phantasie drängte sie zu einem anderen, tief in ihrem Innern verborgenen Verlangen.

Sie nahm den Kopf ihres Liebsten zwischen ihre Hände, preßte ihren Mund auf seinen, biß in seine Lippen und fing in einem langen, tiefen Kuß seinen Atem ein, genoß seinen Speichel. Die wohlschmeckende Mischung dieser Säfte auskosten, bevor man sich einander hingab. Er sah sie an, sah sie noch immer an, als sie sich plötzlich aufrichtete, so daß ihre Brüste seinen Mund lockten. Denn das war ihre Absicht: Ihn in einem genießerischen und sinnlichen Akt mit ihrem Fleisch zu nähren. Glänzende entflammte Brüste, die er mit kleinen Bissen überdeckte, in heftigen Bewegungen einsog. Als hätten sie die Rollen vertauscht, labte er sich an diesem üppigen Körper, während sie es genoß, in ihm zu sein. Die Lust trug beide davon. Das Gefühl, das Malvina in diesem Augenblick verspürte, war keiner früheren Empfindung vergleichbar. So kam es, daß sie sich wünschte, sich fortan immer so hinzugeben ... wie die Kannibalen.

Am nächsten Tag beschloß die junge Frau, Graf Dandora einen Besuch abzustatten. Auch wenn Vater und Sohn sich wegen ihrer Geschäfte trafen, hatte sie es dennoch seit mehreren Wochen nicht gewagt, sich in der Apotheke sehen zu lassen. Sicher, Alcibiade ersetzte sie im Laboratorium und ihre Anwesenheit war nicht mehr unbedingt vonnöten, doch sie machte sich Vorwürfe, weil sie ihren ehemaligen Meister verlassen hatte, ohne ihm überhaupt für alles, was er für sie getan hatte, zu danken. »Er kann sich eigentlich nur über dein Glück und das seines Sohnes freuen!« beruhigte sie sich selbst, als sie die Tür zur Apotheke öffnete.
Der Graf hatte sich erhoben, kam auf sie zu. Die gleichen Gesten, das gleiche gepflegte Äußere, die gleichen Worte ... Schon häufiger hatte sie das Gefühl gehabt, manche Situationen mehrmals zu erleben.
»Womit kann ich Euch zu Diensten sein, Mademoiselle?« fragte er mit belustigtem Unterton.
»Ich überlege, Monsieur ...«
»Es ist mir zwar unbekannt, daß eine Apotheke der geeignete Ort für Überlegungen ist ...«

Wenn auch sein Gang etwas langsamer geworden war, war sein Geist doch in keinster Weise müde.

»Kommt her und setzt Euch, mein Kind«, sagte er und bot ihr seinen behaglichen Sessel an. »Du erinnerst dich also auch noch an unsere erste Begegnung?«

»An meine Ankunft in Paris!«

»Du hast dich seitdem sehr verändert … Dein Erfolg hat dir die Sicherheit einer Dame von Stand verliehen; und die Liebe macht dich, wie mir scheint, immer schöner.«

»Ich liebe Matthieu, und es gefällt mir, daß man mir das auch ansieht.«

Er fuhr in einem vermeintlich strengen Ton fort:

»Aber mußt du deshalb deine alten Freunde so vernachlässigen?«

Malvina schlug die Augen nieder.

»Verzeiht mir meine Undankbarkeit«, sagte sie. »Wenn man glücklich ist, denkt man nur noch an sich.«

»Alcibiade bedauert es sehr, daß er nichts mehr von dir hört. Er ist erschöpft und mager geworden, sein Gesundheitszustand beunruhigt mich …«

»Ist er krank?«

»Es ist nicht gut, wenn man zuviel Zeit mit Leichen verbringt. Diese ungesunde Umgebung bringt ihn aus dem Gleichgewicht, die Morbidität seiner Arbeit stimmt ihn traurig. Wenn er daran festhält, unsere ›Gesundheitspastillen‹ herzustellen, dann nur, um dir näher zu sein. Er liebt dich wirklich sehr …«

Sie fiel ihm ins Wort.

»Er hat nie erkennen wollen, wie stark meine Gefühle für Euren Sohn sind! Was kann man gegen solche Blindheit ausrichten?«

»Er ist verletzt, und du weißt es. Dir hat der Mut gefehlt,

mit ihm zu sprechen … Ich urteile nicht über dich, aber du solltest zumindest deine Nachlässigkeit erkennen!«

Malvina preßte die Lippen zusammen. Ihr verkniffener Mund verlieh ihrem Gesicht eine gewisse Härte.

»Soll ich mich nach einem Lehrling umsehen, der ihm im Laboratorium zur Hand geht?« erkundigte sie sich schroff.

»Das wird nicht nötig sein«, erwiderte der Graf. »Ich denke daran, mich aus dem Geschäft zurückzuziehen.«

»Aufhören, Ihr wollt tatsächlich aufhören?« fragte sie fassungslos. »Aber wieso denn, nach all den Anstrengungen …«

»Unsere letzten Abrechnungen sind unter den Erwartungen geblieben …«

»Also, dann nutzt die Gelegenheit und stellt ein neues Mittel her!«

Ihre Augen funkelten vor Ehrgeiz. Sie war euphorisch und sprach rasch.

»Die Leute wissen nicht mehr weiter … Man stellt sich Fragen angesichts der Reformen, beunruhigt sich, langweilt sich, richtet sich zugrunde … Laßt uns gemeinsam ein Mittel entwickeln, das sich nicht auf den Körper auswirkt, sondern auf den Geist. Ich habe gestern Dutzende von Scharlatanen gesehen, die das Fleisch der Viper verkaufen, um die Angst zu lindern!«

Wie immer, wenn er aufgeregt war, fuhr sich der Graf mit dem Zeigefinger über die Oberlippe.

»Du hast mich nicht verstanden«, murmelte er. »Jeder Mensch spürt im Alter eine gewisse Bitterkeit, Zersetzung und Auflösung … Ich habe keine Lust mehr zu leben, Malvina …«

»Ihr macht mir angst! Es müßte Euch doch sehr daran gelegen sein, den letzten Genuß des Daseins auszukosten …«

»Ohne andere Sorgen als die der einfachen Freuden«,

fügte er hinzu. »Da stimme ich dir zu … Also, ich habe beschlossen, mich für einige Monate nach Saint-Malo zurückzuziehen. Alcibiade wird die Apotheke so lange weiterführen, bis alle Rohstoffe verkauft sind. Im übrigen – du sollst wissen, daß das Gegenstand einer sehr ernsten Unterredung mit meinem Sohn war – habe ich beschlossen, dir einen Anteil meines Vermögens zu vermachen. Ich weiß nicht, ob Matthieu und du vielleicht ans Heiraten denkt, doch ich möchte für dich sorgen. Auf diese Weise werde ich bei dir, was ich schon bei deiner Mutter hätte tun sollen, Vaterstelle vertreten.«

Malvina war verblüfft. Das Zittern ihrer Hände verriet ihre Verwirrung. Sie legte sie auf die Knie.

»Du wirst monatlich eine Pension bekommen, die doppelt so hoch ist wie dein Lohn, ich denke, damit wären wir quitt!« sagte er, als habe er gerade einen Vertrag abgeschlossen.

Voller Genugtuung erklärte der Graf der jungen Frau, was sie zu tun habe. Dann erhob er sich zufrieden, um mit einer Flasche Orangenlikör zurückzukommen. Er schenkte zwei Gläser ein, trank seines in einem Zug leer. Malvina tat es ihm nach. Der Alkohol brannte, ließ ihre Augen glänzen. Auf diese Weise konnte sie die Rührung verbergen, die in ihr aufstieg. Eine so große Rührung, daß ihr die Worte fehlten.

Es war nach neun Uhr, als sie eilig die Rue Saint-Honoré verließ. Die späte Stunde und die Vorfreude auf Matthieu ließen sie ihren Schritt beschleunigen. Welcher Genuß, sich auf das Wiedersehen vorzubereiten, verschiedene Kleider anzuprobieren, bis sie sich für eines entschieden hatte. Sie freute sich darüber, ihn zu erwarten und in der Zwischenzeit Holz in den Kamin zu legen und die Kerzen in den Kandelabern anzuzünden, um eine vertrauliche und behagliche Atmosphäre zu schaffen. Sicher bliebe ihr auch noch Zeit, sich ein betörendes Parfum zusammenzustellen. Denn wenn in der Liebe eine einzelne Anstrengung unbemerkt bleiben konnte, so verhieß eine Vielzahl doch Erfolg. Die junge Frau dachte an die bevorstehende Nacht, als sie auf einmal hinter sich eine Stimme hörte.

Ein vergessenes Murmeln, das aus den Tiefen der Vergangenheit aufzusteigen schien, dann ein greller, durchdringender Ton aus der Kindheit, der ihr so gegenwärtig war, daß unweigerlich der Name Rougemont in ihr hochstieg und sie zu ersticken drohte. Die Erinnerung an das heftige Gewitter, das an dem Tag der Hinrichtung ihrer Eltern getobt hatte, der Klang der Sturmglocke, der nichts Gutes verhieß, Schwester Clotildes Glas, das auf dem Steinboden zersprang, all das hallte mit einemmal in ihren Ohren wider. Mißklänge. Sie wandte sich um, die Straße lag verlassen da. In das Geklapper ihrer Absätze auf dem Pflaster mischte sich ein anderes Geräusch, sie ging noch schneller, als könne sie mit jedem Schritt den Abstand zu ihrer Vergangenheit vergrößern. Sie war ganz außer Atem, konnte nicht mehr klar denken, als plötzlich zwei Hände ihre Schultern wie ein Schraubstock umschlossen. Obwohl sie sich wehrte, konnte der Mann sie ohne große Kraftanstrengung umdrehen, zu sich ziehen. Ihre Schreie verhallten ungehört. Dicht vor ihrem Gesicht das des Händlers. Sein Mund war nur wenige Millimeter von dem ihren entfernt … Diesen Atem zu riechen, diesen üblen Geruch aus vergangenen Tagen, löste in ihr ein so heftiges Gefühl aus, daß sie zu sterben glaubte. Ihr Herz setzte aus, sie wurde in einen Strudel des Nichts gezogen, eine unendliche Leere, tiefe Nacht und Blut schienen sie zu verschlingen. Blut, überall war Blut, in ihrem Kopf, an ihren Händen. Etwas in ihrem Körper schwoll an, dehnte sich aus, drohte zu zerplatzen. Rougemonts bloße Anwesenheit hatte genügt, um ihr kostbares Gleichgewicht ins Wanken zu bringen.

Dieser hatte plötzlich seinen Griff gelockert, ließ sie aufs Pflaster fallen. Er stand, einem Riesen gleich, über ihr, wirkte übermächtig, wie Erwachsene in den Augen eines Kindes.

»Warum jetzt?« stammelte sie.

»Zehn Jahre Gefängnis für Schmuggelei. Hubertine hat dich besser beschützt, als sie es selbst für möglich gehalten hätte … Sie starb, kurz nachdem du verschwunden warst … So hatte ich keine Möglichkeit mehr, ihr von dir zu erzählen … Mit deinem verhexten Blick, mit deinen verteufelten Worten hast du sie umgebracht!«

Die junge Frau starrte ihn an, voller Angst, die ihr seine Worte, die wie Säure brannten, die man in eine offene Wunde schüttet, einjagten.

»Sechs Monate bin ich schon auf der Suche nach dir … Der Name auf deinem Büchlein, Dandora de Ghalia, stand in riesigen Buchstaben in allen Zeitungen! ›Zu verkaufen‹ hieß es da! Ich warte seit Wochen darauf, daß du dich hier blicken läßt …«

»Was willst du?«

»Ich? Nichts. Ich möchte nur deinen Untergang miterleben … Der Teufel, der in dir steckt, wird dich sehr bald packen, Malvina. Ich habe für die Fehler, die ich begangen habe, bezahlt. Ich will, daß es jedem, auf dem der Fluch des Verbrechens lastet, genauso ergeht. Ich habe die Haft durchgestanden, gegen die Krankheit angekämpft, sieh! Der Brand hat mir ein Bein genommen … Aber ich habe überlebt, und zwar nur, um mit ansehen zu können, wie das Böse dich mit sich reißt, um dabeizusein, wenn du verreckst … Ich kann mich nicht in dir getäuscht haben … andernfalls hätte mein Leben keinen Sinn mehr, verstehst du?«

»Du bist verrückt!« schrie sie. »Vollkommen verrückt!«

»Du hast nichts vergessen!« sagte er und reichte ihr eine schäbige Puppe. »Sie erinnert dich bestimmt an die, die du als Kind besessen hast. Alle kleinen braven Mädchen haben eine.«

Unwillkürlich griff die junge Frau nach dem Spielzeug. Ja, nun erinnerte sie sich wieder. Eine Puppe mit erdfahlem Gesicht, deren allzu empfindlicher Körper durch ein Eisengebilde ersetzt worden war. »Sie könnte deine Schwester sein«, hatte ihr Vater gesagt. »Kein Fleisch, kein Herz, eine richtige Mißgeburt!« Mehrere Male hatte sie versucht, sie zu beseitigen, hatte sie eigenhändig vergraben, doch die verfluchte Puppe war immer wieder aufgetaucht, um ihr das Bild ihres eigenen Unglücks vor Augen zu halten.

»Die Kindheit«, fuhr Rougemont fort, »prägt einen für alle Zeit. Verdammt zäh, die Vergangenheit, was! Ich weiß nicht, was mir helfen könnte, das Gespenst der Rache zu bannen, das durch meine Gedanken geistert.«

Er machte eine Pause und fügte dann hinterhältig hinzu:

»Glaubst du, daß der Seelenfrieden einen Preis hat?«

Malvina war starr vor Entsetzen. Sie dachte an Matthieu. An diese Liebe, die durch ihre Herkunft mit Schmach und Schande besudelt werden würde. Noch bevor Rougemont seine Forderung stellen konnte, schlug ihm Malvina einen Handel vor.

»Ich werde dich für dein Schweigen bezahlen!«

Er lachte, sein Bauch schwang dabei hin und her wie die Flanke eines Ochsen im Fieberrausch.

»Daß du dich loszukaufen versuchst, wird dich nicht retten!« rief er.

»Bestechlichkeit wirkt bei dir wie ein Vorzug, also nimm das Geld und verschwinde.«

Rougemont humpelte heran, wog den Geldbeutel prüfend in seiner Hand und tat anschließend so, als erweise er ihr seine Reverenz.

»Wir sind uns doch einig, Madame, daß dies lediglich eine Anzahlung ist …«

Lächelnd verschwand er, bevor sie darauf etwas erwidern konnte.

Lange irrte Malvina ziellos durch die Nacht. Sie sagte sich, daß sie sich verlor, daß sie sich selbst verlorenging. Und daß sie deshalb an nichts anderes dachte, daß all ihr Denken darauf gerichtet war. Mit leerem Blick sah sie von Zeit zu Zeit zum dunklen Himmel hinauf, dann wieder zum Boden. Ihr Kopf wiegte sich, die Arme schlenkerten, ihre Beine trugen sie mechanisch voran … Ihr Gang spiegelte den inneren Kampf, eine Art unbewußten Monolog wider. Als sie müde wurde, war es fast Mitternacht. Matthieu erwartete sie bereits besorgt. Anstatt sich, wie sie es für gewöhnlich tat, in seine Arme zu werfen, ging sie geradewegs in ihr Schlafgemach. Sie legte ihr Cape ab, als er hinter sich die Tür schloß.

»Du siehst bekümmert aus, was ist passiert?«

Die junge Frau setzte sich vor den Kamin. Es überraschte ihn, sie in dieser fast kindlichen Haltung, ein merkwürdiges Spielzeug im Arm, zu sehen. Er ging auf sie zu, wollte sie gerade berühren, da bemerkte er, daß sie phantasierte.

»Ich hasse ihn«, wiederholte sie immer wieder. »Ich hasse ihn …«

Der Sessel, auf dem sie saß, hatte zu schwanken begonnen, als ließe die Erde die Fundamente des Hauses erzittern.

In Wahrheit wiegte sich Malvina, den Daumen im Mund, mit dem Oberkörper vor und zurück. Mit der anderen Hand drückte sie die Puppe mit aller Gewalt, quetschte ihr den

Kopf, bis er zerbrach und nur noch eine Handvoll Porzellanscherben übrigblieb, die ihr aus der blutverschmierten Hand fielen.

»Rühr mich nicht an«, befahl sie Matthieu. »Ich bin nicht schlecht! Hörst du? Das war früher, viel viel früher …«

Er wollte sie beruhigen, ihr über das Haar streichen, aber er hatte Angst vor ihrer Reaktion, vor ihrem Zorn, der so leicht entflammbar war.

»Ich werde die Wunde säubern«, sagte er und stand auf, um einen Krug Wasser und ein sauberes Tuch zu holen. Während er sich anschickte, ihre Wunde zu behandeln, streckte Malvina ihm ihre Hand entgegen. Ihre Augen hatten einen Ausdruck, den er noch nie zuvor bei ihr gesehen hatte. Sie hatte das Blut abgeleckt und verlangte von ihm das gleiche. Matthieu preßte seine Lippen auf die klaffende Wunde.

»Wonach schmeckt mein Blut?« fragte sie leise. »Schlechtes Blut hat notwendigerweise einen anderen Geschmack … Du, der du reines Blut hast, du mußt es wissen …«

»Du glaubst doch nicht etwa an solchen Unsinn! Malvina, sieh mich an, ich erkenne dich gar nicht wieder.«

»Das Blut ist das Abbild der Seele; also sag mir, was du siehst!«

Matthieu zog es vor, nicht zu antworten. Er konzentrierte sich darauf, ihr einen Verband anzulegen, dann schloß er sie in die Arme. Doch kaum hatte er sie aufs Bett gelegt, schreckte sie auch schon wieder, von neuen Ängsten gepeinigt, hoch. Als er ihre Hand berührte, verstand er, daß es sich nicht um irgendeine Laune handelte, sondern daß sie wirklich Angst hatte.

»Wenn ich liebe, kann ich nicht schlecht sein, oder?«

In ihren dunklen Augen schimmerten Tränen. Die langen Haarsträhnen, die sich aus ihrem Knoten gelöst hatten, machten sie unwiderstehlich.

»Meine Liebe zu dir wird mich vor der Hölle bewahren! Er weiß es nicht, trotzdem wird er mich retten!« phantasierte sie.

»Ich weiß weder, was dich in einen solchen Zustand versetzt hat, noch von wem du sprichst, aber ich bitte dich, mir zu glauben, daß dir hier nichts geschehen kann.«

»Nimm mich«, flehte sie ihn an, »nimm mich …«

Er mußte brutal in sie eindringen.

Als das Feuer in ihrem Leib und ihrer Brust loderte, hoffte Malvina, daß sie einen erhabenen und befreienden Tod sterben würde. Doch nichts dergleichen geschah. Sie lag noch immer ausgestreckt und lebendig neben ihrem Geliebten. Er schlief, sie blieb wach, streichelte sich. Ihre Finger glitten über ihren Körper, als wolle sie die Erinnerung an ihre gemeinsame Verzückung festhalten. Anfangs ganz sanft, später immer heftiger. Plötzlich begann sie diese Haut, die sie anwiderte, zu zerkratzen. Sie mußte sich von dieser Hülle befreien, sie abziehen und zu einer Kugel zusammenrollen, die sie tief in ihrem Innern verschwinden lassen würde. Das war die einzige Möglichkeit, die Spuren der Wunden, die Narben ihrer Kindheit zu entfernen. Sie mußte diese Haut, die sie quälte, hinunterwürgen … Niemand mehr zu sein, dürfte nicht so schwierig sein!

Am nächsten Morgen war Matthieu noch immer wegen des erregten Gemütszustandes seiner Freundin beunruhigt, aber diese sprach über nichts anderes als über die Entscheidung des Grafen. Seine bevorstehende Abreise in die Bretagne, sein Vermächtnis, seine Ansichten über das Alter riefen in ihr ein Gefühl der Dringlichkeit wach. Sie verlangte von ihrem Geliebten, er möge sich bis zu seiner nächsten Reise ausschließlich ihrer Liebe widmen. So gaben sich die beiden erneut dem glühenden Verlangen hin, ohne daß mit irgendeinem Wort das schmerzliche Ereignis des vorhergehenden Abends noch einmal erwähnt worden wäre. Malvina bemühte sich, so gut sie konnte, ihre Ängste zu verbergen. Mehr noch als zuvor wurden die sinnlichen Genüsse für sie zu einem Ventil. Sie versuchte nicht, die Heftigkeit ihrer Triebe zu beherrschen: Das Mörderblut, das in ihren Adern kochte, begann in ihrem Körper zu pulsieren. Erst wenn sie vom zügellosen Liebesspiel erschöpft war, fand die junge Frau inneren Frieden. Um die Ausdauer zu steigern, ging ihrem Zusammensein immer ein Mahl voraus. Kein Souper im üblichen Sinn, sondern eine Auswahl an Speisen, die dafür geschaffen waren, ihr Verlangen zu schüren. Zu diesem Ritual – denn nichts anderes war es – gehörte es, daß Malvina ihren Geliebten bat, ihr bei der Zubereitung der Speisen zuzusehen. Das Geräusch der aneinanderschlagenden Töpfe, der Geruch des Wildbrets, das am Spieß goldbraun gebraten wurde, die melodiöse Stimme der jungen Frau, die beim Kochen sang, all das waren für Matthieu unwiderstehliche Reize. Er genoß die Ausführungen seiner Geliebten, die ihm die Wirkung pries, die zum Beispiel der kräftige Spanische Pfeffer, der bittere Geschmack der Rauke und der pikante Geschmack des schwarzen Rettichs hatten. Genau wie Rabelais in seinem »geschlechtlichen« Herbarium setzte sie die Zutaten nach Gutdünken ein und erzielte höchst erstaunliche Ergebnisse.

Als Matthieu eines Tages mit einem Rosenstrauß in die Küche kam, hatte Malvina die Gelegenheit genutzt, um eine ihrer letzten Entdeckungen zu erproben. Noch nie hatte sie so viele Blumen geschenkt bekommen. Es waren sicher mehrere Dutzend Rosen, ihre Arme konnten sie kaum umfassen. Sie drückte sie so fest an ihre Brust, daß sich das wie Perlmutt schimmernde Weiß ihrer Hände karmesinrot färbte, tausend kleine Dornen bohrten sich in ihre Hände.

»Sie sind so schön, so unglaublich schön!« rief sie.

Freudentränen rannen ihr über die Wangen. Sie war so glücklich, daß sie kaum den Schmerz wahrnahm, den sie sich zufügte.

»Gib sie mir, du wirst dich noch weiter verletzen!«

Doch sie hielt die Blumen fest an sich gedrückt, überließ ihm lediglich die Rosen, die noch nicht blutbefleckt waren.

Sie zupfte ein Blütenblatt nach dem anderen ab, hielt es gegen das Licht, um sich an den feinen farblichen Unterschieden zu erfreuen. Sie wählte nur die dunkelsten aus, gab sie in eine silberne Schale, bestreute sie mit braunem Zucker, bedeckte das Ganze mit Wasser und erwärmte es bei milder Hitze. Unterdessen holte sie zwei Drosseln aus dem Ofen und schnitt sie auf. Der Farce, mit der sie gefüllt waren, entströmte ein Duft, den Matthieu sofort erkannte.

»Trüffeln!«

»Rosentrüffeln«, erwiderte sie stolz.

Diese Verbindung erwies sich als ungeheuer eindrucksvoll. Man hätte meinen können, daß diese Speisen aufgrund eines alchimistischen Phänomens eine aphrodisierende Wirkung auf sie hatten. Im Laufe des Essens durchströmte beide eine starke Hitze. Malvina betrachtete diesen Mund, der sich an den Speisen ergötzte. Ihr Blut hatte sich mit dem Saft der Rosen, dem Fleisch der Drosseln, dem Wein, mit jeder Geschmacksnuance dieses Essens vermischt. Mit jedem Bissen erfüllte sie – sinnlich, wohlschmeckend, heiß und wollüstig – Matthieus Körper. Er verschlang sie ohne Widerstand, ließ sie in sein tiefstes Inneres eindringen.

»Noch nie habe ich etwas derart Gutes gegessen!« sagte er.

Wie konnte es auch anders sein? Schließlich hatte Malvina beschlossen, lieblich und wohlschmeckend zu sein.

Dieses Ritual wiederholte sich. Sie kosteten die Verschwiegenheit des Vormittags aus, um es sich behaglich zu machen, gaben sich ausschweifenden Liebesspielen, der innigen Erschöpfung und erholsamen Mittagsschläfchen hin. Dieses Miteinander bescherte ihnen eine Trägheit und Lust, die sie beide genossen. Könnte die Gewohnheit je eine Bedrohung für sie sein? Sie bemühten ihren Einfallsreichtum, um Neues zu erdenken. Denn das war ihr ständiges Bemühen: das Erschauern der schönsten Entdeckung zu pflegen.

Als Matthieu verkündete, er müsse nach Idar-Oberstein, in die rheinische Pfalz, empfand sie seine Abreise als grausame Verletzung ihrer stillschweigenden Übereinkunft. Sie versuchte, ihn davon abzubringen, schlug ihm vor, doch jemand anderen zu schicken, doch er blieb hart. Dieser Auftrag war von größter Wichtigkeit.
»Wir können nicht länger so zurückgezogen leben«, erklärte er Malvina. »Jeder von uns ist ein erfülltes Wesen, und die Bereicherung besteht darin, daß wir uns als solche begegnen und nicht aus dem durch Entsagungen entstandenen Gefühl der Leere. Dazu müssen wir uns an der Außenwelt nähren, an Begegnungen, Entdeckungen … Kein Mann und keine Frau kann allein diese Aufgabe zur Zufriedenheit erfüllen.«
»Das stimmt nicht. Ich habe noch genügend Ideen, um dich mehr als ein Jahrhundert lang zu unterhalten!«
Solche Versprechungen schmeichelten Matthieu und belustigten ihn zugleich. Eine innere Stimme jedoch sagte ihm, daß diese Anziehungskraft womöglich von einer Minute zur anderen geschwunden sein, daß Malvinas Erfindungsreichtum ihn plötzlich nicht länger fesseln könnte. Sie war für ihn das gleiche gewesen, was er auch für sie gewesen war: eine Art Schock, eine Feuersbrunst, die auf ihrem Weg alles verschlungen hatte. Dieser Blitzstrahl, der sie beide getrof-

fen hatte, bedeutete nicht, daß ihre Liebe von Dauer sein würde. Ihre Ausschweifungen durften nicht die Grundlage ihrer Harmonie sein. Durch ein allzu ausgeprägtes Bestreben, das Ausgefallene und Unerwartete zu suchen, versagten sie sich die wahre Liebe. Wenn er mutiger gewesen wäre, hätte er sie warnen, hätte er ihr offen sagen müssen, was er empfand, doch seine Feigheit hielt ihn davon ab. Er küßte sie stürmisch und schwor, so schnell wie möglich zu ihr zurückzukehren.

Diese Trennung bedeutete für die junge Frau eine Qual. Sie wußte nicht mehr, was sie tun sollte, und verbrachte ihre Abende damit, mineralogische Bücher zu lesen. Je länger sie darüber nachdachte, desto häufiger kam es ihr in den Sinn, daß Matthieu möglicherweise weniger unter der Trennung leiden könnte als sie selbst. Im Laufe der Zeit quälte sie sogar ein schrecklicher Verdacht. Vielleicht waren die Glieder der Kette, die sie mit ihm verband, nicht stark genug? Doch seit ihrer schrecklichen Begegnung mit Rougemont hatte sie sich dieser Aufgabe unermüdlich gewidmet: sich Matthieus Körpers zu bemächtigen, seinen Geist zu belagern, jeden seiner Sinne zu beschäftigen, um seine Gedanken zu formen. Auch wenn sie den Händler nicht wieder gesehen hatte, fürchtete sie sich dennoch vor ihm. Auch wenn sie es nicht wahrhaben wollte, übte er doch aus der Ferne einen größeren Einfluß auf sie aus, als wenn er sie bedrängt hätte. Das Gefühl der Angst hinterließ in Malvinas Mund einen bitteren Geschmack. Die Angst entzog ihr den Speichel, ihr Mund trocknete aus. Ihre Lippen waren bleich geworden, ihre Kehle weigerte sich, in tiefen Zügen Atem zu holen. Der Mund befahl. Der, der nährte; der, der küßte; der, der biß und drohte … Was hätte sie darum gegeben, daß dieser fahrende Händler niemals diesen Fluch ausgesprochen hätte.

Nur die Liebe konnte sie retten. Nachdem sie hohe Gipfel erklommen hatten, mußte sie darüber nachdenken, wie sie den unvermeidlichen Absturz hinauszögern konnte. Das Einsperren der Gefühle, die Verwandlung eines eigenständigen Menschen in einen Gegenstand, all das enthüllte nur Schwäche und Eifersucht. Nein, um ihren Geliebten halten zu können, mußte sie von nun an auch die Gefahr auf sich nehmen, ihn zu verlieren. So beschloß sie, zu Matthieus Rückkehr ein griechisches Essen zu geben.

12

STATT VON EINEM FRANZÖSISCHEN
Empfangskomitee wurden die Gäste von Korinna und Pindar erwartet. Als Willkommensgruß erhielten sie eine geschmackvolle weiße Tunika und eine goldene Schärpe. An alles war gedacht, um die Illusion vollkommen zu machen. Das gedämpfte Licht, der betäubende Duft der Blumen, die in der überheizten Atmosphäre erschlafften, der benebelnde Weihrauch, die anregende Wirkung der betörenden Liköre – all das Miteinander, Gegeneinander erhöhte den sündigen Reiz, der solch wollüstigen Soupers anhaftete. Auf den Tischen prangten Aale aus dem Eurotas, Feldhühner aus dem Taygetos, Zicklein, Oliven, verschiedene Gemüse, Feigen und mit Honig gesüßte Kuchen. Junge afrikanische Sklaven füllten zyprischen Wein in Trinkschalen aus Herkulaneum. Malvina, die dieser Schlemmerei nichts mehr abzugewinnen vermochte, sah sich nach Matthieu um.

Sie entdeckte ihn, wie ein Pascha von einem Dutzend Frauen mit dick rot geschminkten Wangen umringt … Er lächelte selbstgefällig, offenbar stolz auf das Ansehen, das er genoß. Obwohl es den Anschein hatte, handelte es sich nicht um Prostituierte, sondern um Damen von Stand. Als sich die Gastgeberin zu ihnen gesellte, wandten sich ihr alle Blicke zu. Sie musterten sie und fragten sich, inwiefern sie eine ernsthafte Bedrohung darstellen könnte.

»Setzt Euch zu uns, meine Liebe«, forderte eine der Damen sie auf.

Der Sessel, den man ihr bedeutete, war weit von ihrem Geliebten entfernt. Malvina verlor kein Wort über diesen Hieb.

»Ihr seid schöner und verführerischer denn je«, meinte eine andere.

»Ihr schmeichelt mir, Madame! Ihr seid es, der dieses Kompliment gebührt«, entgegnete Malvina.

Matthieu hatte erwartet, sich ihren Zorn zuzuziehen, wenn sie ihn so hofhalten sehen würde. Doch ganz im Gegenteil, sie saß ihm ruhig und lächelnd gegenüber.

»Mesdames«, sagte sie plötzlich, »würde es Euch nicht gefallen, wenn der junge Graf Ghalia uns die Geschichte seiner schönsten Eroberung erzählen würde … Die ganz große Liebe.«

Der Vorschlag löste begeisterte Zustimmung aus.

»Ja!« riefen alle wie aus einem Munde.

»Sprecht, ohne lange nachzudenken«, drängte die Gräfin Sucy.

»Warum interessiert Euch das?« gab Matthieu mit dem Gleichmut eines Mannes zurück, der weiß, daß man seine Zuhörer auf die Folter spannen muß, um ihre Neugier zu schüren.

»Bitte, Monsieur«, rief Malvina, »nur Mut, zögert nicht länger, und offenbart Euch endlich …«

Sie wand sich vor Ungeduld auf ihrem Sessel, um den sich die Schleppe ihres Kleides gewickelt hatte wie eine Schlange, die ihre Beute erstickt. Matthieu warf einen betörenden Blick in die Runde seiner strahlenden und erwartungsvollen Zuhörerinnen. Er überlegte. Die Frau, der er den Vorzug geben würde, würde zwangsläufig all jene ausstechen, die nicht auserwählt wurden.

Schließlich rief er:

»Keine Liebe hat mir mehr Befriedigung geschenkt als die einer Person, deren Namen hier zu nennen mir der Anstand verbietet.«

Malvinas Herz krampfte sich zusammen, ein stechender Schmerz durchzuckte ihren Magen.

»Sie war«, fuhr er fort, »so hingebungsvoll, wie man es sich nur erträumen kann. Reizvoll, klug und empfindsam … Die zärtlichste Geliebte und die beste Freundin. Selten habe ich mehr aufrichtige Güte, Mitgefühl und hochherzige Gefühle erlebt …«

»Und, ist sie Eure Auserwählte?«

»Dieser Engel hat mich verlassen, ehe es ihn überhaupt gegeben hat, Mesdames!«

Die Damen bedachten seine Ausführung, die so einfühlsam gewesen war, keine von ihnen zu verletzen, mit regem Beifall. Allein Malvina hüllte sich in Schweigen. Diese Kränkung hätte sie zornig machen müssen, doch es überkam sie nur eine unendliche Traurigkeit. Welch grausame Enttäuschung! Unter Mißachtung aller Anstandsregeln überließ sie ihre Gäste ihrem Vergnügen und ging zur Tür. Matthieu holte sie gerade noch ein, bevor sie den Raum verließ.

»Bleib, du weißt doch, daß es nur ein Scherz war!«

»Vergnüge dich, wenn dir der Sinn danach steht, aber behandle mich nicht so!«

»Ich dachte, du würdest mich verstehen … Es ist doch nur ein Spiel!«

»Du scheinst mich schlecht zu kennen, wenn du geglaubt hast, ich würde mich darauf einlassen …«

»Manchmal scheint es mir, als würdest du mich zu sehr lieben. Das ist alles. Bitte verzeih mir … Ich habe einen Fehler gemacht!«

Sie sah ihm tief in die Augen.

»Bist du sicher, daß du nicht vorhast, mich zu verlassen?«

Matthieu wagte nicht, ihr etwas zu entgegnen.

Die Erinnerung an diesen Abend beunruhigte Malvina noch lange. Daß ihr Geliebter es für notwendig erachtet hatte, die Reize einer Unbekannten zu rühmen, und sei sie auch nur seiner Vorstellungskraft entsprungen, empfand sie nicht als nebensächlich. Hier ging es nicht mehr um ein einfaches Lächeln, das er einer Limonadenverkäuferin schenkte, sondern um Verrat. Vor einer Gesellschaft, der ihre Beziehung bekannt war, hatte er sich über ihrer beider Gefühle lustig gemacht. Hatte sie erniedrigt und lächerlich gemacht. Nun war sie sich sicher, daß die Zeit selbst eine Bedrohung darstellte. Indem er spielerisch ihre Eifersucht angestachelt hatte, hatte Matthieu seine Langeweile zu erkennen gegeben. Bisher waren Reize von außen nicht nötig gewesen, um das Feuer zu schüren, das sie verzehrte. Würde er den Weg, den er eingeschlagen hatte, weiter verfolgen, so würde ihre Liebe durch Streitereien Schaden nehmen, und Heftigkeiten – Vorboten des unvermeidlichen Bruchs – würden folgen. Sie mußte wieder unvergleichlich werden, sich durch ihre Einzigartigkeit über die Gesetze der Normalsterblichen erheben: Sie mußte Grenzen überwinden, sich über Regeln hinwegsetzen, jenen wohlwollenden Geist erobern, der den Weg zum ewigen Glück verheißt.

Malvina hatte Rougemonts Worte nicht vergessen: Ja, von ihr ging das Böse aus. Warum sollte sie jenen ständigen Kampf leugnen, der in ihrem Inneren tobte und sie von der Finsternis ins Licht und vom Licht in die Finsternis stieß? Ihr Leben war ein dauerndes Auf und Ab, ein endloses Zögern. Ja! Sie hatte ungerührt zugesehen, wie Schwester Clotilde dem Gift erlag. Ja! Sie hatte viele hundert Male diesem fahrenden Händler den Tod gewünscht! Und sie bereute es nicht einmal. Doch ihre Begegnung mit Matthieu hatte ihr Aufschub gewährt. Einen lichterfüllten, von den Engeln gesegneten Augenblick. Bei ihm hatte sie weder Rache noch Verzweiflung empfunden. Zumindest bis zu jenem Tag, an dem sie voller Sorge gespürt hatte, wie er sich von ihr entfernte. Malvina hätte sich in Rachegelüsten verlieren können, doch das wäre ein allzu leichter Sieg für Rougemont gewesen. Kein dunkler Schatten, kein Sturm durfte die Leidenschaft, die sie erfüllte, trüben oder auslöschen. Es gab kein Wesen auf der Welt, das nicht – allen Schicksalsschlägen zum Trotz – durch die Liebe gerettet werden könnte. Solange sie liebte, könnte sie das Böse zurückdrängen. Das war das Wichtigste: Ihre Liebe mußte alle Hindernisse – auch ihre eigene Enttäuschung – überwinden. Nicht aus Stolz, sondern aus Dankbarkeit.

Heute machte sie sich Vorwürfe wegen ihrer Hartherzigkeit. Mit ihrer Ankunft in Paris hatte sie die Beziehung zu Hubertine beendet. Aus Schutz, nicht zu sehr zu leiden, um nicht der Versuchung zu erliegen, in der Vergangenheit verhaftet zu bleiben. Nie hatte sie versucht, ihr zu schreiben, oder sich nach ihr erkundigt, und nun war sie tot. Das runde, liebevolle Gesicht, dessen Züge sie sich nun zu vergegenwärtigen suchte, war verblaßt, ausgelöscht, so als würde man das ruhige Wasser, das einem das eigene Spiegelbild zurückwirft, in Bewegung bringen. Malvina wollte verhindern, daß es für ihre Beziehung zu Matthieu eines Tages keine Rettung mehr gab. Der Wunsch, sich ihm ganz hinzugeben, zeugte von reinster Liebe. Sie würde ihr eigenes Fleisch und Blut opfern, um ihn an sich zu binden. Wie, darüber hatte sie noch keine klare Vorstellung, denn ein solches Geschenk verdiente reifliche Überlegung. Zunächst mußte sie sich mit Gott aussöhnen, denn zum erstenmal seit langer Zeit spürte sie seine Gegenwart. Keine göttliche Erleuchtung, nur eine kleine geöffnete Tür, um ihm näherzukommen.

Und diese Tür stieß die junge Frau an einem Märzmorgen auf. Es war schön, die Sonne schien sanft und mild. Sie ging durch die Kirche Saint-Roch, jene Kirche, die sie schon einmal besucht hatte. Der Altar mit seinem üppigen weißen

Blumenschmuck tauchte aus dem gedämpften Licht auf. Sie nahm auf einer Bank gegenüber dem farbig bemalten Holzchristus Platz, der im Schein der Kerzen wachte. Kein Laut war zu vernehmen, kein Gläubiger zu sehen. Sie kniete nieder, faltete die Hände und betrachtete den Leidenden. Ihr Blick war unverwandt auf den Sohn Gottes, der am Kreuz gestorben war, gerichtet. Sah er aus wie ein blutrünstiger Henker? Nein, natürlich nicht. Seine Liebe zu den Menschen hatte ihn dazu bewogen, sich für sie zu opfern. Um sie zu retten, hatte er ihnen das wertvolle Geschenk des ewigen Lebens zu machen.

Malvina betete. Aus ihrer Erinnerung tauchten die Stimmen der Nonnen von Cahors auf, gaben ihr die Worte des »Vaterunser« und des »Gegrüßet seist du Maria« ein ... Sie betete sie so viele Male, wie sie glaubte, daß es nötig sei. Jede Silbe brachte sie dem Frieden näher. Ihre Vergangenheit hatte nicht mehr den bitteren Geschmack der Sünde. Auf ihren Lippen spürte sie Tränen, in ihrem Herzen eine sanfte, neue Reinheit. Ein Lichtstrahl drang durch das Mittelfenster und erhellte das Kirchenschiff. Als sie den Blick zu diesem winzigen, fast unsichtbaren Punkt hob, lächelte sie. Friede durchströmte sie ... Voll der Gnade spürte sie, wie ihr Herz im Rhythmus eines Lebens schlug, das nun endlich zur Ruhe gekommen war. Lange blieb Malvinas Blick auf diesen klaren Lichtschein gerichtet. Ringsumher gab es soviel Schatten, so viele Gefahren, die es zu meiden galt.

Als sie die Kirche verließ, war sie ganz von dieser Vorstellung beseelt: mit jeder Faser ihres Körpers zu leiden, ihn zu quälen, um so nach dem Vorbild der Heiligen zum Instrument der eigenen Erlösung und des Heils der anderen zu werden. Sie würde diesen sinnlichen Körper, dessen Matthieu langsam überdrüssig wurde, zu ihrer Berufung machen. Natürlich schloß eine reine Liebe jegliche Form der Lust aus. Sie erinnerte sich daran, daß Schwester Clotilde ihr, um sie zu erschrecken, die Viten der Heiligen vorgelesen hatte. Die Geschichte des Eremiten, der der Versuchung des Teufels widerstanden hatte, indem er erst jeden Finger, dann die ganze Hand und schließlich seinen Arm den Flammen preisgegeben hatte. Die der Teresa von Avila, deren Leben aus einer Folge von grauenvollen Krankheiten bestand. Das war der Preis des Heils: Entbehrungen, Leiden und körperlicher Verfall!

Malvina sah plötzlich die Menschen und ihr Leben auf wundersame Weise. Sie war von der Eifersucht befreit, um neue, höhere Wege zu beschreiten. Ein brennendes Verlangen nach Reinheit hatte Eingang in ihr Herz gefunden. Sie wußte um die Schwachheit des Fleisches und die Anfälligkeit der Seele und hatte sie in ihrer schmerzlichsten, erschreckendsten Form kennengelernt. Darum verzieh sie Matthieu seine Torheiten. Um die Liebe »anderswo« anzusiedeln, dort, wo der gewöhnliche Verfall ihren Gefühlen nichts anhaben konnte. Ein Vorgeschmack auf das erträumte Paradies!

Sie hatte so lange gebraucht, um zu begreifen, daß die heftigen Gefühle, die sie plagten, in Wahrheit nichts anderes waren als das Verlangen nach Absolutheit.

Als sie sich an diesem Abend in die Wohnung ihres Geliebten begab, schloß sie ihr Privatgemach hinter sich. Die Beine unter sich übereinandergeschlagen, das Gesicht verschlossen, die Hände geöffnet, saß sie sinnend da. Welchen Weg sollte sie wählen, um Matthieu, ohne ihn zu verärgern, begreiflich zu machen, daß sie eine neue Art der Liebe erdacht hatte?

»Fasten und Enthaltsamkeit! Ist das alles, was dir eingefallen ist, um mich zu strafen?« rief er zornig aus.

»Ich will dich nur noch mehr lieben …«

»Mich lieben, indem du mir das vorenthalten willst, was Mann und Frau ganz natürlich zusammenbringt!«

»Du verstehst nicht, was ich mir für uns wünsche. Wir müssen einen Weg gehen, um der Abnutzung der Zweisamkeit, der gewöhnlichen Liebe ohne Zukunft vorzubeugen. Lieben bis zur Selbstaufgabe … Ich bin zu allen Entsagungen, jedem Verzicht bereit …«

»Auch zu dem, Leben zu schenken!« unterbrach er sie schroff.

»Du sprichst von einem Kind?«

Nein, dazu war sie nicht in der Lage! Die Jungfrau hatte ihren Leib nicht mit Fruchtbarkeit gesegnet. Und warum stellte er ihr diese Frage, zumal sie doch noch nie über die Ehe gesprochen hatten? Das konnte nicht ernst gemeint sein. Sie war sicher, daß dies seine Art war, sie zu verspotten, daß er sie zu verletzen suchte.

»Wie könnte ich Kinder bekommen, wenn die Natur mir diese Gunst verweigert?« antwortete sie und hob die Hände zum Himmel.

»Sei ehrlich, ist es die Natur oder dein Wille, der es dir unmöglich macht?«

»Mein Körper kann nicht geteilt werden, er muß ganz bleiben … Das kannst du nicht verstehen, aber ich flehe dich an, glaube mir.«

Diese Antwort seiner Geliebten bestätigte Matthieus Befürchtungen. Malvina offenbarte, daß sie unfähig war, in anderen Begriffen als den ihren zu denken und zu fühlen. Er betrachtete das ihm zugewandte Gesicht mit den Augen des Anatomen. Unter der Haut, hinter dem durchdringenden Blick kam ein Knochenbau zum Vorschein, dem es an jeglicher Großzügigkeit mangelte. Keine weichen Formen, keine Rundungen, nichts als kantige Knochen, die die Härte verrieten.

»Ich will kein Kind«, wiederholte Malvina selbstsicher.

Er sah sie an, doch er war nicht in der Lage, ihr zu antworten. Diese Frau verweigerte ihm das natürlichste Geschenk. Die Aufgabe aller Aufgaben.

»Wovor hast du Angst?« fragte er schließlich. »Fürchtest du, daß dein nährender Körper häßlich werden, sich verändern könnte? Es gibt nichts Schöneres als eine Frau, die Mutter ist ... Sie ist schön, weil sie diese einzigartige Fähigkeit hat, Leben zu schenken, jene erhabene Liebe, mit der sie die Nacktheit des Neugeborenen umhüllt. Allen Müttern ist diese Anmut eigen, auf die die anderen Frauen eifersüchtig sind ...«

»Wenn ich ein Kind empfinge, würde ich eine Gefahr auf mich nehmen, von der du keine Vorstellung hast ...«

»Sprich, vertraue dich mir an. Was weiß ich überhaupt von dir? ... Nichts über deine Vergangenheit ...«

»Ich wurde in einem Hospiz aufgezogen. Mehr gibt es dazu nicht zu sagen.«

»Mein Vater hat deine Mutter gekannt, als sie noch ein Kind war. Er hat sie in guter Erinnerung ... Und du?«

»Ich habe sie weniger geliebt, als ich dich liebe. Macht dich das nicht stolz?«

»Vielleicht schmeichelt es mir, aber ich bin auch traurig, weil du so wenig Empfindungen zeigst.«

»Bitte, laß uns das Gespräch beenden!«

Matthieu fügte sich. Zumindest so lange, bis sich die Erregung gelegt, ihn die Enttäuschung durchdrungen und er die Sprache wiedergefunden hatte. Er glaubte, ersticken zu müssen. Zum erstenmal fürchtete er sich vor der Zukunft. Er, der seine Freiheit über alles stellte, fühlte sich gefangen.

Es war wohl gegen drei Uhr, als Malvina in jener Nacht die Kirchenglocken läuten hörte. Sie öffnete die Augen, oder zumindest schien es ihr so. Vor dem Kamin, in dem noch ein Rest roter Glut glomm, zeichnete sich die Gestalt einer Frau ab. »Welche Freude, sich selbst zu begegnen!« sagte die Unbekannte, ohne dabei die Lippen zu bewegen. »Ich warte schon so lange auf dich, ich träume davon, dich zu treffen, doch du widerstehst mir. Nun hast du es ja gesehen! Weil du ihn behalten wolltest, hast du alles zerstört. Arme Närrin, du hast vergessen, daß ein kleiner Dorn ausreichen kann, um das Herz eines Mannes zu zerstechen, ihm das Leben zu nehmen. Deine Weigerung, Mutter zu werden, schien ihm so grausam, daß er dich bald zurückweisen wird! Du hast die falsche Entscheidung getroffen, nun nimm dein Scheitern hin, du brauchst nur ein Wort zu sagen, und ich bin ganz dein.«

In diesem Augenblick erwachte Malvina und erhob sich, von einer plötzlichen Übelkeit befallen. Sie setzte sich auf den Boden und zog die Knie ans Kinn. Sie durfte nicht nachgeben. Wenn es auch stimmte, daß das Bild ihr ähnelte, so war es doch nur eine Erscheinung und keine Wirklichkeit. Dieser Geist konnte nicht sie selbst gewesen sein, denn schließlich hatte sie nicht den Verstand verloren. Ihre Gedanken waren klar und wurden von niemand anderem beherrscht. Sie war allein in diesem Raum … mit Matthieu. Im übrigen würde sie ihn aufwecken. Und er würde es ihr bestätigen.

»Bitte sieh überall nach«, flehte sie, »bitte. Ich bin ganz sicher, ich höre ein Raunen, so als würde ununterbrochen jemand sprechen.«

»Hier ist niemand.«

»Ja«, entgegnete sie, »ich weiß, daß niemand da ist. Es ist nur irgend etwas da, was nicht wirklich da ist.«

Sie sah ihn an. Es war nicht mehr ihr Gesicht, es war die aufgelöste Maske einer Frau, die Angst hatte. Er faßte sie bei den Schultern. Es war nicht das erste Mal, daß sie ihn mitten in der Nacht weckte.

»Was ist los? Sag es mir!«

»Die endgültige Entscheidung liegt immer bei einem selbst, nicht wahr?« murmelte sie.

»Ich verstehe dich nicht!«

»Ich werde dir mehr geben als ein Kind, du wirst sehen«, fuhr sie so leise fort, daß er sie kaum verstehen konnte.

»Wann immer du dich entscheidest, werde ich bereit sein …«

»Aber bereit zu was, mein Gott?«

»In eine andere Welt überzutreten, in der das, was wir hier aufgebaut haben, unbeschadet fortdauert.«

Matthieu ließ sie los. Es fiel ihm schwer, das, was er gehört hatte, zu begreifen. Um Zeit zum Nachdenken zu gewinnen, ging er ein paar Male auf und ab. Dann wandte er sich zu ihr um und erklärte ihr, daß er nicht ihren Tod wolle.

»Natürlich nicht jetzt!« unterbrach sie ihn noch immer mit leiser, aber heftiger Stimme. »Du wirst mir das Zeichen geben.«

»Bist du wahnsinnig geworden?«

Wütend sprang sie auf und schrie:

»Sag so etwas nie wieder! Nie, hörst du?«

Die Szene entwickelte sich zu einem Alptraum. Matthieu verließ das Schlafgemach. Die Tür fiel so heftig zu, daß die Wände erzitterten. Doch als er am Treppengeländer angekommen war, ließ ihn ein merkwürdiges Geräusch wie erstarrt innehalten. Nie im Leben hatte er einen solchen Ton gehört. Nie zuvor hatte Malvinas Stimme so zerbrechlich vibriert. Es klang, als würde man mit einem spitzen Gegenstand über Kristallglas fahren. Ein durchdringender, verzweifelter Schrei, so als wäre es ihr gleichgültig, ob die ganze Welt ihn vernahm. Beunruhigt kehrte der Mann um. Er fand sie auf dem Bett ausgestreckt. Ihr tränenüberströmtes Gesicht war entstellt. Sie hatte so heftig auf ihre Lippen gebissen, hatte sie zerrissen, daß sie bluteten.

Er setzte sich neben sie, strich ihr die Haarsträhnen aus der Stirn. Der Körper der jungen Frau wurde von einem heftigen, flehenden Schluchzen geschüttelt.

»Meine Liebe geht über meinen Körper und meine Seele hinaus«, sagte sie. »Wenn ich dich verliere …«

»Wer spricht denn davon, daß wir auseinandergehen?«

»Schütze uns durch deine Liebe, das ist es, worum ich dich bitte.«

»Beruhige dich«, sagte er.

Seine Hände zögerten, sie zu berühren, doch plötzlich, ohne daß er Gewalt über sie gehabt hätte, umschlangen sie Malvina, zogen sie zu ihm heran und strichen über ihr Haar.

»Ich kann nicht ohne dich leben«, wiederholte sie.

Matthieu erstarrte, war wie von ihrem hypnotischen Blick gebannt. Er wußte nicht, was er denken sollte. Die kalte, entschlossene Frau, die ihm noch vor wenigen Stunden gegenübergestanden hatte, schien nur noch ein zerbrechliches Kind zu sein, das man vor seinen Dämonen schützen mußte. Er wiegte sie in seinen Armen, bis sie eingeschlummert war. Als er sie so unschuldig daliegen sah, sagte er sich, daß er sie nicht im Stich lassen durfte.

Die folgenden Tage vergingen wie die vorhergehenden. Ein Zyklus ging zu Ende, ein neuer brach an, trübsinnig und finster. Sosehr er sich auch bemühte, es wollte Matthieu nicht gelingen, die Frau wiederzufinden, in die er sich verliebt hatte. Mit Malvina hatte er einzigartige Gefühlsregungen erlebt, er hatte dies genossen, doch der Preis, den er jetzt dafür zahlen sollte, war zu hoch. Wenn ihn ihr eigenartiges Wesen eine gewisse Zeit lang erregt hatte, so beunruhigte es ihn jetzt. War er mit ihr allein, fühlte er sich beobachtet, bespitzelt. Eine drückende, unbestimmte Präsenz. Sosehr er auch immer wieder versuchte, keine Langeweile zwischen ihnen aufkommen zu lassen, so war seine Liebe doch nicht mehr stark genug, als daß er die Gefahr auf sich genommen hätte, sich selbst zu verlieren.

Nach sieben Monaten der Leidenschaft hatten ihre Körper eine Art Freundschaft geschlossen. Ihre Umarmungen wurden immer seltener. Zunächst hatte er das für eine List gehalten, mit der Malvina ihre Beziehung erneut zu entfachen versuchte, doch dann wurde ihm bewußt, daß sie nicht mehr wollte, daß er sie berührte. Gleichermaßen lehnte sie fast jegliche Nahrung ab, was sie damit begründete, daß Essen die Klarheit des Geistes beeinträchtige und die Seele in einen Dämmerzustand versetze. Der durch das regelmäßige Fasten abgemagerte Körper verlieh ihr eine gespenstische Durchsichtigkeit. Diese Gestalt, die der seiner Mutter in der Zeit vor ihrem Freitod ähnelte, war Matthieu unerträglich. Er wollte nicht, daß sein Leidensweg von neuem begann, daß Malvina sich opferte. Nie hatte er den wahnsinnigen Schrei seiner Mutter verwinden können, die verzweifelte Geste, die sie dazu getrieben hatte, ihrem Leben ein Ende zu setzen. »Wenn du sie liebst, befreie diese Frau von ihrer Verzweiflung«, flüsterte eine Stimme ihm ins Ohr, »entwirre die Knoten, die ihren Geist trüben, nur du kannst etwas gegen ihre Qual ausrichten!« Dieser düstere Monolog verfolgte ihn Tag und Nacht, ohne daß er sich zu einer Entscheidung hätte durchringen können.

Seine Feigheit trieb ihn dazu, Reisen zu unternehmen, die ihn von der Hauptstadt entfernten. Wenn er in Paris war, hielt er sich den größten Teil der Zeit in Cafés auf, wo er junge Leute traf, mit denen er über die tagespolitischen Ereignisse und Zukunftsperspektiven debattierte. Frankreich steuerte auf den Bankrott zu, und ein Minister war so ohnmächtig wie der nächste. Überall verlangte man nach der Einberufung von Notablenversammlungen. Das Land hatte zuviel Aufruhr und Elend erlebt, als daß irgend jemand den Ereignissen hätte gleichgültig gegenüberstehen können. Nur Malvina wandte sich ab, als würde sie das alles nichts angehen. Die junge Frau schloß sich in ihrem Schlafgemach ein. Lange lehnte sie den Kopf an die Fensterscheibe und betrachtete die Stadt, die durch das drohende Gewitter völlig verändert schien. Sie fröstelte. Die Kälte, die draußen herrschte, ging auf ihr Gesicht über, breitete sich dann in ihrem ganzen Körper aus. Es sei denn, es wäre ihre Verzweiflung, die sie bis ins Mark erstarren ließ. War es das Herz oder die Seele? Sie wußte nicht mehr, was ihr größeres Leid bereitete. Doch in beiden Fällen war es ein Hinweis auf ihr Scheitern. Was sollte sie tun, damit er sie weiter liebte? Wie konnte sie diesem Fall ins Leere, ins Nichts Einhalt gebieten? Ihre Weigerung, sich in das Schlimmste zu fügen, machte aus ihr einen Schatten, ein aschfarbenes Nichts. Sie hätte sich einsetzen, hätte kämpfen können, doch daran hinderte sie ihr Schmerz, der vollständig bloßlag, und es gab keinen Trost, der ihn hätte bedecken können. Der Lichtschein in der Kirche hatte ihre Augen geblendet. Da sie nun das helle Tageslicht nicht mehr ertrug, legte sie sich auf ihr Bett. Sogleich befielen sie Übelkeit oder heftige Kopfschmerzen. Sie fürchtete sie ebenso sehr, wie sie sie herbeisehnte, denn an der Schwelle zum Wahnsinn schien es ihr leichter, diese Anfälle zu bekämpfen, als die Vorstellung zu ertragen, daß ihr Leben gescheitert war. Wie bei den Insekten, deren Schicksal es war, auf Kork aufgespießt zu werden, hatte Gott ihr Leben mit einer furchteinflößenden Konsequenz gelenkt, die einem das Blut in den Adern gefrieren ließ. Er hatte grausam mit ihr gespielt, indem Er den Glauben in die Liebe in ihr geweckt und sie an Vergebung und Reinheit hatte glauben lassen. Sie haßte Ihn dafür, daß Er sie glücklich gemacht hatte.

Daß Matthieu nie davon sprach, sie zu verlassen, beruhigte sie nicht. Mut in Gefühlsangelegenheiten war keine Männersache. Bei den Versuchen und Untersuchungen, die sie mit Männern angestellt hatte – ganz so, wie es die Parfümeure mit ihren flüchtigen Essenzen taten –, hatte sie festgestellt, daß diese einen unglaublichen Sinn für Aufbau und Zersetzung hatten. Eine in Auflösung begriffene Lage hinzunehmen ließ ihnen Zeit, sich zu verändern; sich mit Zugeständnissen zufriedenzugeben gab ihnen Gelegenheit, sich mit einer zweiten Haut zu rüsten. Sicherlich hatte ihr Gefährte den Plan, sich wie eine Schlange davonzumachen. Eine von jeglichem Inhalt entleerte Hülle zurückzulassen. Diese verhängnisvolle Feststellung trieb die junge Frau zur Verzweiflung, doch sie kämpfte nicht. Es mochte verwunderlich klingen, aber sie war fest davon überzeugt, daß Matthieu sie, indem er sie zurückhielt, letztlich verstieß. Dieses doppeldeutige Verhalten gab ihrer Beziehung den Charakter eines Spiels, bei dem der weggeschlagene Ball mit einem festen Punkt verbunden war. Wie heftig der Schlag auch sein mochte, der Ball kam immer wieder zurück, und zwar um so schneller, je stärker der Schlag war. Eine tiefe Überzeugung und eine wahnsinnige Hoffnung erfüllten Malvina. Der Ausweg, an den sie bereits gedacht hatte, schien sich als der richtige zu bestätigen. Sie würde ihre Gefühle dem Zugriff der Zeit entziehen, um ihnen ewige Dauer zu verleihen.

In der Zwischenzeit zählten nur die wenigen Augenblicke, die sie mit Matthieu verbrachte. Es war ihr gleichgültig, daß er immer weniger Lust hatte, bei ihr zu sein. Sie streckte ihm den Mund entgegen, wartete auf ein Zeichen seiner Zuneigung. »Küß mich!« Er gewährte ihr einen Kuß.

»Noch einen.« Er gehorchte. Sie wollte ihre Zunge in seinen Mund schieben, um ihn besser zu ergründen. Ihr Stachel sollte bis in seine Seele vordringen und versuchen, ihr Geheimnis zu enthüllen.

Eines Abends, als die bedrohlichen Schatten der Nacht das Schlafgemach erfüllt hatten, ergriff Malvina vorsichtig die Hand ihres Gefährten. Sie wollte die Linien eine nach der anderen verfolgen, sie betrachten, ohne daß er aufwachte. Im Mondschein die Linie des Herzens untersuchen, die wie eine Narbe, die man dem Leben zufügt, eingraviert ist. Ein zarter, geschwungener Verlauf, der dann plötzlich abbrach: Damit war alles klar. Zu klar. Gern hätte die junge Frau ihrem Verlauf eine andere Richtung gegeben, eine ihren Vorstellungen entsprechende Linie gezeichnet, so lang und gerade wie möglich. Sie stellte sich vor, wie sie in diese Handfläche biß, um das Schicksal zu zerstören, das ihr den Mann, den sie liebte, entreißen wollte.

Sie weckte Matthieu auf und zwang ihn, ihr zuzuhören. Reglos lag sie da, steif wie in einem Sarkophag, schwärzer als die Dunkelheit, die sie umgab. Nur ihre Lippen bewegten sich.

»Wir wollen uns trennen, denn wir sind unserer Liebe nicht mehr würdig!«

Auf den Ellenbogen gestützt, sah er sie an.

»Ich habe keine Angst mehr, dich zu verlieren«, sagte sie. »Ich will allein leben. Es wird sehr gut gehen, du wirst sehen.«

Er verstand nicht: »Aber warum willst du die Dinge überstürzen?« fragte er beunruhigt.

»Wiedergutmachen oder bezahlen ist nicht mehr möglich. Ich will nur meine Würde zurück, die ich verlieren würde, wenn ich länger mit dir lebte ...«

Er ergriff ihre Hände.

»Du bist mir wichtig, Malvina.«

Sie entzog ihm die Hand.

»Ich habe endlich begriffen, daß du mich nicht vor meinem Leben retten kannst. Mit der Zeit habe ich mich daran gewöhnt, im Dunkeln eine gewisse Reinheit, im Bösen ein kaum wahrnehmbares Licht schimmern zu sehen. Diese Klarheit hat es mir ermöglicht, dich zu lieben, denn man kann nicht lieben, ohne sich selbst anzunehmen ... Das weißt du.«

Malvina hatte sein Hemd gepackt, als wolle sie es zerreißen.

»Ich liebe dich«, schluchzte sie. »Das darfst du nie vergessen! Aber ich möchte, daß wir für einige Zeit nicht zusammenleben ...«

»Hast du dir das gut überlegt?«

Er hatte diese Frage gestellt, obwohl er die Antwort bereits kannte. Malvina nickte und fügte hinzu:

»Gewähre mir nur eine letzte Gunst ... Bitte soupiere jeden Dienstag mit mir.«

»Zu Abend essen?« fragte er verwundert.

»Du könntest mir kein größeres Leid zufügen, als mir diese Bitte abzuschlagen.«

Er überlegte einen Augenblick lang, gab ihr das Versprechen. Er wollte seine Freundin nicht allein lassen. Die Vorstellung, sie könne sich im Stich gelassen fühlen, war ihm unerträglich.

»Ich werde kommen«, sagte er und schloß sie in die Arme. »... Aber du sollst wissen, daß mich nicht unstillbarer Appetit dazu treibt, in deinen Vorschlag einzuwilligen ... Sondern nur das Vergnügen, noch einmal in deine Falle zu tappen.«

Eine Falle, die – was er noch nicht wußte – bald zuschnappen sollte.

13

In den ersten Tagen fiel es Malvina schwer, ihr Versprechen zu halten. Matthieu mußte ihr wieder vertrauen, ihren Einladungen folgen, als handele es sich um ein Fest. Sie nahm sich vor, in ihrer Beziehung so schnell wie möglich zu der früheren üppigen Heftigkeit zurückzufinden. Sie fand wieder Geschmack am Leben – zumindest hatte es den Anschein –, denn tief in ihrem Innern schien ihr alles weit entfernt, ja beinahe fremd zu sein. Eine Art Gleichgültigkeit nötigte sie dazu, sich von Menschen und Dingen fernzuhalten, die sie lediglich mit den Fingerspitzen berührte, flüchtig streifte. Aber dieses Gefühl war nicht weiter von Bedeutung, denn lediglich der äußere Schein mußte ihn überzeugen. Spaziergänge, Salons und Soupers brachten ihr in diesen Tagen Abwechslung. Und das sollte jeder wissen, jeder sollte darüber reden! An den Nachmittagen begab sich Malvina regelmäßig zu einem Höflichkeitsbesuch in die Apotheke. Alcibiade empfing sie im Hinterzimmer. Gemeinsam verbrachten sie Stunden um Stunden … Der Zwerg hatte seiner Freundin in dem Augenblick, als sie das Geschäft betrat, schon vergeben. Ohne daß sie es sagte, hatte er verstanden, daß sie ihn, seine Gegenwart, brauchte. Häufig kam er zu ihr und legte seinen Kopf in ihren warmen Schoß. Sie sagten nichts. Sie ließ ihn gewähren. Die Zwiespältigkeit ihrer Gefühle ließ sich nicht in Worte kleiden. Ihre einzige Ausdrucksform waren Blicke und Gesten. Sanfte Berührungen, eine Art zärtliches Ritual, das dazu imstande war, die gegenwärtige Einsamkeit und die Angst vor dem nächsten Tag zu vertreiben.
Abends saß Malvina häufig vor ihrem Spiegel und zwang

sich, ihre tiefe Verzweiflung eingehend zu betrachten. Die Traurigkeit hatte ihrer Schönheit sichtbar geschadet, sie wenig anziehend und nichtssagend gemacht. Die aus dem Kürbisfleisch gewonnene Essenz, die sich hervorragend dazu eignete, den Teint zu beleben, vermochte hier nichts auszurichten. Die junge Frau wußte, daß es nicht mehr lange dauern würde, bis sich auf ihrem Gesicht die ersten Falten bemerkbar machen würden ... Aus diesem Grund und um dem Unvermeidlichen vorzugreifen, begann sie, sich selbst zu verstümmeln. An dem Smaragd, den Matthieu ihr zum Geschenk gemacht hatte, suchte sie sich eine besonders scharf geschliffene Ecke aus. Diese Spitze, die fast so wirkungsvoll wie ein Stilett war, wurde in ihren Händen zu einer schrecklichen Waffe. Das weiche Fleisch ihres Daumens verweilte auf dem Smaragd, spielte mit der Schneide des Edelsteins, näherte sich damit ihrem Gesicht. Ein erster Schnitt in den Hals, unterhalb der Gurgel, fein wie ein purpurnes Äderchen, dann ein weiterer, diesmal tieferer, blutiger Schnitt. Diese Wunden hatten einen Sinn, der ihr noch nicht bewußt war. Malvina tat es wieder.

War es der Einfluß dieses Zeremoniells oder das Ergebnis ihrer Willensstärke? Die Soupers, die sie für Matthieu bereitete, nahmen eine ganz besondere Form an. Man hätte sie, ohne damit etwas Falsches zu sagen, durchaus als kulinarischen Sabbat bezeichnen können, so sehr war das Opfermahl von Magie und Geheimnis umgeben. Malvina war ihrer Neigung für Verfremdungen und Geschmacksumwandlungen treu geblieben und kochte Speisen nach unbekannten Rezepten. Aufgrund der vielen verschiedenen Zubereitungsarten war es schwierig, die ursprünglichen Zutaten zu erkennen. Jedoch ließen die Düfte, die Gerüche keinen Zweifel daran, daß sie stark aphrodisierende Gewürze verwendete. Es gab kein Stück Fleisch, das nicht mit Kardamomkörnern bedeckt, keine Sauce, die nicht mit dem schillernden Gelb des Madras-Curry oder dem Purpurrot des Paprikas veredelt worden war.

Als wäre es ihr Nahrung genug, dem Mann, den sie liebte, zuzusehen, versagte sich Malvina, etwas zu essen, und zog es vor, Matthieu zu bewirten. Sie setzte sich ihm gegenüber und ließ keinen Augenblick die Gabel aus den Augen, die vom Teller zum Mund wanderte ... Ein Mund, der nach Fleisch gierte.

»Es schmeckt dir doch, nicht wahr?« erkundigte sie sich besorgt.

Ja, natürlich genoß er derartige Köstlichkeiten. Dennoch, und obwohl er sich dem Genuß hingab, blieb Matthieu auf der Hut. Diese Inszenierung diente lediglich dem Zweck, die sanfte und fügsame Seite der jungen Frau herauszukehren. Wie hätte er vergessen können, daß das Essen eines der stärksten Bindeglieder zwischen ihnen beiden war? So viele zügellose Erinnerungen, gierige Vergnügungen, ausschweifende Erfahrungen waren damit verbunden ...

»Möchtest du noch? Hast du genug gegessen?«

Nun umgab sie ihn mit mütterlicher Fürsorge. Nein wirklich, Malvina schreckte vor nichts zurück! Sie spielte und spielte, ohne Unterlaß. Von der Rolle der Mutter schlüpfte sie in die des Kindes, das sich still und verzagt zu seinen Füßen niederließ. Weil er diesen Anblick nicht ertrug, schloß er sie in seine Arme.

Dann wieder die altvertrauten Gesten. Sie ließ ihre Hände über Matthieus Oberkörper wandern. Preßte ihr Ohr an seine Brust. Ein unaufhörliches Tosen, Fauchen, Rauschen: So lauschte sie dem Weg, den die Nahrungsmittel nahmen, die sie eigenhändig ausgewählt und zubereitet hatte. Sie stellte sich vor, wie sie das Innere dieses Körpers, der sich ihr entzog, füllten, dieses Blut, das die Seele nährte, anreicherten. Jeder Muskel, jedes Gefäß wurde gewonnen und erobert. Die Lust, die sie dabei empfand, war in jeder Hinsicht der Fleischeslust vergleichbar. Auf ihre Art besaß Malvina ihren Geliebten, drang in ihn ein, wie ein Mann eine Frau nimmt.

Diese Befriedigung verlieh ihr wieder etwas von jener Lebendigkeit, die sie verloren hatte. Ihre Augen hatten nicht mehr diesen erschreckend trüben Blick der Verzweifelten, im Gegenteil, in ihnen blitzte ein Hoffnungsschimmer, der sie belebte. Als hätte sie einen Weg aus diesem Labyrinth gefunden, in dem sie sich irgendwann verloren hatte.

»Bist du etwa wieder zur Vernunft gekommen?« erkundigte sich Alcibiade, dessen ausgeprägtem Feingefühl die Veränderung nicht verborgen geblieben war.

»Du siehst es selbst, mir geht es besser.«

Der kleine Mann ließ sie sich im Kreis drehen.

»Ihr seht hinreißend aus, Madame!« sagte er und verneigte sich leichtfüßig vor ihr. »Aber sagt mir eins, warum hüllt Ihr Euch in Gewänder, die auf so offenkundige Weise im Widerspruch zu Eurer Vorliebe für Farben stehen? Schwarz, immer nur schwarz … Man könnte schwören, du möchtest unter diesen Stoffmengen verschwinden: Ärmel, die bis zu den Nägeln reichen, zugeknöpft bis unters Kinn … Hast du ganz vergessen, daß in ein paar Tagen Frühlingsanfang ist?«

»Ist es nicht Mode, einen Teint wie Milch zu haben?«

»Ich hoffe, es ist nicht die Koketterie, die dich dazu treibt, deine Reize zu verhüllen!«

»Ein neues Vorhaben nimmt mich völlig in Anspruch«, sagte sie.

»Ein Vorhaben, das du mir wieder einmal verheimlichst.«

Rasch wechselte sie das Thema.

»Wann reist du nach Saint-Malo?«

»Der Meister erwartet mich dort nächste Woche, wir müssen gemeinsam die Kassenbücher durchgehen.«

»Ist er noch immer entschlossen, sich aus dem Geschäft zurückzuziehen?«

»Ich fürchte ja. Er hat mir geschrieben, daß ihm sein Leben im Ruhestand sehr gefällt.«

»Das freut mich. Ich möchte ihn auf alle Fälle glücklich wissen.«

»Warum begleitest du mich nicht? Die frische Meeresluft, der Wind in der Bretagne werden dir den Auftrieb geben, den du hier nicht bekommen kannst.«

Malvina stellte sich vor, wie sie stundenlang aufs Meer hinaussah … Ihre Augen würden sich in den unendlichen Tiefen des Meeres verlieren, sich an Trugbildern berauschen … Dieser Vorschlag klang sehr verlockend, und sie hätte sicherlich auch eingewilligt, wenn ihre Soupers mit Matthieu sie nicht in Paris festgehalten hätten.

»Weißt du schon, wann du zurückkommen wirst?«

»Der Umzug ist für Mitte Juni geplant.«

»Du mußt mir etwas versprechen. Sobald du wieder da bist, mußt du mich besuchen … Komm bald, ich erwarte dich.«

Alcibiade verstand, daß es sich um mehr als eine einfache Bitte handelte.

Ihre Stimme klang flehentlich.

»Dann wirst du sehen …«, sagte sie.

»Ich habe dir doch noch nie etwas abschlagen können.«

Bei dieser Antwort erhellte sich Malvinas Gesicht. Erleichtert, die erhoffte Zusage bekommen zu haben, erhob sie sich. Es war an der Zeit, ihn zur Tür zu geleiten.

Zum Abschied ergriff der Zwerg die Hände der jungen Frau und führte sie an seine Lippen. Mit genießerischer Freude drückte er auf jedes Gelenkknöchelchen einen zärtlichen Kuß. Dabei fielen ihm an ihren Fingern feine Verletzungen auf. Die entzündete Haut schien abgeschürft zu sein. Beunruhigt wollte er sich die Wunden genauer ansehen. Doch Malvina entzog sich ihm.

»Es ist nichts«, rief sie und versteckte die Hände hinter dem Rücken. »Nichts, hörst du! Laß mich, ich bin erschöpft.«

Der kleine Mann wagte nicht, auf seinem Vorhaben zu beharren.

Auf der Treppe jedoch beschlich ihn plötzlich ein Gefühl der Angst. Eine schreckliche Vorahnung. Und wenn sie nun krank war? Gewiß, sie schien bei besserer Gesundheit zu sein, aber vielleicht war das nur der trügerische Eindruck einer vorübergehenden Besserung! Da er diese Zweifel nicht ertrug, stieg er, so rasch er konnte, die Treppe wieder hinauf. Als er vor ihrer Tür stand, zögerte er. Dann klopfte er. Doch bevor er überhaupt ein einziges Wort sagen konnte, fuhr sie ihn schroff an:

»Mir geht es gut, ich schwöre es dir! Was soll ich tun, um es dir zu beweisen?«

»Nichts«, sagte er. »Ich wollte nur, daß du weißt, daß ich in Saint-Malo Pflanzen finden werde, mit denen man diese häßliche Hautkrankheit behandeln kann.«

Sie runzelte die Stirn, schien seine Worte nicht zu verstehen.

»Danke, es ist nett, daß du dich so um mich kümmerst. Du kannst jetzt unbesorgt gehen«, beruhigte sie ihn.

In Wahrheit war die Krankheit weitaus schlimmer, als es den Anschein hatte. Jeden Morgen machte Malvina sich daran, die Verletzungen abzudecken. Über die Narben, die ihren Körper verunstalteten, gab sie Salbenverbände mit Bleiweiß. Salbeiaufgüsse linderten die Schmerzen. Ihre Arme, ihr Unterleib, die Innenseite ihrer Schenkel waren offene Wunden. Lepra hätte sie nicht schlimmer entstellen können. An vielen Stellen waren die Fleischwunden sehr tief. Nur das Gesicht war so schön wie eh und je.

Wenn Matthieu kam, setzte Malvina alles daran, sich fröhlich und gut gelaunt zu geben. Diese Anstrengung erforderte Willensstärke und Beherztheit, denn am Herd zu stehen wurde ihr zur Qual. Die Hitze des Feuers verursachte ihr einen unerträglichen Juckreiz und ließ die Wunden aufplatzen. Sie mußte mit sich kämpfen, um die Schmerzen zu ertragen, denn die Korsettstangen schnürten und quetschten ihre Taille ein. Doch glücklicherweise zeigten sich die ersten Erfolge dieses Opfers. Ihr Geliebter hatte sein Mißtrauen abgelegt. Seine Vorsicht hatte sich ebenso verflüchtigt, wie sich der Überdruß in ihre Liebe eingeschlichen hatte – im Handumdrehen. Gegen Ende des Monats April kam er sie täglich besuchen. Zeit schien auf einmal keine Rolle mehr zu spielen: Die beiden ergingen sich in schier endlosen Gesprächen. Immer häufiger verspürte Matthieu das Bedürfnis, sich zu rechtfertigen, ihr zu erklären, warum er sich von ihr entfernt hatte:
»Alles, was ich vom Leben verlange, ist ein einfaches Glück«, meinte er.
»Einfach? Wie langweilig! Und ich glaubte, daß deine Seele von der Gier nach Neuem beherrscht sei. Es war wohl doch weniger der Überdruß als vielmehr meine unersättliche Liebe, die deine Gefühle aufgezehrt hat …«
»Ja, du hast mir angst gemacht! Soll ich es dir sagen? All die Jahre, in denen du mit meinem Vater zusammengearbeitet hast, mit widerlichen Dingen in Berührung gekommen bist, haben dich stärker beeinflußt, als du es dir vorstellen kannst … Er ist ein etwas verrückter Weltschöpfer, der nicht die Folgen seines Tuns absieht!«
»Der Graf ist für mein Verhalten nicht verantwortlich.«

»Also, warum wurde unsere Beziehung mörderisch, zu einer Besessenheit?«

»Das ist eine Lüge!« rief sie.

»O ja, ich habe mich an unseren Liebesspielen berauscht, ich habe mit Freuden gemeinsam mit dir bis zur Maßlosigkeit die Genüsse der körperlichen und geistigen Lust ausgekostet, aber plötzlich hatte ich nur noch eins im Sinn, und das empfand ich als lebenswichtig: mein Gleichgewicht wiederzufinden.«

»Warum hast du mir nie etwas davon gesagt?«

»Wie denn? Ein Lufthauch war in deinen Augen ein Sturm. Je mehr ich an dir festhielt, desto mehr war ich insgeheim davon überzeugt, daß du versuchtest, mich in Abgründe zu ziehen, die ich nicht kennenlernen wollte. Egal, was man auch für dich tut, du fällst zurück! Es ist, als würde dich ein ständiger Fluch zum Äußersten treiben …«

Der Zornesausbruch, zu dem sich Malvina hinreißen ließ, war entsetzlich. Sie schrie mit aller Kraft. Es war der Schrei einer Wahnsinnigen, einer animalischen Frau. Er ging auf sie zu, zog sie heftig an sich. Doch sie befreite sich aus seiner Umarmung und brüllte:

»Du hast nicht das Recht, mich so zu behandeln! Du nicht!«

Matthieu sah sie ohnmächtig an.

»Oh, sei unbesorgt«, meinte sie. »Ich werde dich von dieser Last befreien! Du hast recht, eine Liebe, die im Sterben liegt, sollte man besser vergessen. Von nun an kann ich dich weder glücklich noch unglücklich machen, denn du bist mir nur noch gleichgültig! Du hast dich bemüht, aus mir ein normales Wesen zu machen, aber das werde ich niemals sein, denn ich bin der Tod … Verstehst du?«

Sie schwieg. Und auch er schwieg. Alles um sie herum war Schweigen.

Verwirrt ging Matthieu zur Tür. Als er schon den Fuß über die Schwelle setzen wollte, entgegnete er:

»Es tut mir leid, daß ich dich so wenig, so schlecht geliebt habe, daß ich nicht verstanden habe, dich zu lieben. Alcibiade hat mir gesagt, daß du krank bist, ich werde da sein, wenn du mich brauchst.«

»Wie du vielleicht bemerkt hast, habe ich meine Sachen gepackt. Ich werde auf eine Reise gehen, die mir wichtig ist«, erklärte sie.

Matthieu erwiderte nichts darauf und ging.

In den folgenden Tagen bestätigten sich seine Befürchtungen. Ohne daß er es sich zu erklären versuchte, machte ihn Malvinas Abwesenheit immer bedrückter. Daß er sich mit anderen Frauen traf, änderte nichts daran. Er sah darin, um den Preis hartnäckiger Verführungskünste, lediglich eine Sammlung von Körpern. Diese ständig wechselnden Leiber vermochten nicht, ihn zu befriedigen, denn diejenige, die er noch immer liebte, fehlte ihm. Wie viele stürmische Erinnerungen, wie viele unauslöschliche Eindrücke! Je länger er darüber nachdachte, desto häufiger sagte sich Matthieu, daß er keine Geduld bewiesen hatte. Er warf sich vor, wie sein Vater zu sein. Nie hatte er sich wirklich um die Ängste seiner Geliebten gekümmert. Nur sein Vergnügen, seine Begeisterung für sein neues Leben hatten gezählt. Sicher, ein Teil der Verantwortung lag auch bei Malvina: Ihre unberechenbaren, manchmal erschreckenden Verhaltensweisen forderten ihren Tribut. Vielleicht war sie sogar verrückt, aber noch nie hatte ihn eine Frau derart geliebt. Sie hatte ihn so sehr angebetet, daß jeder Atemzug, jeder Herzschlag ihm galt. Wenn Malvina die Trennung beschlossen hatte, dann nur, damit er ihre Existenz zur Kenntnis nahm – das war ihm nun klar.

Matthieu hörte nicht auf, sich Vorwürfe zu machen. An einem Abend im Mai beschloß er, zu Malvinas Wohnung zu gehen. Er wartete in der Toreinfahrt des Hauses gegenüber. Der Wind trieb einen feuchten Nebel vor sich her. Kein einziger Laut war zu vernehmen. Es wurde dunkel, doch in ihrer Wohnung flammte kein Licht auf. Endlich beschloß er, das Haus zu betreten.

Auf sein Klopfen bekam er keine Antwort. Da er noch immer einen Schlüssel besaß, sperrte er auf. Als erstes fiel ihm die abgestandene Luft auf, die im Korridor hing. Man hätte meinen können, daß seit Jahrhunderten kein Mensch mehr einen Fuß in diese Wohnung gesetzt hatte. Alles war unverändert. Die Möbel im Salon waren mit großen weißen Tüchern verhüllt. Und im Schlafgemach war die Frisierkommode, auf der Dosen mit Kämmen und Puderquasten lagen, mit einer dicken Staubschicht bedeckt. Malvina war also tatsächlich abgereist!

Die Uhr schlug elf. Der letzte Schlag hallte lange in der Stille wider … Wozu noch länger hierbleiben? Matthieu steuerte auf den Korridor zu, als er in Höhe der Küche plötzlich einen Lichtschein sah. Je näher er kam, desto mehr bestätigten ihm die köstlichen Düfte von köchelnden Speisen, daß dort jemand sein mußte. Er erkannte den süßlichen Duft der Gewürze, den frischen Geruch von Lorbeerblättern und Majoran wieder. Ein Topf schäumte, und sein brodelnder Inhalt ergoß sich über die glühenden Kohlen. Davor stand Malvina in einem Kleid aus roter Seide; es war das gleiche, das sie am Tag ihrer ersten Begegnung getragen hatte. Sie war ganz vertieft in ihre Arbeit, schien ihn nicht zu bemerken. Er wollte auf sie zugehen, da ließ ihn ein zartes, hohes Stimmchen innehalten:

»Ich habe dich erwartet … Es macht dir doch nichts aus, wenn wir in der Küche essen?«

Eine mit einem weißen Damasttischtuch gedeckte Tafel thronte in der Mitte des Raums. Auf einer silberbestickten, feinen Decke aus Batist war kunstvoll das Porzellan gedeckt. Rechts stand ein tiefer Teller, umlegt mit Besteck, in der Mitte eine Suppenschüssel, links ein Weinglas und ein Strauß Chrysanthemen.

»Setz dich«, sagte sie. »Ich werde gleich das Essen auftragen.«

Matthieu gehorchte, ohne den Blick von der jungen Frau abzuwenden. Wie in Marmor gemeißelt wirkte ihr Gesicht, das gespenstisch weiß und so durchscheinend war, daß man jedes Äderchen sehen konnte. Mit Ausnahme der Lippen, die sich zusammenzogen, als müßten sie einen Schmerz unterdrücken, wirkte sie leblos.

»Soll ich dir helfen?« fragte er.

Ihm war aufgefallen, daß sie ihren rechten Arm abstützte.

»Nein, danke, setz dich. Ich bin fertig.«

»Willst du nicht mit mir essen? Nur das eine Mal …«

»Iß, sonst wird es kalt!«

Er lächelte.

»Aber ich bin gekommen, um dich zu sehen, um mit dir zu sprechen!«

»Iß«, sagte sie, »wir können uns später unterhalten. Auch ich möchte dir etwas sagen.«

Matthieu schätzte die Kochkünste der jungen Frau viel zu sehr, als daß er ihrer Aufforderung nicht bereitwillig nachgekommen wäre. Er probierte die verschiedenen Vorspeisen, kostete von den Kiebitzeiern, für die er eine unbestreitbare Vorliebe hatte. Wie es das Rezept erforderte, waren sie mit einer Gänseleberpastete, Trüffeln und Geflügelfleisch gefüllt und mit Pfeffer und geriebener Muskatnuß abgeschmeckt.

»Liebst du es?« wollte sie wissen. »Liebst du mich?«

»Ja«, antwortete er, ohne den feinen Unterschied in der Formulierung wahrzunehmen. Er schenkte sich Champagner ein und nahm die Zigarre, die Malvina ihm anbot. Der Rauch, der vor seinen Augen aufstieg, versetzte ihn vollends in eine andere, leichte, fast unwirkliche Welt. Die Gedanken, die ihm durch den Kopf gingen, waren aufrichtig und rein. Er betrachtete Malvina, die ihn aus ihren großen Augen ansah, ihr Gesicht war starr wie ein Gemälde. Es rührte ihn, daß sie den Smaragd trug, den er ihr geschenkt hatte.

»Ich liebe dich«, murmelte er.

Ohne etwas zu erwidern, erhob sie sich und stellte sich hinter ihn, so daß er sie nicht berühren konnte.

»Beweg dich nicht«, flüsterte sie ihm ins Ohr. »Vor allen Dingen beweg dich nicht.«

Ihre Hände glitten im Rhythmus von Matthieus Atmung über seinen Oberkörper. Je heftiger seine Atemzüge waren, desto tiefer glitten ihre Hände, ohne jedoch sein Geschlecht zu berühren. Es flüchtig streifen, nur um zu spüren, wie es anschwoll und sich unter der Lust, die es durchströmte, aufrichtete. Ein Stöhnen, seine Muskeln zogen sich zusammen, der Kopf glitt zurück, um ihre Lippen zu empfangen. Malvina küßte ihn. Sie drang in diesen Mund ein, als sei er der Fortsatz ihres eigenen. Das gleiche Fleisch, ein einziges Wesen. Seine Zunge war noch warm von dem, was er gegessen hatte. Sie leckte sie, umrundete sie und begann dann, auf ihr auf und ab zu gleiten wie bei einer geschlechtlichen Vereinigung. Er versuchte, sie mit einer Hand zu sich heranzuziehen. In diesem Augenblick versteifte sich ihr Körper, ein entsetzlicher Schmerz entriß ihr einen Schrei. Noch ehe er etwas unternehmen konnte, hatte sie sich schon aufgerichtet, ihre Arme um ihren Körper geschlungen und begonnen, sich vor und zurück zu wiegen wie eine Lilie im Wind.

»Was ist? Hab' ich dir weh getan?«

Ihre Stimme klang tief.

»Du hast gesagt, daß du mich liebst, nicht wahr?«

»Ja.«

»Bist du dir diesmal sicher?«

»Daran besteht kein Zweifel.«

»Dann sieh, sieh genau hin, denn keine andere Frau hat sich dir jemals auf diese Art hingegeben.«

Malvina zog das Licht näher heran, damit er sie besser sehen konnte. Sie legte ein Kleidungsstück nach dem anderen ab, enthüllte einen entsetzlich verstümmelten Körper. Ihre Haut war von Narben übersät, die grauenvolle Hülle des verwundeten Fleisches. Am rechten Arm klaffte in Schulterhöhe eine Wunde, die aussah, als hätte man sie mit einem rotglühenden Schürhaken in die Haut gebrannt. Matthieus Augen wurden feucht, als er sich die Schmerzen vorstellte, die seine Geliebte ertragen mußte. Er wollte sie trösten, ihr helfen, aber die Worte blieben ihm im Hals stecken.

»Weine nicht«, sagte sie.

»Das wußte ich nicht!«

»Ich habe es für dich getan!«

Matthieu verstand nicht, was sie ihm da sagte. Er ging zu ihr, wollte ihren Körper bedecken.

»Nein, du mußt das sehen.«

»Wir werden dich behandeln lassen. Ich werde mich um dich kümmern.«

»Du hast nicht verstanden.« Plötzlich schrie sie, wich zurück. »Ich habe es getan, um in dir zu sein … Verstehst du? Seit Monaten nährst du dich von meinem Körper, meinem Fleisch. Da ich deinen Geist nicht beherrschen konnte, fließe ich in deinen Adern, nähre ich dein Blut … Deshalb bist du zu mir zurückgekommen! Weil du zu mir gehörst.«

Matthieu sah sie aus schreckgeweiteten Augen an. Er konnte nicht fassen, was er gerade gehört hatte. Kein menschliches Wesen, selbst wenn es wahnsinnig war, wäre imstande, ein solches Opfer zu zelebrieren, eine so unwürdige und barbarische Tat zu begehen. Er durchquerte den Raum, spürte, wie ihn eine immer heftigere Übelkeit würgte.

»Du wirst mich doch nicht erbrechen, oder?«

Sie war also wahnsinnig, vollkommen wahnsinnig. Schritt für Schritt folgte sie ihm und brüllte ihm gebieterisch hinterher:

»Dazu hast du nicht das Recht! Bleib hier!«

Matthieu stürzte aus der Küche. Im Korridor sank er, von einem heftigen Brechreiz gequält, zusammen. Zusammengekauert saß er da, hatte die Stirn an die Knie gedrückt, die Fäuste gegen die Schläfen gepreßt. Seine Tränen waren versiegt, sein Schmerz war groß, größer als die Bitterkeit. Sein Körper krampfte sich zusammen, wand sich. Malvinas Geschmack brannte wie Feuer in seiner Kehle. Dieses Fleisch, das er verschlungen hatte, dieses Fleisch, das dem anderen entrissen worden war. Er litt Höllenqualen, da er jede Faser, die er verzehrt hatte, noch einmal in seinem Mund spürte. Er konnte nicht sagen, wie lange er so dasaß, die Arme auf den Leib gepreßt, und den Oberkörper vor und zurück wiegte. Es schien ihm eine Ewigkeit. Dann erhob er sich, schleppte sich durch den Salon. Seine Bewegungen waren fahrig, doch er mußte fliehen, so schnell wie möglich diesen verfluchten Ort verlassen. Er richtete sich auf, steuerte auf die Tür zu, doch sie schien sich zu entfernen. Ihre Umrisse schwankten, als wolle der Boden sie verschlingen. Alles um ihn herum drehte sich. Von einem plötzlichen Schwindel erfaßt, stürzte er rücklings zu Boden. Er erstickte. Das war nicht mehr die Übelkeit, sondern Angst, ein entsetzliches Grauen, denn, da war er sich nun sicher, ein starkes Gift zerstörte seinen Magen. Sein Herz schmerzte, als würde es von tausend glühenden Stacheln durchbohrt.

Malvina trat vor ihn. Sie wurde nicht mehr von der Freude geleitet, den anderen zu besitzen, sondern von einer anderen Kraft als der eigenen, einer Kraft, die aus dem Bösen entsprang. Sie wollte das letzte Bild sein, das Matthieu vor Augen hatte, bevor er starb. Sie starrte in sein vom Gift des Schierlings entstelltes Gesicht. Im Blick der jungen Frau war das Tier zum Leben erwacht. Damit der letzte Ton, den er hörte, ihr Atem war, legte sie sich auf ihn. Ihre Brust ruhte schwer auf seiner Brust, seiner Gurgel. Wie eine überlebensgroße Spinne. Die schwarzen Augen funkelten, der Mund war leicht geöffnet wie der einer Mandibula. Sie näherte sich Matthieu, preßte ihre Lippen auf seine und sog den winzig kleinen Lebenshauch ein, verschluckte ihn, um sich damit zu füllen, sich die Energie anzueignen. Von ihrem Körper erdrückt, erlebte er das Grauen der Todesagonie. Dann bäumte er sich ein letztes Mal auf, bevor er in die ewige Nacht hinüberglitt.

Es herrschte eine große Stille im Raum. Eine furchtbare Stille, die Malvina gar nicht bemerkte, da der Wahnsinn sich ihrer bemächtigt hatte. Er schwoll an wie ein Echo, das von allen Seiten zurückgeworfen wurde, ein Getöse, das aus ihrem Unterbewußtsein widerhallte. In ihrem Kopf drehte sich alles wieder und wieder um die gleichen Fragen. Matthieu war tot, weil er nicht bis zum Äußersten zu gehen bereit gewesen war, um sie zu halten. Wie hatte er sich vor ihr ekeln können? Vor ihr, die seinen Leichnam leckte? Nur eine kleine Bißwunde, um ihn in sich zu spüren, damit er sich in jedes Blutgefäß, in jede Nervenbahn fortsetzte. Dieses Blut würde sie verwandeln. Ihr Geliebter würde sich um so leichter mit ihr verbinden, da sie seit Tagen auf jegliche

Nahrung verzichtet hatte. Schon waren ihre Herzschläge nicht mehr die eigenen. Schon hatte ihr Gehirn eine andere Identität angenommen: die eines doppelten, vermischten Wesens, das sie nicht kannte. Nichts sehen, nichts hören, nichts riechen, nicht zwischen leicht und schwer unterscheiden, zwischen Schmerz und Erlösung. Dank dieser Liebesgeste war es ihr gelungen, sich mit dem Unendlichen, nach dem sie so lange gesucht hatte, zu vereinigen.

Als Alcibiade am übernächsten Tag zu Malvina kam, stand die Tür zur Wohnung einen Spalt offen. Da die junge Frau für gewöhnlich umsichtig war, wagte sich der kleine Mann nur vorsichtig hinein. Die Fensterläden im Salon waren geschlossen. Er suchte im Halbdunkel nach dem Fenstergriff. Kurze Zeit später konnte das milde, morgendliche Licht dieses schönen Frühlingstages ungehindert in den Raum dringen. Malvina saß in einer Ecke auf dem Boden. Wie ein wehrloses Kind kauerte sie dort, mit angezogenen Knien, das rote Seidenkleid um die Beine gewickelt. Ihre mageren, mit Schürfwunden übersäten Hände zerrten an einem blauen Tuch. Alcibiade ging auf sie zu. Sie sprach nicht mit ihm und er auch nicht mit ihr. Kein einziges Wort wurde laut. Schritte bewegten sich zum Schlafgemach, ein Schrei, Matthieu lag tot am Boden … Nur das und Schweigen. Das Schweigen, das das Grauen verstärkt, es noch beklemmender macht. Ein einziger Blick hatte genügt, um zu begreifen, um sich vorzustellen, wie Malvina dieses Verbrechen begangen hatte … Und um ihren baldigen Tod vorherzusehen, denn auch für sie war der Moment der Erlösung nicht mehr weit. Ihre Lippen waren ausgetrocknet, weil sie seit Tagen nichts getrunken, nichts gegessen hatte. Alcibiade brachte ihr ein Glas Wasser, etwas Zucker, ohne Erfolg. Sie wich zurück, ihr Mund war wie versiegelt, unfähig diese

Verlängerung ihres Lebens anzunehmen. Die junge Frau hatte kaum noch die Kraft zu sitzen; er half ihr, sich auf dem Sofa auszustrecken, hob ihren Kopf und bettete ihn auf ein Kissen. Ihr wirr ausgebreitetes, dichtes Haar glich einem Stern. Sie versuchte zu sprechen, aber es gelang ihr nicht, auch nur einen Ton herauszubringen. Da drückte Alcibiade ihr unendlich sanft einen Kuß auf die Lippen und legte seinen Arm um ihre Schultern, damit sie keine Angst mehr hatte. Nie wieder.

Wie lange blieb er so sitzen? Er hätte es nicht sagen können. Das blaue Tuch war aus Malvinas Hand auf den Boden geglitten. Der Körper der jungen Frau zeichnete sich als eine schwarze und undurchdringliche Masse ab, die kein Licht mehr erfüllte. Der Tod kam und nahm mit ihrem gepeinigten Herzen auch den Wahnsinn mit sich, der es erfüllte. Eine unendliche und erschreckende Flutwelle, die keine Klippe zu halten vermochte. Mit ihrer zerstörerischen Kraft hatte sie den ganzen Haß, die ganze Wut zunichte gemacht. Eine unendliche Leere, das reine Nichts bildete das Leichentuch. Der Zwerg nahm das blaue Tuch an sich, kniete nieder und betete bis zur Erschöpfung, damit Gott diese schändliche Tat, dieses dem Wahnsinn entsprungene Verbrechen vergeben möge.

Gegen Ende des Nachmittags hatte die milde Sonne alle Wesen und Gegenstände in ein blaßgelbes Licht getaucht. Ein letzter Sonnenstrahl huschte durch den Raum. Er streifte ein Tischchen, auf dem ein Strauß weißer Rosen stand. Durch die Wärme öffnete sich anmutig eine der Blumen, sanft lösten sich die Blütenblätter. Dadurch wurde auf wundersame Weise eine Biene befreit, die in diesem vergänglichen Grab eingeschlossen gewesen war. Das Insekt schwirrte aufgeregt umher, folgte dann dem Licht und stieg zu diesem winzigen Punkt empor, der sich hoch oben am blauen Himmel abzeichnete. Alcibiade konnte endlich gehen.

In der Toreinfahrt begegnete er einem Mann. Er hätte ihn nicht weiter beachtet, wenn dieser ihn nicht am Arm gepackt hätte. »Verflucht seien die, die Bitteres in Süßes verwandeln und Süßes in Bitteres«, kreischte er und sah Alcibiade durchdringend an. Dieser war viel zu aufgewühlt, um zu verstehen, was der Unbekannte ihm da sagte. Er entwand sich ihm, und als er sich ein letztes Mal umdrehte, sah er, wie der Mann die Stufen der Treppe hinaufhinkte.

Der Himmel war violett, der Mond zeichnete sich groß und leuchtend hell über den Dächern ab. Es wird eine klare Nacht werden, dachte er. Ein gutes Zeichen.